西遊記

吳承恩

卷2

第二一回至第四〇回

編者序

《西遊記》是中國古典小說中，以神話為題材的一部神魔小說。從唐代玄奘取經，歷經八百年左右的民間傳說的演變過程，最後寫成於一五七〇年代，由明朝吳承恩成書。

《西遊記》寫唐僧取經，是確有其人其事。唐太宗貞觀三年（西元六二九年），青年和尚玄奘（六〇二～六六四）獨自一人到天竺（今印度）取經，歷時十七年（《西遊記》上說是十四年），跋山涉水，取回梵文佛經六百五十七部。玄奘回國以後，唐太宗為他設立譯場，讓他主持翻譯佛經的工作，並講述取經途中的奇聞軼事，後由門徒辯機寫成《大唐西域記》，介紹西域各國的佛教遺址和風土人情。玄奘的門徒慧立、彥琮為弘揚師父不屈不撓的精神，將取經的過程誇大渲染後，寫成《大唐慈恩寺三藏法師傳》。

玄奘法師隻身赴天竺取經的故事，開始在民間流傳，越傳越誇張，離本來面目，也就越來越遠了。在唐人筆記《獨異志》和《唐新語》等書中所載的一些傳說，可看出具有濃厚的神奇色彩。

而取經故事不但形諸筆墨，五代時亦已流布丹青，揚州壽寧寺藏經樓、敦煌壁畫中安西榆林窟的壁畫中，已有唐僧、猴行者和白馬。到了宋代，取經故事成了「說話」藝術的重要題材，《大唐三藏取經詩話》便是一個重要的說經話本，除了猴行者，還有深沙神，也就是後來《西遊記》中孫悟空和沙僧的雛形。

從金元到明代中葉，取經故事再度「演化」，除了孫行者，豬八戒也登場，深沙神則改成了沙和尚；火焰山借扇、女人國逼配等情節也出現了。到了元末明初，孫悟空正式成了取經故事中的主角，基本情節也和今見百回本《西遊記》大致相同。

關於《西遊記》的作者，長期以來有不同說法。明刊百回本沒有署作者的名字，清初刊刻的《西遊證道書》提出為元代道士丘處機作，後經現代學者魯迅、胡適等人考證，認為是吳承恩所作，為目前學術界認可。

吳承恩（約一五〇〇～一五八二），字汝忠，號射陽山人，淮安山陽（今江蘇淮安）人。他早年屢試不第，中年以後補為歲貢生，仍不得志，《西遊記》是他晚年寫成的。吳承恩生活的時代，皇帝昏庸，宦官專權，世道並不平靜，於是他的作品多透過神鬼奇幻的形式來反映現實，寄寓他的愛憎和理想。

胡適認為《西遊記》是一部沒有什麼微妙寓意的滑稽小說，但更多的研究者認為，除了趣味，《西遊記》實則反映明代中葉以後的時代思想。《西遊記》寫取經路上的師徒四人，真正的主角卻是孫悟空而非唐僧。孫悟空來歷不凡，不把神仙界的權威放在眼裡；他樂觀勇敢、善惡分明，在取經路上總是保護唐僧，老愛戲弄豬八戒；沙和尚雖是老實人，但關鍵時刻也頗有見地。人物寫來活靈活現，令讀者時而捧腹，時而感傷，確是一部老少咸宜的小說。

人人出版公司《人人文庫》系列的四大小說——《紅樓夢》、《三國演義》、《水滸傳》、《西遊記》——於二〇一七年首度合體登場，盼提供讀者最豐富的閱讀饗宴。

《人人文庫》系列秉持好看、好讀的「輕」小說原則，方便您一卷在手，隨身攜帶。不但選用輕韌的日本紙，注解簡明易懂，編排賞心悅目。祈願讀者們盡情優游書海，享受閱讀的樂趣。

西遊記

卷2

第二一回至第四〇回

【目次】

第二一回

護法設莊留大聖
須彌靈吉定風魔

卻說那五十個敗殘◆的小妖拿著些破旗、破鼓，撞入洞裡，報道：「大王，虎先鋒戰不過那毛臉和尚，被他趕下東山坡去了。」老妖聞說，十分煩惱。

正低頭不語，默思計策，又有把前門的小妖道：「大王，虎先鋒被那毛臉和尚打殺了，拖在門口罵戰◆哩。」

那老妖聞言，愈加煩惱道：「這廝卻也無知。我倒不曾吃他師父，他轉打殺我家先鋒，可恨！可恨！」叫：「取披掛◆來。我也只聞得講甚麼孫行者，等我出去，看是個甚麼九頭八尾◆的和尚，拿他進來，與我虎先鋒對命◆。」

眾小妖急急抬出披掛。

老妖結束齊整，綽一桿三股鋼叉，率群妖跳出本洞。那大聖停立門外，見那妖走將出來，著實驍勇。看他怎生打扮，但見那：

金盔晃日，金甲凝光。盔上纓飄山雉尾，羅袍罩甲淡鵝黃。勒甲絛盤龍耀彩，護心鏡繞眼輝煌。鹿皮靴，槐花染色；錦圍裙，柳葉絨妝。手持三股鋼叉利，不亞當年顯聖郎。

那老妖出得門來，厲聲高叫道：「哪個是孫行者？」這行者腳踩著虎怪的皮囊，手執著如意的鐵棒，答道：「你孫外公在此。送出我師父來！」那怪仔細觀看，見行者身軀鄙猥◆，面容羸瘦，不滿四尺。

◆**敗殘**—指殘兵敗將。　**罵戰**—叫罵挑戰。　**披掛**—出戰時所穿戴的盔甲。

九頭八尾—形容怪異非凡。　**對命**—抵命，償命。　**鄙猥**—粗俗瘦小。

笑道：「可憐！可憐！我只道是怎麼樣扳翻不倒的好漢，原來是這般一個骷髏的病鬼！」

行者笑道：「你這個兒子，忒沒眼色。你外公雖是小小的，你若肯照頭打一叉柄，就長六尺。」

那怪道：「你硬著頭，吃吾一柄。」大聖公然不懼。那怪果打一下來，他把腰躬一躬，足長了六尺，有一丈長短。

慌得那妖把鋼叉按住，喝道：「孫行者，你怎麼把這護身的變化法兒，拿來我門前使換？莫弄虛頭，走上來，我與你見見手段。」

行者笑道：「兒子啊，常言道：『留情不舉手，舉手不留情。』你外公手兒重重的，只怕你捱不起這一棒。」

那怪哪容分說，拈轉鋼叉，望行者當胸就刺；這大聖正是會家不忙，忙家不會，理開鐵棒，使一個「烏龍掠地勢」，撥開鋼叉，又照頭便打。他二人在那黃風洞口，這一場好殺：

妖王發怒，大聖施威。

妖王發怒，要拿行者抵先鋒；大聖施威，欲捉精靈救長老。
叉來棒架，棒去叉迎。一個是鎮山都總帥，一個是護法美猴王。
初時還在塵埃戰，後來各起在中央。
點鋼叉，尖明銳利；如意棒，身黑箍黃。
戳著的魂歸冥府，打著的定見閻王。
全憑著手疾眼快，必須要力壯身強。
兩家捨死忘生戰，不知哪個平安哪個傷。

那老妖與大聖鬥經三十回合，不分勝敗。這行者要見功績，使一個「身外身」的手段：把毫毛揪下一把，用口嚼得粉碎，望上一噴，叫聲：「變！」變有百十個行者，都是一樣打扮，各執一根鐵棒，把那怪圍在空中。

◆弄虛頭──搞花樣、耍手段。

那怪害怕，也使一般本事：急回頭，望著巽地上，把口張了三張，呼的一口氣吹將出去，忽然間，一陣黃風，從空刮起。好風，真個利害：

冷冷颼颼天地變，無影無形黃沙旋。
穿林折嶺倒松梅，播土揚塵崩嶺坫◆。
黃河浪潑徹底渾，湘江水湧翻波轉。
碧天振動斗牛宮，爭些◆刮倒森羅殿。
五百羅漢鬧喧天，八大金剛齊嚷亂。
文殊走了青毛獅，普賢白象難尋見。
真武龜蛇◆失了群，梓橦騾子飄其轞。
行商喊叫告蒼天，艄公拜許諸般願。
煙波性命浪中流，名利殘生隨水辦。
仙山洞府黑攸攸，海島蓬萊昏暗暗。
老君難顧煉丹爐，壽星收了龍鬚扇。
王母正去赴蟠桃，一風吹亂裙腰釧。

二郎迷失灌州城，哪吒難取匣中劍。
天王不見手心塔，魯班吊了金頭鑽。
雷音寶闕倒三層，趙州石橋崩兩斷。
一輪紅日蕩無光，滿天星斗皆昏亂。
南山鳥往北山飛，東湖水向西湖漫。
雌雄拆對不相呼，子母分離難叫喚。
龍王遍海找夜叉，雷公到處尋閃電。
十代閻王覓判官，地府牛頭追馬面。
這風吹倒普陀山，捲起觀音經一卷。
白蓮花卸海邊飛，吹倒菩薩十二院。
盤古至今曾見風，不似這風來不善。
唿喇喇，乾坤險不炸崩開，萬里江山都是顫！

◈爭些──差一點兒。**真武龜蛇**──民間傳說龜蛇二將是真武大帝的腑臟。坫──屏障。坫音店。

那妖怪使出這陣狂風，就把孫大聖毫毛變的小行者刮得在那半空中，卻似紡車◆兒一般亂轉，莫想掄得棒，如何攏得身？慌得行者將毫毛一抖，收上身來。獨自個舉著鐵棒，上前來打。又被那怪劈臉噴了一口黃風，把兩隻火眼金睛刮得緊緊閉合，莫能睜開。因此難使鐵棒，遂敗下陣來。那妖收風回洞不題。

卻說豬八戒見那黃風大作，天地無光，牽著馬，守著擔，伏在山凹之間，也不敢睜眼，不敢抬頭。口裡不住的念佛許願，又不知行者勝負何如，師父死活何如。

正在那疑思之時，卻早風定天晴。忽抬頭往那洞門前看處，卻也不見兵戈，不聞鑼鼓。呆子又不敢上他門，又沒人看守馬匹、行李，果是進退兩難，愴惶不已。

憂慮間，只聽得孫大聖從西邊吆喝而來，他才欠身迎著道：「哥哥，好大風啊！你從哪裡走來？」

行者擺手道：「利害，利害！我老孫自為人，不曾見這大風。那老妖使一柄三股鋼叉，來與老孫交戰。戰到有三十餘合，是老孫使一個『身外身』的本事。把他圍打，他甚著急，故弄出這陣風來。果是凶惡，刮得我站立不住，收了本事，冒風而逃。哏，好風！哏，好風！老孫也會呼風，也會喚雨，不曾似這個妖精的風惡。」

八戒道：「師兄，那妖精的武藝如何？」

行者道：「也看得過，叉法兒倒也齊整，與老孫也戰個手平。卻只是風惡了，難得贏他。」

八戒道：「似這般怎生救得師父？」

行者道：「救師父且等再處。不知這裡可有眼科先生，且教他把我眼醫治醫治。」八戒道：「你眼怎的來？」

行者道：「我被那怪一口風噴將來，吹得我眼珠酸痛，這會子冷淚常流。」

◈紡車──舊時有輪可轉動的紡紗器具。

八戒道：「哥啊，這半山中，天色又晚，且莫說要甚麼眼科，連宿處也沒有了。」

行者道：「要宿處不難，我料著那妖精還不敢傷我師父，我們且找上大路，尋個人家住下，過此一宵，明日天光，再來降妖罷。」

八戒道：「正是，正是。」

他卻牽了馬，挑了擔，出山凹，行上路口。此時漸漸黃昏，只聽得路南山坡下有犬吠之聲。二人停身觀看，乃是一家莊院，影影的有燈火光明。他兩個也不管有路無路，漫草而行，直至那家門首。但見：

紫芝翳翳，白石蒼蒼。
紫芝翳翳多青草，白石蒼蒼半綠苔。
數點小螢光灼灼，一林野樹密排排。
香蘭馥郁，嫩竹新栽。清泉流曲澗，古柏倚深崖。
地僻更無遊客到，門前惟有野花開。

他兩個不敢擅入，只得叫一聲：「開門，開門！」那裡有一老者，帶幾個年幼的農夫，叉鈀掃帚齊來，問道：「甚麼人？甚麼人？」

行者躬身道：「我們是東土大唐聖僧的徒弟。因往西方拜佛求經，路過此山，被黃風大王拿了我師父去了，我們還未曾救得。天色已晚，特來府上告借一宵，萬望方便方便。」

那老者答禮道：「失迎，失迎。此間乃雲多人少之處，卻才聞得叫門，恐怕是妖狐、老虎及山中強盜等類，故此小价愚頑，多有衝撞，不知是二位長老。請進，請進。」

他兄弟們牽馬挑擔而入，逕至裡邊，拴馬歇擔，與莊老拜見敘坐。又有蒼頭◈獻茶。茶罷，捧出幾碗胡麻飯。飯畢，命設鋪就寢。

行者道：「不睡還可，敢問善人，貴地可有賣眼藥的？」

◈蒼頭——漢時僕役皆須以青巾作頭飾，故稱僕役為「蒼頭」。

老者道：「是那位長老害眼◆？」

行者道：「不瞞你老人家說，我們出家人自來無病，從不曉得害眼。」

老人道：「既不害眼，如何討藥？」

行者道：「我們今日在黃風洞口救我師父，不期被那怪將一口風噴來，吹得我眼珠酸痛，今有些眼淚汪汪，故此要尋眼藥。」

那老者道：「善哉！善哉！你這個長老，小小的年紀，怎麼說謊？那黃風大王，風最利害。他那風，比不得甚麼春秋風、松竹風與那東西南北風。」八戒道：「想必是夾腦風◆、羊兒風◆、大麻風◆、偏正頭風◆？」

長者道：「不是，不是。他叫做三昧神風。」

行者道：「怎見得？」

老者道：「那風能吹天地暗，善刮鬼神愁，裂石崩崖惡，吹人命即休。你們若遇著他那風吹了時，還想得活哩？只除是神仙，方可得無事。」

行者道：「果然，果然。我們雖不是神仙，神仙還是我的晚輩。這條命急切難休，卻只是吹得我眼珠酸痛。」

那老者道：「既如此說，也是個有來頭的人。我這敝處卻無賣眼藥的。老漢也有些迎風冷淚，曾遇異人，傳了一方，名喚三花九子膏◈，能治一切風眼。」

行者聞言，低頭唱喏道：「願求些兒，點試點試。」那老者應承，即走進去，取出一個瑪瑙石的小罐兒來，拔開塞口，用玉簪兒蘸出少許，與行者點上，教他不得睜開，寧心睡覺，明早就好。點畢，收了石罐，逕領小价們退於裡面。

八戒解包袱，展開鋪蓋，請行者安置。行者閉著眼亂摸。

◈害眼──指眼睛患病。　夾腦風──呆子、痴漢、精神不正常的人。
羊兒風──指癲癇。　大麻風──指麻瘋病。
偏正頭風──乃痰飲停滯胸膈，賊風竄入腦戶，久而不治，變為癱瘓。
三花九子膏──「三花」是道家極為厲害的內丹修煉術，人花煉精化氣，地花煉氣化神，天花煉神還虛。道教以修至三花聚頂、五氣朝元為最高境界，成為金仙。做到三花聚頂，便能九轉丹成。

八戒笑道：「先生，你的明杖◆兒呢？」

行者道：「你這個饢糠的呆子，你照顧我做瞎子哩！」那呆子啞啞的暗笑而睡。行者坐在鋪上，轉運神功，直到三更後方才睡下。

不覺又是五更將曉。行者抹抹臉，睜開眼道：「果然好藥，比常更有百分光明。」卻轉頭後邊望望，呀！哪裡得甚房舍窗門，但只見些老槐高柳，兄弟們都睡在那綠莎茵上。

那八戒醒來道：「哥哥，你嚷怎的？」

行者道：「你睜開眼睛看看。」

呆子忽抬頭，見沒了人家，慌得一轂轆◆爬將起來道：「我的馬哩？」

行者道：「樹上拴的不是？」「行李呢？」

行者道：「你頭邊放的不是？」

八戒道：「這家子也憊懶，他搬了，怎麼就不叫我們一聲？通得老豬知道，也好與你送些茶果。想是躲門戶◆的，恐怕里長曉得，卻就連夜搬了。

噫！我們也忒睡得死，怎麼他家拆房子，響也不聽見響響？」

行者吸吸◆的笑道：「呆子，不要亂嚷。你看那樹上是個甚麼紙帖兒？」

八戒走上前，用手揭了，原來上面四句頌子云：

莊居非是俗人居，護法伽藍點化廬。
妙藥與君醫眼痛，盡心降怪莫躊躇。

行者道：「這夥強神，自換了龍馬，一向不曾點他，他倒又來弄虛頭。」

八戒道：「哥哥莫扯架子，他怎麼伏你點札？」

行者道：「兄弟，你還不知哩。這護教伽藍、六丁六甲、五方揭諦、四值功曹奉菩薩的法旨，暗保我師父者。自那日報了名，只為這一向有了你，再不曾用他們，故不曾點札◆罷了。」

八戒道：「哥哥，他既奉法旨暗保師父，所以不能現身明顯，故此點化

◆**明杖**—盲人用以探路的手杖。　**一轂轆**—翻身一滾。形容速度很快。轂轆音骨碌。
躲門戶—因逃避債務、徭役而搬家，不讓別人找到。　**吸吸**—急促的樣子。　**點札**—調派、指揮。

仙莊。你莫怪他，昨日也虧他與你點眼，又虧他管了我們一頓齋飯，亦可謂盡心矣。你莫怪他，我們且去救師父來。」

行者道：「兄弟說得是。此處到那黃風洞口不遠，你且莫動身，只在林子裡看馬守擔。等老孫去洞裡打聽打聽，看師父下落如何，再與他爭戰。」

八戒道：「正是這等，討一個死活的實信。假若師父死了，各人好尋頭幹事；若是未死，我們好竭力盡心。」

行者道：「莫亂談，我去也！」

他將身一縱，逕到他門首，門尚關著睡覺。行者不叫門，且不驚動妖怪，捻著訣，念個咒語，搖身一變，變做一個花腳蚊蟲，真個小巧。有詩為證。詩曰：

擾擾微形利喙，嚶嚶聲細如雷。
蘭房紗帳善通隨，正愛炎天暖氣。
只怕熏煙撲扇，偏憐燈火光輝。

輕輕小小忒鑽疾，飛入妖精洞裡。

只見那把門的小妖正打鼾睡，行者往他臉上叮了一口，那小妖翻身醒了，道：「我爺啞！好大蚊子，一口就叮了一個大疙疸。」忽睜眼道：「天亮了。」又聽得支的一聲，二門開了。行者嚶嚶的飛將進去，只見那老妖吩咐各門上謹慎，一壁廂收拾兵器：「只怕昨日那陣風不曾刮死孫行者，他今日必定還來，來時定教他一命休矣。」

行者聽說，又飛過那廳堂，逕來後面，但見一層門關得甚緊。行者漫門縫兒鑽將進去，原來是個大空園子，那壁廂定風樁上繩纏索綁著唐僧哩。那師父紛紛淚落，心心只念著悟空、悟能，不知都在何處。

◆啞—語助詞。同「呀」。疙疸—皮膚上突起的顆粒、腫塊。疙疸音哥膽。
漫—從、沿、順的意思。

行者停翅，叮在他光頭上，叫聲：「師父。」

那長老認得他的聲音，道：「悟空啊，想殺我也！你在哪裡叫我哩？」

行者道：「師父，我在你頭上哩。你莫要心焦，少得煩惱。我們務必拿住妖精，方才救得你的性命。」

唐僧道：「徒弟啊，幾時才拿得妖精麼？」

行者道：「拿你的那虎怪，已被八戒打死了。只是老妖的風勢利害，料著只在今日，管取拿他。你放心莫哭，我去哑。」

說聲去，嚶嚶的飛到前面。只見那老妖坐在上面，正點札各路頭目。又見那洞前有一個小妖精，把個令字旗磨一磨，撞上廳來報道：「大王，小的巡山，才出門，見一個長嘴大耳朵的和尚坐在林裡，若不是我跑得快些，幾乎被他捉住。卻不見昨日那個毛臉和尚。」

老妖道：「孫行者不在，想必是風吹死也。再不便去哪裡求救兵去了！」

眾妖道：「大王，若果吹殺了他，是我們的造化；只恐吹不死他，他去請些神兵來，卻怎生是好？」

老妖道：「怕那甚麼神兵？若還定得我的風勢，只除了靈吉菩薩◆來是，其餘何足懼也？」

行者在屋梁上，只聽得他這一句言語，不勝歡喜。即抽身飛出，現本相，來至林中，叫聲：「兄弟！」八戒道：「哥，你往哪裡去來？剛才一個打令字旗的妖精，被我趕了去也。」

行者笑道：「虧你！虧你！老孫變做蚊蟲兒，進他洞去探看師父，原來師父被他綁在定風樁上哭哩。是老孫吩咐，教他莫哭。又飛在屋梁上聽了一聽，只見那拿令字旗的喘噓噓的走進去報道：只是被你趕他，卻不見我。老妖亂猜亂說，說老孫是風吹殺了，又說是請神兵去了。他卻自家供

◆**靈吉菩薩**—《西遊記》八菩薩之一。住在小須彌山，法力廣大，手使飛龍寶杖，並有如來賜給的定風珠等寶貝，多次幫助唐僧師徒取經途中降服妖怪。

出一個人來，甚妙！甚妙！」

八戒道：「他供的是誰？」

行者道：「他說怕甚麼神兵，哪個能定他的風勢，只除是靈吉菩薩來是。但不知靈吉住在何處？」正商議處，只見大路旁走出一個老公公來。你看他怎生模樣：

身健不扶拐杖，冰髯雪鬢蓬蓬。
金花耀眼意朦朧，瘦骨衰筋強硬。
屈背低頭緩步，龐眉赤臉如童。
看他容貌是人稱，卻似壽星出洞。

八戒望見大喜道：「師兄，常言道：『要知山下路，須問去來人。』你上前問他一聲，何如？」

真個大聖藏了鐵棒，放下衣襟，上前叫道：「老公公，問訊了。」

那老者半答不答的還了個禮道：「你是哪裡和尚？這曠野處，有何事幹？」行者道：「我們是取經的聖僧。昨日在此失了師父，特來動問公公一聲：靈吉菩薩在哪裡住？」

老者道：「靈吉在直南上，到那裡還有三千里路。有一山，呼名小須彌山，山中有個道場，乃是菩薩講經禪院。汝等是取他的經去了？」

行者道：「不是取他的經，我有一事煩他，不知從哪條路去？」

老者用手向南指道：「這條羊腸路就是了。」哄得那孫大聖回頭看路，那公公化作清風，寂然不見。只是路旁留下一張簡帖，上有四句頌子云：

上覆齊天大聖聽：老人乃是李長庚。
須彌山有飛龍杖，靈吉當年受佛兵。

行者執了帖兒，轉身下路。八戒道：「哥啊，我們連日造化低了，這兩日白日裡見鬼！那個化風去的老兒是誰？」

行者把帖兒遞與八戒，念了一遍道：「李長庚是哪個？」

行者道：「是西方太白金星的名號。」

八戒慌得望空下拜道：「恩人！恩人！老豬若不虧金星奏准玉帝呵，性命也不知化作甚的了。」行者道：「兄弟，你卻也知感恩。但莫要出頭，只藏在這樹林深處，仔細看守行李、馬匹。等老孫尋須彌山，請菩薩去耶。」

八戒道：「曉得！曉得！你只管快快前去。老豬學得個烏龜法，得縮頭時且縮頭。」

孫大聖跳在空中，縱觔斗雲，逕往直南上去，果然速快，他點頭經過三千里，扭腰八百有餘程。須臾，見一座高山，半中間有祥雲出現，瑞靄紛紛。山凹裡果有一座禪院，只聽得鐘磬悠揚，又見那香煙縹緲。大聖直至門前，見一道人，項掛數珠，口中念佛。

行者道：「道人作揖。」那道人躬身答禮道：「哪裡來的老爺？」

行者道：「這可是靈吉菩薩講經處麼？」

道人道：「此間正是，有何話說？」

行者道：「累煩你老人家與我傳答◈傳答：我是東土大唐駕下御弟三藏法

師的徒弟齊天大聖孫悟空行者，今有一事，要見菩薩。」道人笑道：「老爺字多話多，我不能全記。」行者道：「你只說是唐僧徒弟孫悟空來了。」道人依言，上講堂傳報。那菩薩即穿袈裟，添香迎接。這大聖才舉步入門，往裡觀看，只見那：

滿堂錦繡，一屋威嚴。
眾門人齊誦《法華經》，老班首輕敲金鑄磬。
佛前供養，盡是仙果仙花；案上安排，皆是素餚素品。
輝煌寶燭，條條金焰射虹霓；馥郁真香，道道玉煙飛彩霧。
正是那講罷心閒方入定，白雲片片繞松梢。
靜收慧劍魔頭絕，般若波羅善會高。

那菩薩整衣出迓◈，行者登堂，坐了客位，隨命看茶。行者道：「茶不勞

◈傳答──通報、稟告。 出迓──出外迎接。迓音訝。

賜，但我師父在黃風山有難，特請菩薩施大法力降怪救師。」

菩薩道：「我受了如來法令，在此鎮押黃風怪。如來賜了我一顆定風丹、一柄飛龍寶杖。當時被我拿住，饒了他的性命，放他去隱性歸山，不許傷生造孽。不知他今日欲害令師，有違教令，我之罪也。」那菩薩欲留行者，治齋相敘，行者懇辭，隨取了飛龍杖，與大聖一齊駕雲。

不多時，至黃風山上。

菩薩道：「大聖，這妖怪有些怕我，我只在雲端裡住定，你下去與他索戰，誘他出來，我好施法力。」

行者依言，按落雲頭，不容分說，掣鐵棒把他洞門打破。叫道：「妖怪，還我師父來也！」慌得那把門小妖急忙傳報。

那怪道：「這潑猴著實無禮，再不伏善，反打破我門。這一出去，使陣神風，定要把他吹死。」

仍前披掛，手綽鋼叉，又走出門來。見了行者，更不打話，拈叉當胸就刺；大聖側身躲過。舉棒對面相還，戰不數合，那怪掉回頭，望巽地上，才待要張口呼風，只見那半空裡，靈吉菩薩將飛龍寶杖丟將下來，不知念了些甚麼咒語，卻是一條八爪金龍，撥喇的掄開兩爪，一把抓住妖精，提著頭，兩三捽，捽在山石崖邊，現了本相，卻是一個黃毛貂鼠。

行者趕上，舉棒就打，被菩薩攔住道：「大聖，莫傷他命，我還要帶他去見如來。」

又對行者道：「他本是靈山腳下的得道老鼠，因為偷了琉璃盞內的清油，燈火昏暗，恐怕金剛拿他，故此走了，卻在此處成精作怪。如來照見了他，不該死罪，故著我轄押，但他傷生造孽，拿上靈山。今又衝撞大聖，陷害唐僧，我拿他去見如來，明正其罪，才算這場功績哩。」

行者聞言，卻謝了菩薩。菩薩西歸不題。

卻說豬八戒在那林內，正思量行者，只聽得山坡下叫聲：「悟能兄弟，牽馬挑擔來耶。」

那呆子認得是行者聲音，急收拾跑出林外，見了行者道：「哥哥，怎的幹事來？」

行者道：「請靈吉菩薩，使一條飛龍杖，拿住妖精，原來是個黃毛貂鼠成精，被他帶去靈山見如來去了。我和你洞裡去救師父。」那呆子才歡歡喜喜。

二人撞入裡面，把那一窩狡兔、妖狐、香獐、角鹿，一頓釘鈀、鐵棒，盡情打死，卻往後園拜救師父。

師父出得門來，問道：「你兩人怎生捉得妖精？如何方救得我？」

行者將那請靈吉降妖的事情，陳了一遍。師父謝之不盡。他兄弟們把洞中素物，安排些茶飯吃了，方才出門，找大路向西而去。

畢竟不知向後如何，且聽下回分解。

第二二回

八戒大戰流沙河
木叉奉法收悟淨

話說唐僧師徒三眾脫難前來，不一日行過了黃風嶺，進西卻是一脈平陽之地。光陰迅速，歷夏經秋，見了些寒蟬鳴敗柳，大火向西流◆。正行處，只見一道大水狂瀾，渾波湧浪。

三藏在馬上忙呼道：「徒弟，你看那前邊水勢寬闊，怎不見船隻行走，我們從哪裡過去？」

八戒見了道：「果是狂瀾，無舟可渡。」

那行者跳在空中，用手搭涼篷而看，他也心驚道：「師父啊，真個是難，真個是難！這條河若論老孫去呵，只消把腰兒扭一扭，就過去了；

若師父，誠千分難渡，萬載難行。」

三藏道：「我這裡一望無邊，端的有多少寬闊？」

行者道：「逕過有八百里遠近。」

八戒道：「哥哥怎的定得個遠近之數？」

行者道：「不瞞賢弟說，老孫這雙眼，白日裡常看得千里路上的吉凶。卻才在空中看出，此河上下不知多遠，但只見這徑過足有八百里。」

長老憂嗟煩惱，兜回馬，忽見岸上有一通◆石碑。三眾齊來看時，見上有三個篆字，乃「流沙河」；腹上有小小的四行真字云：

八百流沙界，三千弱水深。鵝毛飄不起，蘆花定底沉。

師徒們正看碑文，只聽得那浪湧如山，波翻若嶺，河當中滑辣◆的鑽出一個妖精，十分凶醜：

◆**大火向西流**——大火，星名。二十八星宿中的心宿星若西落，則時序邁入秋季。

通——量詞。　**滑辣**——狀聲詞。形容水聲。

一頭紅焰髮蓬鬆，兩隻圓睛亮似燈。
不黑不青藍靛臉，如雷如鼓老龍聲。
身披一領鵝黃氅，腰束雙攢露白藤。
項下骷髏懸九個，手持寶杖甚崢嶸。

那怪一個旋風，奔上岸來，逕搶唐僧。慌得行者把師父抱住，急登高岸，回身走脫。那八戒放下擔子，掣出釘鈀，望妖精便築。那怪使寶杖架住。他兩個在流沙河岸，各逞英雄。這一場好鬥：

九齒鈀，降妖杖，二人相敵河岸上。
這個是總督大天蓬，那個是謫下捲簾將。
昔年曾會在靈霄，今日爭持賭猛壯。
這一個鈀去探爪龍，那一個杖架磨牙象。
伸開大四平◆，鑽入迎風戩。
這個沒頭沒臉抓，那個無亂無空放。

一個是久占流沙界吃人精，一個是秉教伽持修行將。

他兩個來來往往，戰經二十回合，不分勝負。那大聖護了唐僧，牽著馬，守定行李。見八戒與那怪交戰，就恨得咬牙切齒，擦掌磨拳，忍不住要去打他，掣出棒來道：「師父，你坐著，莫怕。等老孫和他耍耍兒來。」那師父苦留不住。他打個唿哨，跳到前邊。原來那怪與八戒正戰到好處，難解難分。被行者掄起鐵棒，望那怪著頭一下，那怪急轉身，慌忙躲過，逕鑽入流沙河裡。

氣得個八戒亂跳道：「哥啊，誰著你來的？那怪漸漸手慢，難架我鈀，再不上三五合，我就擒住他了。他見你凶險，敗陣而逃，怎生是好？」

行者笑道：「兄弟，實不瞞你說，自從降了黃風怪，下山來，這個把月不曾耍棍，我見你和他戰得甜美，我就忍不住腳癢，故就跳將來耍耍的。

◆四平——指四肢。

哪知那怪不識耍，就走了。」

他兩個攙著手，說說笑笑，轉回見了唐僧。唐僧道：「可曾捉得妖怪？」

行者道：「那妖怪不耐戰，敗回鑽入水去也。」

三藏道：「徒弟，這怪久住於此，他知道淺深。似這般無邊的弱水，又沒了舟楫，須是得個知水性的引領引領才好哩。」

行者道：「正是這等說。常言道：『近朱者赤，近墨者黑。』那怪在此，斷知水性。我們如今拿住他，且不要打殺，只教他送師父過河，再做理會。」

八戒道：「哥哥不必遲疑，讓你先去拿他，等老豬看守師父。」

行者笑道：「賢弟呀，這樁兒我不敢說嘴，水裡勾當，老孫不大十分熟。若是空走，還要捻訣，又念念避水咒，方才走得；不然，就要變化做甚麼魚蝦蟹鱉之類，我才去得。若論賭手段，憑你在高山雲裡，幹甚麼蹊蹺異樣事兒，老孫都會；只是水裡的買賣，有些兒榔杭◆。」

八戒道：「老豬當年總督天河，掌管了八萬水兵大眾，倒學得知些水性。

卻只怕那水裡有甚麼眷族老小，七窩八代的都來，我就弄他不過，一時不被他撈去耶？」

行者道：「你若到他水中與他交戰，卻不要戀戰，許敗不許勝，把他引將出來，等老孫下手助你。」

八戒道：「言得是，我去耶。」說聲去，就剝了青錦直裰，脫了鞋，雙手舞鈀，分開水路，使出那當年舊手段，躍浪翻波，撞將進去，逕至水底之下，往前正走。

卻說那怪敗了陣回，方才喘定，又聽得有人推得水響。忽起身觀看，原來是八戒執了鈀推水。

那怪舉杖當面高呼道：「那和尚哪裡走！仔細看打！」

八戒使鈀架住道：「你是個甚麼妖精，敢在此間擋路？」

◈榔杭—形容笨拙、不靈活。

那妖道：「你是也不認得我。我不是那妖魔鬼怪，也不是少姓無名。」

八戒道：「你既不是妖魔鬼怪，卻怎生在此傷生？你端的甚麼姓名，實實說來，我饒你性命。」

那怪道：「我：

自小生來神氣壯，乾坤萬里曾遊蕩。
英雄天下顯威名，豪傑人家做模樣。
萬國九州任我行，五湖四海從吾撞。
皆因學道蕩天涯，只為尋師遊地曠。
常年衣缽謹隨身，每日心神不可放。
沿地雲遊數十遭，到處閒行百餘趟。
因此才得遇真人，引開大道金光亮。
先將嬰兒姹女收，後把木母◆金公◆放。
明堂◆腎水入華池，重樓◆肝火投心臟。
三千功滿拜天顏，志心朝禮明華向。

玉皇大帝便加升，親口封為捲簾將。
南天門裡我為尊，靈霄殿前吾稱上。
腰間懸掛虎頭牌，手中執定降妖杖。
頭頂金盔晃日光，身披鎧甲明霞亮。
往來護駕我當先，出入隨朝予在上。
只因王母降蟠桃，設宴瑤池邀眾將。
失手打破玉玻璃，天神個個魂飛喪。
玉皇即便怒生嗔，卻令掌朝左輔相：
卸冠脫甲摘官銜，將身推在殺場上。
多虧赤腳大天仙，越班啟奏將吾放。

◈**木母**—道教稱汞為木母。認為「真汞生亥」，亥屬豬，所以後文的木母有時又指豬八戒。
金公—道教稱鉛為金公。認為「真鉛生庚」，庚辛為金，地支申酉亦為金，申屬猴，所以後文的金公有時又指悟空。
明堂—道教稱兩眉之間做天門，入內一寸為明堂。
重樓—道教稱氣管叫重樓，認為氣管有十二節，所以又叫十二重樓。

饒死回生不點刑，遭貶流沙東岸上。
飽時困臥此山中，餓去翻波尋食餉。
樵子逢吾命不存，漁翁見我身皆喪。
來來往往吃人多，翻翻覆覆傷生瘴。
你敢行凶到我門，今日肚皮有所望。
莫言粗糙不堪嘗，拿住消停剁鮓醬◆！」

八戒聞言大怒，罵道：「你這潑物！全沒一些兒眼色！我老豬還掐出水沫兒來哩，你怎敢說我粗糙，要剁鮓醬？看起來，你把我認做個老走硝◆哩。休得無禮，吃你祖宗這一鈀！」

那怪見鈀來，使一個「鳳點頭」躲過。兩個在水中打出水面，各人踏浪登波。這一場賭鬥，比前不同，你看那：

捲簾將，天蓬帥，各顯神通真可愛。
那個降妖寶杖著頭掄，這個九齒釘鈀隨手快。

躍浪振山川，推波昏世界。凶如太歲撞幢幡，惡似喪門掀寶蓋。
這一個赤心凜凜保唐僧，那一個犯罪滔滔為水怪。
鈀抓一下九條痕，杖打之時魂魄敗。
努力喜相持，用心要賭賽。算來只為取經人，怒氣沖天不忍耐。
攪得那鯾鮊鯉鱖退鮮鱗，龜鱉黿鼉傷嫩蓋；
紅蝦紫蟹命皆亡，水府諸神朝上拜。
只聽得波翻浪滾似雷轟，日月無光天地怪。

二人整鬥有兩個時辰，不分勝敗。這才是銅盆逢鐵帚，玉磬對金鐘。

卻說那大聖保著唐僧，立於左右，眼巴巴的望著他兩個在水上爭持，只

◈**鮓醬**—肉醬。鮓音眨。
老走硝—醃豬肉加朴硝才能保持皮軟肉嫩。走硝即硝性散失，皮肉又復粗硬。用以比喻老而皮膚粗糙的人。

是他不好動手。只見那八戒虛晃一鈀，佯輸詐敗，轉回頭往東岸上走。那怪隨後趕來，將近到了岸邊。這行者忍耐不住，撇了師父，掣鐵棒，跳到河邊，望妖精劈頭就打。那妖物不敢相迎，颼的又鑽入河內。

八戒嚷道：「你這弼馬溫，徹是個急猴子！你再緩緩些兒，等我哄他到了高處，你卻阻住河邊，教他不能回首呵，卻不拿住他也？他這進去，幾時又肯出來？」

行者笑道：「呆子，莫嚷！莫嚷！我們且回去見師父去來。」

八戒卻同行者到高岸上，見了三藏。三藏欠身道：「徒弟辛苦呀。」

八戒道：「且不說辛苦，只是降了妖精，送得你過河，方是萬全之策。」

三藏道：「你才與妖精交戰何如？」

八戒道：「那妖的手段，與老豬是個對手。正戰處，使一個詐敗，他才趕到岸上。見師兄舉著棍子，他就跑了。」

三藏道：「如此怎生奈何？」

行者道：「師父放心，且莫焦惱。如今天色又晚，且坐在這崖岸之上，待老孫去化些齋飯來，你吃了睡去，待明日再處。」

八戒道：「說得是，你快去快來。」

行者急縱雲跳起去，正到直北下人家化了一鉢素齋，回獻師父。

師父見他來得甚快，便叫：「悟空，我們去化齋的人家，求問他一個過河之策，不強似與這怪爭持？」

行者笑道：「這家子遠得很哩，相去有五七千里之路，他哪裡得知水性？問他何益？」

八戒道：「哥哥又來扯謊了，五七千里路，你怎麼這等去來得快？」

行者道：「你哪裡曉得，老孫的觔斗雲，一縱有十萬八千里。像這五七千里路，只消把頭點上兩點，把腰躬上一躬，就是個往回，有何難哉？」

八戒道：「哥啊，既是這般容易，你把師父背著，只消點點頭，躬躬腰，跳過去罷了，何必苦苦的與這怪廝戰？」

行者道：「你不會駕雲？你把師父馱過去不是？」

八戒道：「師父的凡胎肉骨，重似泰山，我這駕雲的，怎稱得起？須是你的觔斗方可。」

行者道：「我的觔斗，好道也是駕雲，只是去的有遠近些兒。你是馱不動，我卻如何馱得動？自古道：『遣泰山輕如芥子，攜凡夫難脫紅塵。』像這潑魔毒怪，使攝法，弄風頭，卻是扯扯拉拉，就地而行，不能帶得空中而去。像那樣法兒，老孫也會使會弄。還有那隱身法、縮地法，老孫件件皆知。但只是師父要窮歷異邦，不能夠超脫苦海，所以寸步難行也。我和你只做得個擁護，保得他身在命在，替不得這些苦惱，也取不得經來；就是有能先去見了佛，那佛也不肯把經善與你我。正叫做『若將容易得，便作等閒看』。」那呆子聞言，喏喏聽受。遂吃了些無菜的素食，師徒們歇在流沙河東崖次之下。

次早，三藏道：「悟空，今日怎生區處？」

行者道：「沒甚區處，還須八戒下水。」

八戒道：「哥哥，你要圖乾淨，只作成我下水。」

行者道：「賢弟，這番我再不急性了，只讓你引他上來，我攔住河沿，不讓他回去，務要將他擒了。」

好八戒，抹抹臉，抖擻精神，雙手拿鈀，到河沿，分開水路，依然又下至窩巢。那怪方才睡醒，忽聽推得水響，急回頭睜睛觀看，見八戒執鈀來至。他跳出來，當頭阻住，喝道：「慢來！慢來！看杖！」

八戒舉鈀架住道：「你是個甚麼哭喪杖◈，斷叫你祖宗看杖？」

那怪道：「你這廝甚不曉得哩。我這：

寶杖原來名譽大，本是月裡梭羅派。

吳剛伐下一枝來，魯班製造工夫蓋。

◈哭喪杖—即哭喪棒。此處指對敵方棍棒武器的貶稱。

裡邊一條金趁心，外邊萬道珠絲玠。
名稱寶杖善降妖，永鎮靈霄能伏怪。
只因官拜大將軍，玉皇賜我隨身帶。
或長或短任吾心，要細要粗憑意態。
也曾護駕宴蟠桃，也曾隨朝居上界。
值殿曾經眾聖參，捲簾曾見諸仙拜。
養成靈性一神兵，不是人間凡器械。
自從遭貶下天門，任意縱橫遊海外。
不當大膽自稱誇，天下槍刀難比賽。
看你那個鏽釘鈀，只好鋤田與築菜。」

八戒笑道：「我把你少打的潑物！且莫管甚麼築菜，只怕蕩了一下兒，教你沒處貼膏藥，九個眼子一齊流血。縱然不死，也是個到老的破傷風！」那怪丟開架手，在那水底下，與八戒依然打出水面。

這一番鬥，比前果更不同，你看他：
寶杖掄，釘鈀築，言語不通非眷屬。
只因木母剋刀圭，致令兩下相戰觸。
沒輸贏，無反覆，翻波淘浪不和睦。
這個怒氣怎含容，那個傷心難忍辱。
鈀來杖架逞英雄，水滾流沙能惡毒。
氣昂昂，勞碌碌，多因三藏朝西域。
釘鈀老大凶，寶杖十分熟。
這個揪住要往岸上拖，那個抓來就將水裡沃。
聲如霹靂動魚龍，雲暗天昏神鬼伏。

這一場，來來往往，鬥經三十回合，不見強弱。八戒又使個佯輸計，拖了鈀走。那怪隨後又趕來，擁波捉浪，趕至崖邊。八戒罵道：「我把你這個潑怪！你上來，這高處，腳踏實地好打！」

那妖罵道：「你這廝哄我上去，又教那幫手來哩。你下來，還在水裡相鬥。」原來那妖乖了，再不肯上岸，只在河沿與八戒鬧吵。

卻說行者見他不肯上岸，急得他心焦性暴，恨不得一把捉來。行者道：「師父，你自坐下，等我與他個『餓鷹叼食』。」就縱觔斗，跳在半空，刷的落下來，要抓那妖。那妖正與八戒嚷鬧，忽聽得風響，急回頭，見是行者落下雲來，卻又收了那杖，一頭淬下水，隱跡潛蹤，渺然不見。

行者佇立岸上，對八戒說：「兄弟呀，這妖也弄得滑了，他再不肯上岸，如之奈何？」八戒道：「難！難！難！戰不勝他。就把吃奶的氣力也使盡了，只綳得個手平。」行者道：「且見師父去。」

二人又到高岸，見了唐僧，備言難捉。那長老滿眼下淚道：「似此艱難，怎生得渡？」

行者道：「師父莫要煩惱。這怪深潛水底，其實難行。八戒，你只在此保守師父，再莫與他廝鬥，等老孫往南海走走去來。」

八戒道：「哥哥，你去南海何幹？」

行者道：「這取經的勾當，原是觀音菩薩；及脫解我等，也是觀音菩薩。今日路阻流沙河，不能前進，不得他，怎生處治？等我去請他，還強如和這妖精相鬥。」

八戒道：「也是，也是。師兄，你去時，千萬與我上覆一聲：向日多承指教。」三藏道：「悟空，若是去請菩薩，卻也不必遲疑，快去快來。」

行者即縱觔斗雲，逕上南海。咦！哪消半個時辰，早望見普陀山境。須臾間，墜下觔斗，到紫竹林外，又只見那二十四路諸天上前迎著道：「大聖何來？」行者道：「我師有難，特來謁見菩薩。」諸天道：「請坐，容報。」

那輪日的諸天逕至潮音洞口報道：「孫悟空有事朝見。」菩薩正與捧珠龍女在寶蓮池畔扶欄看花，聞報，即轉雲巖，開門喚入。大聖端肅皈依參拜。

菩薩問曰：「你怎麼不保唐僧，為甚事又來見我？」

行者啟上道：「菩薩，我師父前在高老莊，又收了一個徒弟，喚名豬八戒，多蒙菩薩又賜法諱悟能。才行過黃風嶺，今至八百里流沙河，乃是弱水三千，師父已是難渡；河中又有個妖怪，武藝高強，甚虧了悟能與他水面上大戰三次，只是不能取勝，被他攔阻，不能渡河。因此，特告菩薩，望垂憐憫，濟渡他一濟渡◆。」

菩薩道：「你這猴子，又逞自滿，不肯說出保唐僧的話來麼？」

行者道：「我們只是要拿住他，教他送我師父渡河。水裡事，我又弄不得精細。只是悟能尋著他窩巢，與他打話，想是不曾說出取經的勾當。」

菩薩道：「那流沙河的妖怪，乃是捲簾大將臨凡◆，也是我勸化的善信，教他保護取經之輩。你若肯說出是東土取經人時，他決不與你爭持，斷然歸順矣。」

行者道：「那怪如今怯戰，不肯上崖，只在水裡潛蹤，如何得他歸順？我師如何得渡弱水？」菩薩即喚惠岸，袖中取出一個紅葫蘆兒，吩咐道：「你可將此葫蘆，同孫悟空到流沙河水面上，只叫『悟淨』，他就出來了。先要引他歸依了唐僧。然後把他那九個骷髏穿在一處，按九宮布列，卻把這葫蘆安在當中，就是法船一隻，能渡唐僧過流沙河界。」

惠岸聞言，謹遵師命，與大聖捧葫蘆出了潮音洞，奉法旨辭了紫竹林。

有詩為證。

五行匹配合天真，認得從前舊主人。
煉已立基為妙用，辨明邪正見原因。

◈濟渡—使他人安全的通過水域。佛教以苦海比喻輪迴，所以使他人脫離輪迴苦海也稱為「濟渡」。
臨凡—降臨人間。

金來歸性還同類，木去求情共復淪。
二土全功成寂寞，調和水火沒纖塵。

他兩個不多時，按落雲頭，早來到流沙河岸。豬八戒認得是木叉行者，引師父上前迎接。那木叉與三藏禮畢，又與八戒相見。

八戒道：「向蒙尊者指示，得見菩薩，我老豬果遵法教，今喜拜了沙門。這一向在途中奔碌，未及致謝，恕罪，恕罪。」

行者道：「且莫敘闊，我們叫喚那廝去來。」三藏道：「叫誰？」

行者道：「老孫見菩薩，備陳前事。菩薩說，這流沙河的妖怪，乃是捲簾大將臨凡，因為在天有罪，墮落此河，忘形作怪。他曾被菩薩勸化，願歸師父往西天去的。但是我們不曾說出取經的事情，故此苦苦爭鬥。菩薩今差木叉將此葫蘆，要與這廝結作法船，渡你過去哩。」

三藏聞言，頂禮不盡，對木叉作禮道：「萬望尊者作速一行。」

那木叉捧定葫蘆，半雲半霧，逕到了流沙河水面上，厲聲高叫道：「悟淨！悟淨！取經人在此久矣，你怎麼還不歸順！」

卻說那怪懼怕猴王，回於水底，正在窩中歇息，只聽得叫他法名。情知是觀音菩薩；又聞得說「取經人在此」，他也不懼斧鉞，急翻波伸出頭來，又認得是木叉行者。

你看他笑盈盈，上前作禮道：「尊者失迎。菩薩今在何處？」

木叉道：「我師未來，先差我來吩咐你早跟唐僧做個徒弟。叫把你項下掛的骷髏與這個葫蘆，按九宮結做一隻法船，渡他過此弱水。」

悟淨道：「取經人卻在哪裡？」

木叉用手指道：「那東岸上坐的不是？」

悟淨看見了八戒道：「他不知是哪裡來的個潑物，與我整鬥了這兩日，何曾言著一個取經的字兒？」

又看見行者，道：「這個主子，是他的幫手，好不利害，我不去了。」

木叉道：「那是豬八戒，這是孫行者，俱是唐僧的徒弟，俱是菩薩勸化的，怕他怎的？我且和你見唐僧去。」

那悟淨才收了寶杖，整一整黃錦直裰，跳上岸來，對唐僧雙膝跪下道：「師父，弟子有眼無珠，不認得師父的尊容，多有衝撞，萬望恕罪。」八戒道：「你這膿包，怎的早不皈依，只管要與我打？是何說話？」行者笑道：「兄弟，你莫怪他，還是我們不曾說出取經的事樣與姓名耳。」長老道：「你果肯誠心皈依吾教麼？」悟淨道：「弟子向蒙菩薩教化，指沙為姓，與我起個法名，喚做沙悟淨，豈有不從師父之理？」三藏道：「既如此。」叫：「悟空，取戒刀來，與他落了髮。」大聖依言，即將戒刀與他剃了頭。又來拜了三藏，拜了行者與八戒，分了大小。三藏見他行禮真像個和尚家風，故又叫他做沙和尚。木叉道：「既秉了迦持◈，不必敘煩，早與做法船去來。」

那悟淨不敢怠慢，即將頸項下掛的骷髏取下，用索子結作九宮，把菩薩葫蘆安在當中，請師父下岸。

那長老遂登法船，坐於上面，果然穩似輕舟。左有八戒扶持，右有悟淨捧托；孫行者在後面牽了龍馬，半雲半霧相跟；頭直上又有木叉擁護。那師父才飄然穩渡流沙河界，浪靜風平過弱河。真個也如飛似箭，不多時，身登彼岸，得脫洪波；又不拖泥帶水，幸喜腳乾手燥，清淨無為，師徒們腳踏實地。

那木叉按祥雲，收了葫蘆。又只見那骷髏一時解化作九股陰風，寂然不見。三藏拜謝了木叉，頂禮了菩薩。正是：

木叉逕回東洋海，三藏上馬卻投西。

畢竟不知幾時才得正果求經，且聽下回分解。

◆迦持——佛教戒律。

第二三回　三藏不忘本　四聖試禪心

詩曰：

奉法西來道路賒，秋風淅淅落霜花。
乖猿牢鎖繩休解，劣馬勤兜鞭莫加。
木母金公原自合，黃婆◆赤子本無差。
咬開鐵彈◆真消息，般若波羅到彼家。

這回書蓋言取經之道，不離了一身務本之道也。卻說他師徒四眾了悟真如◆，頓開塵鎖，自跳出性海流沙，渾無罣礙，逕投大路西來。歷遍了青山綠水，看不盡野草閒花。真個也光陰迅速，又值九秋◆，但見了些：

楓葉滿山紅，黃花耐晚風。老蟬吟

漸懶，愁蟋思無窮。

荷破青紈扇，橙香金彈叢。可憐數行雁，點點遠排空。

正走處，不覺天晚。三藏道：「徒弟，如今天色又晚，卻往哪裡安歇？」行者道：「師父說話差了。出家人餐風宿水，臥月眠霜，隨處是家。又問哪裡安歇，何也？」

豬八戒道：「哥啊，你只知道你走路輕省◈，哪裡管別人累贅◈？自過了流沙河，這一向爬山過嶺，身挑著重擔，老大◈難挨也。須是尋個人家，一則化些茶飯，二則養養精神，才是個道理。」

行者道：「呆子，你這般言語，似有報怨之心。還像在高老莊倚懶不求

◈**黃婆**—道教煉丹的術語，認為脾內涎能養其他臟，故名黃婆。
咬開鐵彈—鐵彈，應作鐵橛子。佛教用鐵橛子比喻沒下嘴處。
真如—佛教上指現象的本質或真實性。　**九秋**—深秋。
輕省—容易。　**累贅**—多餘、拖累、麻煩。　**老大**—很、非常。

福的自在，恐不能也。既是秉正沙門，須是要吃辛受苦，才做得徒弟哩。」

八戒道：「哥哥，你看這擔行李多重？」

行者道：「兄弟，自從有了你與沙僧，我又不曾挑著，哪知多重？」

八戒道：「哥啊，你看看數兒麼：四片黃籐篾，長短八條繩。又要防陰雨，氈包三四層。匾擔還愁滑，兩頭釘上釘。銅鑲鐵打九環杖，篾絲籐纏大斗篷。似這般許多行李，難為老豬一個逐日家擔著走，偏你跟師父做徒弟，拿我做長工。」

行者笑道：「呆子，你和誰說哩？」八戒道：「哥哥，與你說哩。」

行者道：「錯和我說了。老孫只管師父好歹，你與沙僧專管行李、馬匹。但若怠慢了些兒，孤拐上先是一頓粗棍。」

八戒道：「哥啊，不要說打，打就是以力欺人。我曉得你的尊性高傲，你是定不肯挑。但師父騎的馬，那般高大肥盛，只馱著老和尚一個，教他帶幾件兒，也是弟兄之情。」

行者道：「你說他是馬哩！他不是凡馬，本是西海龍王敖閏之子，喚名龍馬三太子。只因縱火燒了殿上明珠，被他父親告了忤逆，身犯天條，多虧觀音菩薩救了他的性命。他在那鷹愁陡澗久等師父，又幸得菩薩親臨，卻將他退鱗去角，摘了項下珠，才變做這匹馬，願馱師父往西天拜佛。這個都是各人的功果，你莫攀◈他。」

那沙僧聞言道：「哥哥，真個是龍麼？」行者道：「是龍。」

八戒道：「哥啊，我聞得古人云：龍能噴雲曖霧◈，播土揚沙；有巴山捎◈嶺的手段，有翻江攪海的神通。怎麼他今日這等慢慢而走？」

行者道：「你要他快走，我教他快走個兒你看。」

好大聖，把金箍棒揝一揝，萬道彩雲生。那馬看見拿棒，恐怕打來，慌得四隻蹄疾如飛電，颼的跑將去了。那師父手軟勒不住，盡他劣性，奔上

◈攀—牽連、牽扯。　噴雲曖霧—形容具有極大的能力。　捎—削。捎音謝。

山崖，才大達辿步◆走。師父喘息始定，抬頭遠見一簇松陰，內有幾間房舍，著實軒昂，但見：

門垂翠柏，宅近青山。幾株松冉冉，數莖竹斑斑。

籬邊野菊凝霜豔，橋畔幽蘭映水丹。

粉泥牆壁，磚砌圍圜◆。高堂多壯麗，大廈甚清安。

牛羊不見無雞犬，想是秋收農事閒。

那師父正按轡徐觀，又見悟空兄弟方到。

悟淨道：「師父不曾跌下馬來麼？」

長老罵道：「悟空這潑猴，他把馬兒驚了，早是我還騎得住哩！」

行者陪笑道：「師父莫罵我，都是豬八戒說馬行遲，故此著他快些。」

那呆子因趕馬，走急了些兒，喘氣噓噓，口裡唧唧噥噥◆的鬧道：「罷了！罷了！見自肚，別腰鬆。擔子沉重，挑不上來，又弄我奔奔波波的趕馬。」

長老道：「徒弟啊，你且看那壁廂有一座莊院，我們卻好借宿去也。」行者聞言，急抬頭舉目而看，果見那半空中慶雲籠罩，瑞靄遮盈，情知定是佛仙點化，他卻不敢泄漏天機，只道：「好！好！好！我們借宿去來。」

長老連忙下馬。見一座門樓，乃是垂蓮象鼻◆，畫棟雕梁。沙僧歇了擔子，八戒牽了馬匹道：「這個人家，是過當的◆富實之家。」行者就要進去，三藏道：「不可，你我出家人，各自避些嫌疑，切莫擅入。且自等他有人出來，以禮求宿，方可。」八戒拴了馬，斜倚牆根之下。三藏坐在石鼓上。行者、沙僧坐在臺基邊。久無人出，行者性急，跳起身入門裡看處，原來有向南的三間大廳，

◆**辿步**—放慢腳步。辿音攙。　**圍圓**—圍牆。　**唧唧噥噥**—狀聲詞。形容議論說話的聲音。
垂蓮象鼻—蓮花下垂，象鼻飾物，暗示觀世音和普賢文殊點化之物。
過當的—指殷實的、有家當的、過得去的意思。

簾櫳高控。屏門上，掛一軸壽山福海的橫披畫；兩邊金漆柱上，貼著一副大紅紙的春聯，上寫著：「絲飄弱柳平橋晚，雪點香梅小院春。」正中間設一張退光黑漆的香几，几上放一個古銅獸爐。上有六張交椅，兩山頭◆掛著四季吊屏◆。

行者正然偷看處，忽聽得後門內有腳步之聲，走出一個半老不老的婦人來，嬌聲問道：「是甚麼人，擅入我寡婦之門？」慌得個大聖喏喏連聲道：「小僧是東土大唐來的，奉旨向西方拜佛求經。一行四眾，路過寶方◆，天色已晚，特奔老菩薩檀府，告借一宵。」那婦人笑語相迎道：「長老，那三位在哪裡？請來。」行者高聲叫道：「師父，請進來耶。」三藏才與八戒、沙僧牽馬挑擔而入，只見那婦人出廳迎接。八戒餳眼◆偷看，你道她怎生打扮：

穿一件織錦官綠紵絲襖，上罩著淺紅比甲◆；

繫一條結綵鵝黃錦繡裙，下映著高底花鞋。

時樣髫髻◈皂紗漫，相襯著二色盤龍髮；
宮樣牙梳朱翠晃，斜簪著兩股赤金釵。
雲鬢半蒼飛鳳翅，耳環雙墜寶珠排。
脂粉不施猶自美，風流還似少年才。

那婦人見了他三眾，更加欣喜，以禮邀入廳房。一一相見禮畢，請各敘坐看茶。那屏風後，忽有一個丫髻垂絲的女童，托著黃金盤、白玉盞，香茶噴暖氣，異果散幽香。那人綽彩袖，春筍纖長；擎玉盞，傳茶上奉。對他們一一拜了。茶畢，又吩咐辦齋。

三藏起手道：「老菩薩，高姓？貴地是甚地名？」

◈**兩山頭**——屋脊下兩面上尖下寬的牆，叫做山牆，也叫做山頭。這裡指東西牆壁。
四季吊屏——國畫裝裱中直幅的一種體式。其中兩張的稱對聯，四張的稱「四扇屏」，如常見的春夏秋冬畫幅。
寶方——和尚、僧侶的寺院。**餳眼**——半睜半閉著眼。餳音形。**比甲**——背心。**髫髻**——髮髻。髫音帝。

婦人道：「此間乃西牛賀洲之地。小婦人娘家姓賈，夫家姓莫。幼年不幸，公姑早亡，與丈夫守承祖業。有家貲萬貫，良田千頃。夫妻們命裡無子，只生了三個女孩兒。前年大不幸，又喪了丈夫。小婦居孀，今歲服滿。空遺下田產家業，再無個眷族親人，只是我娘女們承領。欲嫁他人，又難捨家業。適承長老下降，想是師徒四眾，小婦娘女四人，意欲坐山招夫◆，四位恰好。不知尊意肯否如何。」

三藏聞言，推聾裝啞，瞑目寧心，寂然不答。

那婦人道：「舍下有水田三百餘頃，旱田三百餘頃，山場果木三百餘頃；黃水牛有一千餘隻，騾馬成群，豬羊無數。東南西北，莊堡草場，共有六、七十處。家下有八九年用不著的米穀，十來年穿不著的綾羅，一生有使不著的金銀。勝強似那錦帳藏春，說甚麼金釵兩行。你師徒們若肯回心轉意，招贅在寒家，自自在在，享用榮華，卻不強如往西勞碌？」

那三藏也只是如痴如蠢，默默無言。

那婦人道：「我是丁亥年三月初三日酉時生，故夫比我年大三歲，我今年四十五歲。大女兒名真真，今年二十歲；次女名愛愛，今年十八歲；三小女名憐憐，今年十六歲：俱不曾許配人家。

「雖是小婦人醜陋，卻幸小女俱有幾分顏色，女工針黹，無所不會。因是先夫無子，即把她們當兒子看養，小時也曾教她讀些儒書，也都曉得些吟詩作對。雖然居住山莊，也不是那十分粗俗之類，料想也配得過列位長老。若肯放開懷抱，長髮留頭，與舍下做個家長，穿綾著錦，勝強如那瓦缽緇衣，芒鞋雲笠。」

三藏坐在上面，好便似雷驚的孩子，雨淋的蝦蟆：只是呆呆掙掙◈，翻白眼兒打仰◈。

那八戒聞得這般富貴，這般美色，他卻心癢難撓；坐在那椅子上，一似

◈坐山招夫──招婿入贅。　呆呆掙掙──形容發愣的樣子。　打仰──身體向後翻倒。

針戳屁股，左扭右扭的，忍耐不住。走上前，扯了師父一把道：「師父，這娘子告誦你話，你怎麼佯佯不睬◆？好道也做個理會是。」

那師父猛抬頭，咄的一聲，喝退了八戒道：「你這個孽畜！我們是個出家人，豈以富貴動心，美色留意，成得個甚麼道理。」

那婦人笑道：「可憐，可憐。出家人有何好處？」

三藏道：「女菩薩，妳在家人，卻有何好處？」

那婦人道：「長老請坐，等我把在家人好處說與你聽。怎見得？有詩為證。詩曰：

春裁方勝◆著新羅，夏換輕紗賞綠荷；
秋有新蒭◆香糯酒，冬來暖閣醉顏酡。
四時受用般般有，八節珍饈件件多。
襯錦鋪綾花燭夜，強如行腳禮彌陀。」

三藏道：「女菩薩，妳在家人享榮華，受富貴，有可穿，有可吃，兒女團圓，果然是好。但不知我出家的人，也有一段好處。怎見得？有詩為證。詩曰：

出家立志本非常，推倒從前恩愛堂。
外物不生閒口舌，身中自有好陰陽。
功完行滿朝金闕，見性明心返故鄉。
勝似在家貪血食，老來墜落臭皮囊。」

那婦人聞言，大怒道：「這潑和尚無禮！我若不看你東土遠來，就該叱出。我倒是個真心實意，要把家緣◆招贅汝等，你倒反將言語傷我。你就是受了戒，發了願，永不還俗，好道你手下人，我家也招得一個，你怎麼這般執法？」

◆佯佯不睬—裝作未見或沒聽到的樣子，不予理會。　蒭—此指餵養牲畜的草料。同「芻」。
方勝—把方形信箋的兩斜角摺成菱形花樣。古代民間寄情書，常常這樣做，象徵同心。
家緣—家私、家產。

三藏見她發怒，只得者者謙謙，叫道：「悟空，你在這裡罷。」

行者道：「我從小兒不曉得幹那般事，教八戒在這裡罷。」

八戒道：「哥啊，不要栽人麼，大家從長計較。」

三藏道：「你兩個不肯，便教悟淨在這裡罷。」

沙僧道：「你看師父說的話。弟子蒙菩薩勸化，受了戒行，等候師父。自蒙師父收了我，又承教誨，跟著師父還不上兩月，更不曾進得半分功果，怎敢圖此富貴？寧死也要往西天去，決不幹此欺心之事。」

那婦人見他們推辭不肯，急抽身轉進屏風，撲地把腰門關上。師徒們撇在外面，茶飯全無，再沒人出。

八戒心中焦燥，埋怨唐僧道：「師父忒不會幹事，把話通說殺了。你好道還活著些腳兒，只含糊答應，哄她些齋飯吃了，今晚落得一宵快活。明日肯與不肯，在乎你我了。似這般關門不出，我們這清灰冷灶，一夜怎過？」

悟淨道：「二哥，你在她家做個女婿罷。」
八戒道：「兄弟，不要栽人，從長計較。」
行者道：「計較甚的？你要肯，便就教師父與那婦人做個親家，你就做個倒踏門◈的女婿。她家這等有財有寶，一定倒陪妝奩，整治個會親的筵席，我們也落些受用，你在此間還俗，卻不是兩全其美？」
八戒道：「話便也是這等說，卻只是我脫俗又還俗，停妻再娶妻了。」
沙僧道：「二哥原來是有嫂子的？」
行者道：「你還不知他哩。他本是烏斯藏高老莊高太公的女婿，因被老孫降了。他也曾受菩薩戒行，沒及奈何，被我捉他來做個和尚，所以棄了前妻，投師父往西拜佛。他想是離別的久了，又想起那個勾當，卻才聽見這個勾當，斷然又有此心。呆子，你與這家子做了女婿罷，只是多拜老孫

◈**栽人**—捉弄人。　**殺**—沒有挽回餘地的意思。　**活著些腳兒**—留些地步、留個退路。
清灰冷灶—柴灰稀少，爐灶不熱。形容生活窮困。　**倒踏門**—招贅。
者者謙謙—唯唯諾諾、和和氣氣的意思。

幾拜，我不檢舉你就罷了。」

那呆子道：「胡說！胡說！大家都有此心，獨拿老豬出醜。常言道：『和尚是色中餓鬼。』哪個不要如此？都這們扭扭捏捏的拿班兒，把好事都弄得裂了，致如今茶水不得見面，燈火也無人管。雖熬了這一夜，但那匹馬明日又要馱人，又要走路，再若餓上這一夜，只好剝皮罷了。你們坐著，等老豬去放放馬來。」

那呆子虎急急的解了韁繩，拉出馬去。行者道：「沙僧，你且陪師父坐這裡，等老孫跟他去，看他往哪裡放馬。」

三藏道：「悟空，你看便去看他，但只不可只管嘲他了。」

行者道：「我曉得。」這大聖走出廳房，搖身一變，變做個紅蜻蜓兒，飛出前門，趕上八戒。

那呆子拉著馬，有草處且不教吃草，嗒嗒嗤嗤的趕著馬，轉到後門首去。只見那婦人帶了三個女子，在後門外閒立著，看菊花兒耍子。他娘女們看見八戒來時，三個女兒閃將進去。

那婦人佇立門首道：「小長老哪裡去？」這呆子丟了韁繩，上前唱個喏，道聲：「娘，我來放馬的。」那婦人道：「你師父忒弄精細。在我家招了女婿，卻不強似做掛搭僧，往西蹌路？」

八戒笑道：「他們是奉了唐王的旨意，不敢有違君命，不肯幹這件事。剛才都在前廳上栽我，我又有些奈上祝下◆的，只恐娘嫌我嘴長耳大。」

那婦人道：「我也不嫌，只是家下無個家長，招一個倒也罷了，但恐小女兒有些兒嫌醜。」

八戒道：「娘，你上覆令愛，不要這等揀漢。想我那唐僧，人才雖俊，其實不中用。我醜自醜，有幾句口號兒。」

◆拿班兒——裝腔作勢。　虎急急——急急忙忙。　嗒嗒嗤嗤——吆喝馬的聲音。
奈上祝下——礙上阻下、礙手礙腳的意思。

婦人道：「你怎的說麼？」

八戒道：「我，雖然人物醜，勤謹有些功。若言千頃地，不用使牛耕；只消一頓鈀，布種及時生。沒雨能求雨，無風會喚風。房舍若嫌矮，起上二三層。地下不掃掃一掃，陰溝不通通一通。家長里短◆諸般事，踢天弄井我皆能。」

那婦人道：「既然幹得家事，你再去與你師父商量商量看，不尷尬◆，便招你罷。」

八戒道：「不用商量，他又不是我的生身父母，幹與不幹，都在於我。」

婦人道：「也罷，也罷，等我與小女說。」看她閃進去，撲地掩上後門。

八戒也不放馬，將馬拉向前來。怎知孫大聖已一一盡知，他轉翅飛來，現了本相，先見唐僧道：「師父，悟能牽馬來了。」

長老道：「馬若不牽，恐怕撒歡◆走了。」行者笑將起來，把那婦人與八戒說的勾當，從頭說了一遍，三藏也似信不信的。

少時間，見呆子拉將馬來拴下。長老道：「你馬放了？」

八戒道：「無甚好草，沒處放馬。」

行者道：「沒處放馬，可有處牽馬◈麼？」

呆子聞得此言，情知走了消息，也就垂頭扭頸，努嘴皺眉，半晌不言。

又聽得呀的一聲，腰門◈開了，有兩對紅燈、一副提爐，香雲靄靄，環珮叮叮，那婦人帶著三個女兒，走將出來，叫真真、愛愛、憐憐，拜見那取經的人物。那女子排立廳中，朝上禮拜。果然也生得標致，但見她：

一個個蛾眉橫翠，粉面生春。

妖嬈傾國色，窈窕動人心。

花鈿顯現多嬌態，繡帶飄飄迥絕塵。

半含笑處櫻桃綻，緩步行時蘭麝噴。

◈家長里短—指家庭日常生活瑣事。　尷尬—處境困窘或事情棘手，難以應付。

撒歡—馬因快活而興奮地縱跳奔馳。

牽馬—雙關語，這裡是指說媒。　腰門—沿著牆邊所開的便門。

滿頭珠翠，顫巍巍無數寶釵簪；
遍體幽香，嬌滴滴有花金縷細。
說甚麼楚娃美貌，西子嬌容？
真個是九天仙女從天降，月裡嫦娥出廣寒！

那三藏合掌低頭，孫大聖佯佯不睬，這沙僧轉背回身。你看那豬八戒眼不轉睛，淫心紊亂，色膽縱橫，扭捏出悄語，低聲道：「有勞仙子下降。娘，請姐姐們去耶。」那三個女子轉入屏風，將一對紗燈留下。婦人道：「四位長老可肯留心，著那個配我小女麼？」悟淨道：「我們已商議了，著那個姓豬的招贅門下。」八戒道：「兄弟，不要栽我，還從眾計較。」行者道：「還計較甚麼？你已在後門首說合的停停當當◆，娘都叫了，又有甚麼計較？師父做個男親家，這婆兒做個女親家，等老孫做個保親◆，沙僧做個媒人。也不必看通書◆，今朝是個天恩上吉日，你來拜了師父，進去做了女婿罷。」

八戒道：「弄不成！弄不成！哪裡好幹這個勾當？」

行者道：「呆子，不要者囂◆，你那口裡娘也不知叫了多少，又是甚麼弄不成。快快的應承，帶攜我們吃些喜酒，也是好處。」

他一隻手揪著八戒，一隻手扯住婦人道：「親家母，帶妳女婿進去。」那呆子腳兒趄趄◆的要往那裡走。

那婦人即喚童子：「展抹桌椅，鋪排晚齋，管待三位親家。我領姑夫房裡去也。」一壁廂又吩咐庖丁◆排筵設宴，明晨會親。那幾個童子又領命訖。他三眾吃了齋，急急鋪鋪◆，都在客座裡安歇不題。

卻說那八戒跟著丈母，行入裡面，一層層也不知多少房舍，磕磕撞撞，盡

◆**停停當當**—妥妥貼貼，妥妥當當。　**保親**—媒人。　**通書**—舊時民間通行的曆書。
者囂—掩飾、隱瞞。　**趄趄**—腳步歪斜不穩的樣子。趄音居。
庖丁—廚師。　**急急鋪鋪**—形容急急忙忙。

都是門檻絆腳。

呆子道：「娘，慢些兒走，我這裡邊路生，妳帶我帶兒。」

那婦人道：「這都是倉房、庫房、碾房各房，還不曾到那廚房邊哩。」

八戒道：「好大人家！」磕磕撞撞，轉彎抹角，又走了半會，才是內堂房屋。

那婦人道：「女婿，你師兄說今朝是天恩上吉日，就教你招進來了。卻只是倉卒間，不曾請得個陰陽◆，拜堂撒帳◆。你可朝上拜八拜兒罷。」

八戒道：「娘說得是。妳請上坐，等我也拜幾拜，就當拜堂，就當謝親，兩當一兒，卻不省事？」他丈母笑道：「也罷，也罷。果然是個省事幹家◆的女婿。我坐著，你拜麼。」

咦！滿堂中銀燭輝煌，這呆子朝上禮拜。拜畢，道：「娘，妳把哪個姐姐配我哩？」

他丈母道：「正是這些兒疑難：我要把大女兒配你，恐二女怪；要把二女配你，恐三女怪；欲將三女配你，又恐大女怪。所以終疑未定。」

八戒道：「娘，既怕相爭，都與我罷，省得鬧鬧吵吵，亂了家法。」

他丈母道：「豈有此理！你一人就占我三個女兒不成！」

八戒道：「你看娘說的話，哪個沒有三房四妾◆？就再多幾個，妳女婿也笑納了。我幼年間，也曾學得個鏖戰之法，管情一個個服侍得她歡喜。」

那婦人道：「不好！不好！我這裡有一方手帕，你頂在頭上，遮了臉，撞個天婚◆，教我女兒從你跟前走過，你伸開手扯到哪個，就把那個配了你罷。」呆子依言，接了手帕，頂在頭上。有詩為證。詩曰：

痴愚不識本原由，色劍傷身暗自休。
從來信有周公禮，今日新郎頂蓋頭◆。

◆**陰陽**──舊時專門替人占卜，看風水，擇日等的人。
撒帳──舊時結婚習俗，新婚夫婦對拜完畢，就床左右而坐，男右女左，婦女散擲彩現喜果，稱為「撒帳」。　**幹家**──節儉簡省。
三房四妾──妻妾眾多。　**撞個天婚**──聽天由命的擇偶成婚方式。
蓋頭──古時婦女蒙面的頭巾，多用於上街、婚禮或喪禮。

那呆子頂裏停當，道：「娘，請姐姐們出來麼。」

他丈母叫：「真真、愛愛、憐憐，都來撞天婚，配與妳女婿。」

只聽得環珮響亮，蘭麝馨香，似有仙子來往。那呆子真個伸手去撈人，兩邊亂撲，左也撞不著，右也撞不著。來來往往，不知有多少女子行動，只是莫想撈著一個。東撲抱著柱科，西撲摸著板壁。兩頭跑暈了，立站不穩，只是打跌。前來蹬著門扇，後去擋著磚牆，磕磕撞撞，跌得嘴腫頭青，坐在地下。喘氣呼呼的道：「娘啊，妳女兒這等乖滑，得緊，撈不著一個，奈何！奈何！」

那婦人與他揭了蓋頭道：「女婿，不是我女兒乖滑，她們大家謙讓，不肯招你。」

八戒道：「娘啊，既是她們不肯招我啊，妳招了我罷。」

那婦人道：「好女婿呀！這等沒大沒小的，連丈母也都要了？我這三個女兒心性最巧，她一人結了一個珍珠篏錦汗衫兒。你若穿得哪個的，就教那個招你罷。」

八戒道：「好！好！好！把三件兒都拿來我穿了看，若都穿得，就教都招了罷。」

那婦人轉進房裡，只取出一件來，遞與八戒。那呆子脫下青錦布直裰，取過衫兒，就穿在身上。還未曾繫上帶子，撲的一蹻，跌倒在地。原來是幾條繩緊緊繃住。那呆子疼痛難禁，這些人早已不見了。

卻說三藏、行者、沙僧一覺睡醒，不覺的東方發白。忽睜睛抬頭觀看，哪裡得那大廈高堂，也不是雕梁畫棟，一個個都睡在松柏林中。慌得那長老忙呼行者。沙僧道：「哥哥，罷了！罷了！我們遇著鬼了！」

孫大聖心中明白，微微的笑道：「怎麼說？」

長老道：「你看我們睡在哪裡耶？」

◆柱科—房柱。 乖滑—機靈圓滑。

行者道：「這松林下落得快活。但不知那呆子在哪裡受罪哩。」

長老道：「哪個受罪？」

行者笑道：「昨日這家子娘女們，不知是哪裡菩薩，在此顯化◆我等，想是半夜裡去了，只苦了豬八戒受罪。」

三藏聞言，合掌頂禮。又只見那後邊古柏樹上，飄飄蕩蕩的掛著一張簡帖兒。沙僧急去取來與師父看時，卻是八句頌子云：

驪山老母◆不思凡，南海菩薩請下山。

普賢文殊皆是客，化成美女在林間。

聖僧有德還無俗，八戒無禪更有凡。

從此靜心須改過，若生怠慢路途難。

那長老、行者、沙僧正然唱念此頌，只聽得林深處高聲叫道：「師父啊，綳殺我了！救我一救，下次再不敢了！」

三藏道：「悟空，那叫喚的可是悟能麼？」

沙僧道：「正是。」

行者道：「兄弟，莫睬他，我們去罷。」

三藏道：「那呆子雖是心性愚頑，卻只是一味懞直◆，倒也有些膂力，挑得行李。還看當日菩薩之念，救他隨我們去罷，料他以後再不敢了。」

那沙和尚卻捲起鋪蓋，收拾了擔子；孫大聖解轠牽馬，引唐僧入林尋看。咦！這正是：

從正修持須謹慎，掃除愛欲自歸真。

畢竟不知那呆子凶吉如何，且聽下回分解。

◆顯化—指點、教導。　驪山老母—傳說中古代道教的女神仙。　懞直—老實、憨直。

第二四回

萬壽山大仙留故友
五莊觀行者竊人參

卻說那三人穿林入裡，只見那呆子綳在樹上，聲聲叫喊，痛苦難禁。行者上前笑道：「好女婿呀，這早晚還不起來謝親，又不到師父處報喜，還在這裡賣解兒◆耍子哩。咄！你娘呢？你老婆呢？好個綳巴吊拷◆的女婿呀！」

那呆子見他來搶白◆著羞，咬著牙，忍著疼，不敢叫喊。沙僧見了，老大◆不忍，放下行李，上前解了繩索救下。呆子對他們只是磕頭禮拜，其實羞恥難當。

有《西江月》為證：

色乃傷身之劍，貪之必定遭殃。

佳人二八好容妝，更比夜叉凶壯。
只有一個原本，再無微利添囊。
好將資本謹收藏，堅守休教放蕩。

那八戒撮土焚香，望空禮拜。行者道：「你可認得那些菩薩麼？」八戒道：「我已此暈倒昏迷，眼花撩亂，哪認得是誰？」行者把那簡帖兒遞與八戒。八戒見了是頌子，更加慚愧。沙僧笑道：「二哥有這般好處哩，感得四位菩薩來與你做親！」八戒道：「兄弟再莫題起。不當人子了！從今後，再也不敢妄為。就是累折骨頭，也只是摩肩壓擔，隨師父西域去也。」三藏道：「既如此說才是。」

◈**賣解兒**—江湖雜技，命婦女在馬上表現騰擲跳躍的技藝。**綳巴吊拷**—強行脫去衣服，捆綁並吊起來拷打。**搶白**—嘲諷。**老大**—實在。

行者遂領師父上了大路。行罷多時，忽見有高山擋路，三藏勒馬停鞭道：「徒弟，前面一山，必須仔細，恐有妖魔作耗，侵害吾黨。」行者道：「馬前但有我等三人，怕甚妖魔？」因此，長老安心前進。只見那座山，真是好山：

高山峻極，大勢崢嶸。根接崑崙脈，頂摩霄漢中。
白鶴每來棲檜柏，玄猿時復掛藤蘿。
日映晴林，疊疊千條紅霧繞；風生陰壑，飄飄萬道彩雲飛。
幽鳥亂啼青竹裡，錦雞齊鬥野花間。
只見那千年峰、五福峰、芙蓉峰，巍巍凜凜放毫光；
萬歲石、虎牙石、三天石，突突磷磷生瑞氣。
崖前草秀，嶺上梅香。荊棘密森森，芝蘭清淡淡。
深林鷹鳳聚千禽，古洞麒麟轄萬獸。
澗水有情，曲曲彎彎多繞顧；峰巒不斷，重重疊疊自周迴。
又見那綠的槐，斑的竹，青的松，依依千載鬥穠華；

白的李，紅的桃，翠的柳，灼灼三春爭豔麗。
龍吟虎嘯，鶴舞猿啼。麋鹿從花出，青鸞對日鳴。
乃是仙山真福地，蓬萊閬苑只如然。
又見些花開花謝山頭景，雲去雲來嶺上峰。

三藏在馬上歡喜道：「徒弟，我一向西來，經歷許多山水，都是那嵯峨險峻之處，更不似此山好景，果然的幽趣非常。若是相近雷音不遠路，我們好整肅端嚴見世尊。」

行者笑道：「早哩！早哩！正好不得到哩！」

沙僧道：「師兄，我們到雷音有多少遠？」

行者道：「十萬八千里。十停中還不曾走了一停哩。」

八戒道：「哥啊，要走幾年才得到？」

行者道：「這些路，若論二位賢弟，便十來日也可到；若論我走，一日也好走五十遭，還見日色；若論師父走，莫想！莫想！」

唐僧道：「悟空，你說得幾時方可到？」

行者道：「你自小時走到老，老了再小，老小千番也還難；只要你見性志誠，念念回首處，即是靈山。」

沙僧道：「師兄，此間雖不是雷音，觀此景致，必有個好人居止。」

行者道：「此言卻當。這裡決無邪祟，一定是個聖僧、仙輩之鄉，我們遊玩慢行。」不題。

卻說這座山名喚萬壽山。山中有一座觀，名喚五莊觀。觀裡有一尊仙，道號鎮元子，混名與世同君。那觀裡出一般異寶，乃是混沌初分，鴻濛始判，天地未開之際，產成這棵靈根。

蓋天下四大部洲，惟西牛賀洲五莊觀出此，喚名草還丹，又名人參果。三千年一開花，三千年一結果，再三千年才得熟，短頭一萬年方得吃。似這萬年，只結得三十個果子。果子的模樣，就如三朝未滿的小孩相似，四肢俱全，五官咸備。人若有緣，得那果子聞了一聞，就活三百六十歲；吃一個，就活四萬七千年。

當日鎮元大仙得元始天尊的簡帖，邀他到上清天彌羅宮中聽講「混元道果」。大仙門下出的散仙◆，也不計其數，現如今還有四十八個徒弟，都是得道的全真◆。當日帶領四十六個上界去聽講，留下兩個絕小的看家：一個喚做清風，一個喚做明月。清風只有一千三百二十歲，明月才交一千二百歲。

鎮元子吩咐二童道：「不可違了大天尊的簡帖，要往彌羅宮聽講，你兩個在家仔細。不日有一個故人從此經過，卻莫怠慢了他。可將我人參果打兩個與他吃，權表舊日之情。」

二童道：「師父的故人是誰？望說與弟子，好接待。」

大仙道：「他是東土大唐駕下的聖僧，道號三藏，今往西天拜佛求經的

◆**散仙**—道教名詞。天界中未被授予官爵的神仙。 **全真**—這裡指道士。

和尚。」

二童笑道：「孔子云：『道不同，不相為謀。』我等是太乙玄門，怎麼與那和尚做甚相識？」

大仙道：「你哪裡得知。那和尚乃金蟬子轉生，西方聖老如來佛第二個徒弟。五百年前，我與他在蘭盆會◈上相識，他曾親手傳茶。佛子敬我，故此是為故人也。」

二仙童聞言，謹遵師命。那大仙臨行，又叮嚀囑咐道：「我那果子有數，只許與他兩個，不得多費。」

清風道：「開園時，大眾共吃了兩個，還有二十八個在樹，不敢多費。」

大仙道：「唐三藏雖是故人，須要防備他手下人囉唣，不可驚動他知。」

二童領命訖，那大仙承眾徒弟飛升，逕朝天界。

卻說唐僧四眾在山遊玩，忽抬頭，見那松篁一簇，樓閣數層。

唐僧道：「悟空，你看那裡是甚麼去處？」行者看了道：「那所在不是觀宇，定是寺院。我們走動些，到那廂方知端的。」不一時，來於門首觀看，見那：

松坡冷淡，竹徑清幽。往來白鶴送浮雲，上下猿猴時獻果。
那門前池寬樹影長，石裂苔花破。
宮殿森羅紫極高，樓臺縹緲丹霞墮。
真個是福地靈區，蓬萊雲洞。清虛人事少，寂靜道心生。
青鳥每傳王母信，紫鸞常寄老君經。
看不盡那巍巍道德之風，果然漠漠神仙之宅。

三藏離鞍下馬，又見那山門左邊有一通碑，碑上有十個大字，乃是「萬壽山福地，五莊觀洞天」。

◆**蘭盆會**—佛教徒在每年農曆七月十五日舉行齋僧、拜懺、放焰口等活動，以超度祖先及餓鬼道眾生的法會。

長老道：「徒弟，真個是一座觀宇。」

沙僧道：「師父，觀此景鮮明，觀裡必有好人居住。我們進去看看，若行滿東回，此間也是一景。」

行者道：「說得好。」遂都一齊進去，又見那二門上有一對春聯：「長生不老神仙府，與天同壽道人家。」

行者笑道：「這道士說大話唬人。我老孫五百年前大鬧天宮時，在那太上老君門首，也不曾見有此話說。」

八戒道：「且莫管他，進去！進去！或者這道士有些德行，未可知也。」

及至二層門裡，只見那裡面急急忙忙，走出兩個小童兒來。

看他怎生打扮：

骨清神爽容顏麗，頂結丫髻短髮鬅◆。
道服自然襟繞霧，羽衣偏是袖飄風。
環絛緊束龍頭結，芒履輕纏蠶口絨。
丰采異常非俗輩，正是那清風明月二仙童。

那童子控背躬身，出來迎接道：「老師父，失迎，請坐。」長老歡喜，遂與二童子上了正殿觀看。原來是向南的五間大殿，都是上明下暗的雕花槅子。那仙童推開槅子，請唐僧入殿，只見那壁中間掛著五彩裝成的「天地」二大字，設一張朱紅雕漆的香几，几上有一副黃金爐瓶，爐邊有方便整香。

唐僧上前，以左手拈香注爐，三匝禮拜。拜畢，回頭道：「仙童，你五莊觀真是西方仙界。何不供養三清、四帝、羅天諸宰，只將『天地』二字侍奉香火？」童子笑道：「不瞞老師說，這兩個字，上頭的，禮上還當；下邊的，還受不得我們的香火，是家師父諂佞◆出來的。」三藏道：「何為諂佞？」

◆鬅──同「蓬」。形容頭髮散亂。　諂佞──奉承討好。

童子道：「三清是家師的朋友，四帝是家師的故人；九曜是家師的晚輩，元辰是家師的下賓。」

那行者聞言，就笑得打跌◆。八戒道：「哥啊，你笑怎的？」

行者道：「只講老孫會搗鬼，原來這道童會捆風◆。」

三藏道：「令師何在？」

童子道：「家師元始天尊降簡，請到上清天彌羅宮聽講『混元道果』去了，不在家。」

行者聞言，忍不住喝了一聲道：「這個臊道童，人也不認得，你在哪個面前搗鬼，扯甚麼空心架子◆？那彌羅宮有誰是太乙天仙？請你這潑牛蹄子◆去講甚麼？」

三藏見他發怒，恐怕那童子回言，鬥起禍來，便道：「悟空，且休爭競，我們既進來就出去，顯得沒了方情◆。常言道：『鷺鷥不吃鷺鷥肉。』他師既是不在，攪亂他做甚？你去山門前放馬，沙僧看守行李，教八戒解包袱，取些米糧，借他鍋灶，做頓飯吃，待臨行，送他幾文柴錢，便罷了。各依執事，讓我在此歇息歇息，飯畢就行。」他三人果各依執事而去。

那明月、清風暗自誇稱不盡道：「好和尚，真個是西方愛聖臨凡，真元不昧。師父命我們接待唐僧，將人參果與他吃，以表故舊之情；又教防著他手下人囉唣。果然那三個嘴臉兇頑，性情粗糙。幸得就把他們調開了；若在邊前，卻不與他人參果見面？」

清風道：「兄弟，還不知那和尚可是師父的故人。問他一問看，莫要錯了。」二童子又上前道：「啟問老師可是大唐往西天取經的唐三藏？」

長老回禮道：「貧僧就是。仙童為何知我賤名？」

童子道：「我師臨行，曾吩咐教弟子遠接。不期車駕來促，有失迎迓。

◈打跌──重心失去平衡。　捆風──指扯謊、說瞎話。　扯空心架子──說些沒有根據、誇大不實的話。
牛蹄子──對道士的稱呼。　方情──佛教徒和十方人的交情。

老師請坐，待弟子辦茶來奉。」

三藏道：「不敢。」那明月急轉本房，取一杯香茶，獻與長老。

茶畢，清風道：「兄弟，不可違了師命，我和你去取果子來。」

二童別了三藏，同到房中，一個拿了金擊子，一個拿了丹盤，又多將絲帕墊著盤底，逕到人參園內。那清風爬上樹去，使金擊子敲果。明月在樹下，以丹盤等接。

須臾，敲下兩個果來，接在盤中，逕至前殿奉獻道：「唐師父，我五莊觀土僻山荒，無物可奉，土儀素果二枚，權為解渴。」

那長老見了，戰戰兢兢，遠離三尺道：「善哉！善哉！今歲倒也年豐時稔，怎麼這觀裡作荒◆吃人？這個是三朝未滿的孩童，如何與我解渴？」

清風暗道：「這和尚在那口舌場中，是非海裡，弄得眼肉胎凡◆，不識我仙家異寶。」

明月上前道：「老師，此物叫做人參果，吃一個兒不妨。」

三藏道：「胡說！胡說！他那父母懷胎，不知受了多少苦楚，方生下來。未及三日，怎麼就把他拿來當果子？」

清風道：「實是樹上結的。」

長老道：「亂談！亂談！樹上又會結出人來？拿過去，不當人子！」

那兩個童兒見千推萬阻不吃，只得拿著盤子，轉回本房。那果子卻也蹺蹊，久放不得；若放多時，即僵了，不中吃。二人到於房中，一家一個，坐在床邊上，只情吃起。

噫！原來有這般事哩！他那道房，與那廚房緊緊的間壁，這邊悄悄的言語，那邊即便聽見。八戒正在廚房裡做飯，先前聽見說取金擊子，拿丹盤，他已在心；又聽見他說唐僧不認得是人參果，即拿在房裡自吃。

◆作荒—舊時指荒年將至，百姓食量大增的情形。
眼肉胎凡—平常人的眼睛和肉體。形容見識平凡。

口裡忍不住流涎道：「怎得一個兒嘗新？」自家身子又狼犺，不能夠得動，只等行者來，與他計較。他在那鍋門前更無心燒火，不時的伸頭探腦，出來觀看。不多時，見行者牽將馬來，拴在槐樹上，逕往後走。

那呆子用手亂招道：「這裡來！這裡來！」

行者轉身，到於廚房門首，道：「呆子，你嚷甚的？想是飯不夠吃。且讓老和尚吃飽，我們前邊大人家，再化吃去罷。」

八戒道：「你進來，不是飯少。這觀裡有一件寶貝，你可曉得？」

行者道：「甚麼寶貝？」

八戒笑道：「說與你，你不曾見；拿與你，你不認得。」

行者道：「這呆子笑話我老孫。老孫五百年前，因訪仙道時，也曾雲遊在海角天涯，哪般兒不曾見？」

八戒道：「哥啊，人參果你曾見麼？」

行者驚道：「這個真不曾見。但只常聞得人說，人參果乃是草還丹，人吃了極能延壽。如今哪裡有得？」

八戒道：「他這裡有。那童子拿兩個與師父吃，那老和尚不認得，道是三朝未滿的孩兒，不曾敢吃。那童子老大憊懶，師父既不吃，便該讓我們，他就瞞著我們，才自在這隔壁房裡，一家一個，嘓啅嘓啅的吃了出去。就急得我口裡水泱。怎麼得一個兒嘗新？我想你有些溜撒◆，去他那園子裡偷幾個來嘗嘗，如何？」

行者道：「這個容易，老孫去，手到擒來。」急抽身，往前就走，八戒一把扯住道：「哥啊，我聽得他在這房裡說，要拿甚麼金擊子去打哩。須是幹得停當，不可走露風聲。」

行者道：「我曉得，我曉得。」

那大聖使一個隱身法，閃進道房看時，原來那兩個道童吃了果子，上殿與唐僧說話，不在房裡。行者四下裡觀看，看有甚麼金擊子，但只見窗櫺

◆狼犺——形容物體龐大、笨重。犺音亢。　溜撒——靈活、靈巧。

上掛著一條赤金，有二尺長短，有指頭粗細；底下是一個蒜疙疸的頭子；上邊有眼，繫著一根綠絨繩兒。

他道：「想必就是此物叫做金擊子。」他卻取下來，出了道房，逕入後邊去，推開兩扇門，抬頭觀看，呀！卻是一座花園！但見：

朱欄寶檻，曲砌峰山。奇花與麗日爭妍，翠竹共青天鬥碧。
流杯亭外，一彎綠柳似拖煙；賞月臺前，數簇喬松如潑靛。
紅拂拂，錦巢榴；綠依依，繡墩草；
青茸茸，碧砂蘭；攸蕩蕩，臨溪水。
丹桂映金井梧桐，錦槐傍朱欄玉砌。
有或紅或白千葉桃，有或香或黃九秋菊。
荼蘼架，映著牡丹亭；木槿臺，相連芍藥圃。
看不盡傲霜君子竹，欺雪大夫松。
更有那鶴莊鹿宅，方沼圓池；泉流碎玉，地萼堆金。
朔風觸綻梅花白，春來點破海棠紅。

誠所謂人間第一仙景，西方魁首花叢。

那行者觀看不盡，又見一層門，推開看處，卻是一座菜園：

布種四時蔬菜，菠芹莙◈蓬蕫苔。
筍con瓜瓠茭白，蔥蒜芫荽韭薤。
窩蕖茼蒿苦蕒，葫蘆茄子須栽。
蔓菁蘿蔔羊頭埋，紅莧青菘紫芥。

行者笑道：「他也是個自種自吃的道士。」走過菜園，又見一層門。推開看處，呀！只見那正中間有根大樹，真個是青枝馥郁，綠葉陰森，那葉兒卻似芭蕉模樣，直上去有千尺餘高，根下有七八丈圍圓。那行者倚在樹下，往上一看，只見向南的枝上露出一個人參果，真個像孩

◈莙——一種水藻，葉大如篷。莙音俊。

兒一般。原來尾間上是個扢蒂◈，看他丁在枝頭，手腳亂動，點頭晃腦，風過處似乎有聲。

行者歡喜不盡，暗自誇稱道：「好東西呀！果然罕見，果然罕見！」他倚著樹，颼的一聲，攛將上去。那猴子原來第一會爬樹偷果子。他把金擊子敲了一下，那果子撲地落將下來，他也隨跳下來跟尋，寂然不見；四下裡草中找尋，更無蹤跡。

行者道：「蹺蹊，蹺蹊。想是有腳的會走，就走也跳不出牆去。我知道了，想是花園中土地不許老孫偷他果子，他收了去也。」他就捻著訣，念一口「唵」字咒，拘得那花園土地前來，對行者施禮道：「大聖呼喚小神，有何吩咐？」

行者道：「你不知老孫是蓋天下有名的賊頭，我當年偷蟠桃、盜御酒、竊靈丹，也不曾有人敢與我分用。怎麼今日偷他一個果子，你就抽了我的頭分◈去了？這果子是樹上結的，空中過鳥也該有分，老孫就吃他一個，有何大害？怎麼剛打下來，你就撈了去？」

土地道：「大聖錯怪了小神也。這寶貝乃是地仙之物，小神是個鬼仙，怎麼敢拿去？就是聞也無福聞聞。」

行者道：「你既不曾拿去，如何打下來就不見了？」

土地道：「大聖只知這寶貝延壽，更不知他的出處哩。」

行者道：「有甚出處？」

土地道：「這寶貝三千年一開花，三千年一結果，再三千年方得成熟。短頭一萬年，只結得三十個。有緣的，聞一聞，就活三百六十歲；吃一個，就活四萬七千年。卻是只與五行相畏◆。」

行者道：「怎麼與五行相畏？」

◆扢蒂—瓜果和枝莖接連的部分。扢音股。
抽頭分—賭場中對於不下注但每次都拿一定比例數的博錢，叫做抽頭或抽頭分。
相畏—指藥物之間的互相抑制作用，藥物毒性或副作用能被另一種藥物消滅。

土地道：「這果子遇金而落，遇木而枯，遇水而化，遇火而焦，遇土而入。敲時必用金器，方得下來。打下來，卻將盤兒用絲帕襯墊方可。若受些木器，就枯了，就吃也不得延壽。吃他須用磁器，清水化開食用。遇火即焦而無用。遇土而入者，大聖方才打落地上，他即鑽下土去了。這個土有四萬七千年，就是鋼鑽鑽他也鑽不動些須，比生鐵也還硬三四分，大聖不信時，可把這地下打打兒看。」行者即掣金箍棒築了一下，響一聲，迸起棒來，土上更無痕跡。

行者道：「果然，果然。我這棍打石頭如粉碎，撞生鐵也有痕，怎麼這一下打不傷些兒？這等說，我卻錯怪了你了，你回去罷。」那土地即回本廟去訖。

大聖卻有算計：爬上樹，一隻手使擊子，一隻手將錦布直裰的襟兒扯起來做個兜子等住，他卻串枝分葉，敲了三個果，兜在襟中。跳下樹，一直前來，逕到廚房裡去。

那八戒笑道：「哥哥，可有麼？」

行者道：「這不是？老孫的手到擒來。這個果子，也莫背了沙僧，可叫他一聲。」

八戒即招手叫道：「悟淨，你來。」

那沙僧撇下行李，跑進廚房道：「哥哥，叫我怎的？」

行者放開衣兜道：「兄弟，你看這個是甚的東西？」

沙僧見了道：「是人參果。」

行者道：「好啊！你倒認得，你曾在哪裡吃過的？」

沙僧道：「小弟雖不曾吃，但舊時做捲簾大將，扶侍鑾輿赴蟠桃宴，嘗見海外諸仙將此果與王母上壽。見便曾見，卻未曾吃。哥哥，可與我些兒嘗嘗？」

行者道：「不消講，兄弟們一家一個。」

他三人將三個果各各受用。那八戒食腸大，口又大，一則是聽見童子吃時，便覺饞蟲拱動，卻才見了果子，拿過來，張開口，轂轆的囫圇吞嚥下肚。卻白著眼胡賴◆，向行者、沙僧道：「你兩個吃的是甚麼？」

沙僧道：「人參果。」八戒道：「甚麼味道？」

行者道：「悟淨，不要睬他。你倒先吃了，又來問誰？」

八戒道：「哥哥，吃的忙了些，不像你們細嚼細嚥，嘗出些滋味。我也不知有核無核，就吞下去了。哥啊，為人為徹◆；已經調動我這饞蟲，再去弄個兒來，老豬細細的吃吃。」

行者道：「兄弟，你好不知止足。這個東西，比不得那米食麵食，撞著盡飽。像這一萬年只結得三十個，我們吃他這一個，也是大有緣法，不等小可。罷罷罷，夠了！」他欠起身來，把一個金擊子，瞞窗眼兒，丟進他道房裡，竟不睬他。

那呆子只管絮絮叨叨的唧噥，不期那兩個道童復進房來取茶去獻，只聽得八戒還嚷甚麼：「人參果吃得不快活，再得一個兒吃吃才好！」

清風聽見，心疑道：「明月，你聽那長嘴和尚講：『人參果還要個吃吃。』師父別時叮嚀，教防他手下人囉唣，莫敢是他偷了我們寶貝麼？」

明月回頭道：「哥耶，不好了，不好了，金擊子如何落在地下？我們去園裡看看來。」

他兩個急急忙忙的走去，只見花園開了。

清風道：「這門是我關的，如何開了？」又急轉過花園，只見菜園門也開了。忙入人參園裡，倚在樹下，望上查數，顛倒來往，只得二十二個。

明月道：「你可會算帳？」清風道：「我會，你說將來。」

明月道：「果子原是三十個，師父開園，分吃了兩個，還有二十八個；適才打兩個與唐僧吃，還有二十六個；如今只剩得二十二個，卻不少了四個？不消講，不消講，定是那夥惡人偷了，我們只罵唐僧去來。」

◈**胡賴**—任意抵賴、耍賴。　**為人為徹**—幫人幫到底。

兩個出了園門，逕來殿上，指著唐僧，禿前禿後，穢語汙言，不絕口的亂罵；賊頭鼠腦，臭短臊長，沒好氣的胡嚷。唐僧聽不過道：「仙童啊，你鬧的是甚麼？消停些兒，有話慢說不妨，不要胡說散道的。」

清風說：「你的耳聾？我是蠻話，你不省得？你偷吃了人參果，怎麼不容我說？」

唐僧道：「人參果怎麼模樣？」

明月道：「才拿來與你吃，你說像孩童的不是？」

唐僧道：「阿彌陀佛！那東西一見，我就心驚膽戰，還敢偷他吃哩？就是害了饞痞，也不敢幹這賊事。不要錯怪了人。」

清風道：「你雖不曾吃，還有手下人要偷吃的哩。」

三藏道：「這等也說得是，你且莫嚷，等我問他們看。果若是偷了，教他賠你。」明月道：「賠呀！就有錢哪裡去買！」

三藏道：「縱有錢沒處買啊，常言道：『仁義值千金。』教他陪你個禮，便罷了。也還不知是他不是他哩。」

明月道：「怎的不是他？他那裡分不均，還在那裡嚷哩。」

三藏叫聲：「徒弟，且都來。」

沙僧聽見道：「不好了，決撒◆了。老師父叫我們，小道童胡廝罵，不是舊話兒走了風◆，卻是甚的？」

行者道：「活羞殺人。這個不過是飲食之類，若說出來，就是我們偷嘴了，只是莫認。」

八戒道：「正是，正是，昧◆了罷。」他三人只得出了廚房，走上殿去。

畢竟不知怎麼與他抵賴，且聽下回分解。

◆決撒—這裡指敗露、揭穿。走風—泄漏。昧—隱藏。

第二五回

鎮元仙趕捉取經僧
孫行者大鬧五莊觀

卻說他兄弟三眾到了殿上，對師父道：「飯將熟了，叫我們怎的？」

三藏道：「徒弟，不是問飯。他這觀裡有甚麼人參果，似孩子一般的東西，你們是哪一個偷他的吃了？」

八戒道：「我老實，不曉得，不曾見。」

清風道：「笑的就是他！笑的就是他！」

行者喝道：「我老孫生的是這個笑容兒，莫成為你不見了甚麼果子，就不容我笑？」

三藏道：「徒弟息怒。我們是出家人，休打誑語◆，莫吃昧心食。果然吃了他的，陪他個禮罷，何苦這般抵賴？」

行者見師父說得有理，他就實說道：「師父，不干我事。是八戒隔壁聽見那兩個道童吃甚麼人參果，他想一個兒嘗新◆，著老孫去打了三個，我兄弟各人吃了一個。如今吃也吃了，待要怎麼？」

明月道：「偷了我四個，這和尚還說不是賊哩。」

八戒道：「阿彌陀佛！既是偷了四個，怎麼只拿出三個來分，預先就打起一個偏手◆？」那呆子倒轉◆胡嚷。

二仙童問得是實，越加毀罵◆。就恨得個大聖鋼牙咬響，火眼睜圓，把條金箍棒揝了又揝，忍了又忍道：「這童子只說當面打人也罷，受他些氣兒。送他個絕後計，教他大家都吃不成！」

◆誑語—騙人的話。　嘗新—品嘗應時的新鮮食品。
打偏手—藏私、做手腳。　倒轉—反而。　毀罵—辱罵。

好行者，把腦後的毫毛拔了一根，吹口仙氣，叫：「變！」變做個假行者，跟定唐僧，陪著悟能、悟淨，忍受著道童嚷罵。他的真身出一個神，縱雲頭，跳將起去，逕到人參園裡，掣金箍棒，往樹上乒乓一下，又使個推山移嶺的神力，把樹一推推倒。可憐葉落椏開根出土，道人斷絕草還丹。那大聖推倒樹，在枝兒上尋果子，哪裡得有半個。原來這寶貝遇金而落，他的棒兩頭是金裹的，況鐵又是五金之類，所以敲著就震下來；既下來，又遇土而入。因此上邊再沒一個果子。他道：「好！好！好！大家散火！」他收了鐵棒，逕往前來，把毫毛一抖，收上身來。那些人肉眼凡胎，看不明白。

卻說那仙童罵夠多時，清風道：「明月，這些和尚也受得氣哩，我們就像罵雞一般，罵了這半會，通沒個招聲。想必他不曾偷吃，倘或樹高葉密，數得不明，不要枉罵了他，我和你再去查查。」明月道：「也說得是。」他兩個果又到園中，只見那樹倒椏開，果無葉落。諕得清風腳軟跌跟頭，明月腰酥打骸垢◆，那兩個魂飛魄散。有詩為證。詩曰：

三藏西臨萬壽山，悟空斷送草還丹。
枒開葉落仙根露，明月清風心膽寒。

他兩個倒在塵埃，語言顛倒，只叫：「怎的好？怎的好？害了我五莊觀裡的丹頭◆，斷絕我仙家的苗裔◆，師父來家，我兩個怎的回話？」明月道：「師兄莫嚷，我們且整了衣冠，莫要驚張◆了這幾個和尚。這個沒有別人，定是那個毛臉雷公嘴的那廝，他來出神弄法，壞了我們的寶貝。若是與他分說，那廝畢竟抵賴，定要與他相爭；爭起來，就要交手相打，你想我們兩個怎麼敵得過他四個？且不如去哄他一哄，只說果子不少，

◆散火—解散。打骸垢—戰慄、打哆嗦。丹頭—寶物。苗裔—後代子孫。驚張—驚動聲張。

我們錯數了，轉與他陪個不是。他們的飯已熟了，等他吃飯時，再貼他些兒小菜。他一家拿著一個碗，你卻站在門左，我卻站在門右，撲地把門關倒，把鎖鎖住，將這幾層門都鎖了，不要放他，待師父來家，憑他怎的處置。他又是師父的故人，饒了他，也是師父的人情；不饒他，我們也拿住個賊在，庶幾可以免我等之罪。」

清風聞言道：「有理，有理。」

他兩個強打精神，勉生歡喜，從後園中逕來殿上，對唐僧控背躬身道：「師父，適間言語粗俗，多有衝撞，莫怪，莫怪。」

三藏問道：「怎麼說？」

清風道：「果子不少，只因樹葉高密，不曾看得明白。才然又去查查，還是原數。」

那八戒就趁腳兒蹺◆道：「你這個童兒，年幼不知事體，就來亂罵，白口詛咒，枉賴了我們也，不當人子。」

行者心上明白，口裡不言，心中暗想道：「是謊！是謊！果子已了了帳，怎的說這般話？想必有起死回生之法。」

三藏道：「既如此，盛將飯來，我們吃了去罷。」

那八戒便去盛飯，沙僧安放桌椅。二童忙取小菜，卻是些醬瓜、醬茄、糟蘿蔔、醋豆角、醃窩蕖、綽芥菜，共排了七八碟兒，與師徒們吃飯；又提一壺好茶，兩個茶鍾，伺候左右。那師徒四眾卻才拿起碗來，這童兒一邊一個，撲地把門關上，插上一把兩鐄銅鎖。

八戒笑道：「這童子差了，你這裡風俗不好，卻怎的關了門裡吃飯？」

明月道：「正是，正是，好歹吃了飯兒開門。」

清風罵道：「我把你這個害饞勞、偷嘴的禿賊！你偷吃了我的仙果，已該一個擅食田園瓜果之罪；卻又把我的仙樹推倒，壞了我五莊觀裡仙根，

◈**趁腳兒蹺**—順著別人的話乘機而言。這裡是得理不讓人的意思。

你還要說嘴哩！若能夠到得西方參佛面，只除是轉背搖車再托生◆！」

三藏聞言，丟下飯碗，把個石頭放在心上。那童子將那前山門、二山門，通都上了鎖。卻又來正殿門首，惡語惡言，賊前賊後，只罵到天色將晚，才去吃飯。飯畢，歸房去了。

唐僧埋怨行者道：「你這個猴頭，番番撞禍。你偷吃了他的果子，就受他些氣兒，讓他罵幾句便也罷了，怎麼又推倒他的樹？若論這般情由，告起狀來，就是你老子做官，也說不通。」

行者道：「師父莫鬧，那童兒都睡去了，只等他睡著了，我們連夜起身。」沙僧道：「哥啊，幾層門都上了鎖，閉得甚緊，如何走麼？」

行者笑道：「莫管！莫管！老孫自有法兒。」

八戒道：「愁你沒有法兒哩，你一個變，甚麼蟲蛭兒，瞞格子眼裡就飛將出去。只苦了我們不會變的，便在此頂缸◆受罪哩。」

唐僧道：「他若幹出這個勾當，不同你我出去啊，我就念起舊話經兒，他卻怎生消受？」

八戒聞言，又愁又笑道：「師父，你說的哪裡話？我只聽得佛教中有卷《楞嚴經》、《法華經》、《孔雀經》、《觀音經》、《金剛經》，不曾聽見個甚那『舊話兒經』啊。」

行者道：「兄弟，你不知道。我頂上戴的這個箍兒，是觀音菩薩賜與我師父的，師父哄我戴了，就如生根的一般，莫想拿得下來，叫做緊箍兒咒，又叫做緊箍兒經。他『舊話兒經』，即此是也。但若念動，我就頭疼，故有這個法兒難我。師父，你莫念，我決不負你，管情大家一齊出去。」

說話後，都已天昏，不覺東方月上。行者道：「此時萬籟無聲，冰輪明顯，正好走了去罷。」

八戒道：「哥啊，不要搗鬼，門俱鎖閉，往哪裡走？」

◈轉背搖車再托生—近似於改弦易轍重做人。　頂缸—代人受過。

行者道：「你看手段。」一把金箍棒捻在手中，使一個「解鎖法」，往門上一指，只聽得突蹡的一聲響，幾層門雙鐄俱落，唿喇的開了門扇。八戒笑道：「好本事，就是叫小爐兒匠使掭子，便也不像這等爽利。」

行者道：「這個門兒有甚稀罕，就是南天門，指一指也開了。」卻請師父出了門，上了馬，八戒挑著擔，沙僧攏著馬，逕投西路而去。

行者道：「你們且慢行，等老孫去照顧那兩個童兒睡一個月。」

三藏道：「徒弟，不可傷他性命；不然，又一個得財傷人的罪了。」

行者道：「我曉得。」

行者復進去，來到那童兒睡的房門外。他腰裡有帶的瞌睡蟲兒，原來在東天門與增長天王猜枚耍子贏的。他摸出兩個來，瞞窗眼兒彈將進去，逕奔到那童子臉上，鼾鼾沉睡，再莫想得醒。他才拽開雲步，趕上唐僧，順大路一直西奔。

這一夜馬不停蹄，行到天曉。三藏道：「這個猴頭弄殺我也！你因為嘴，帶累我一夜無眠！」

行者道：「不要只管埋怨。天色明了，你且在這路旁邊樹林中將就歇歇，養養精神再走。」

那長老只得下馬，倚松根權作禪床坐下。沙僧歇了擔子打盹，八戒枕著石睡覺。孫大聖偏有心腸，你看他跳樹扳枝頑耍。四眾歇息不題。

卻說那大仙自元始宮散會，領眾小仙出離兜率，逕下瑤天，墜祥雲，早來到萬壽山五莊觀門首。看時，只見觀門大開，地上乾淨。大仙道：「清風、明月，卻也中用。常時節，日高三丈，腰也不伸；今日我們不在，他倒肯起早，開門掃地。」眾小仙俱悅。行至殿上，香火全無，人蹤俱寂，哪裡有明月、清風。眾仙道：「他兩個想是因我們不在，拐了東西走了。」

◆掭子──撥物用的細棒。掭音添四聲。

大仙道：「豈有此理！修仙的人，敢有這般壞心的事？想是昨晚忘卻關門，就去睡了，今早還未醒哩。」

眾仙到他房門首看處，真個關著房門，鼾鼾沉睡；這外邊打門亂叫，哪裡叫得醒來。眾仙撬開門板，著手扯下床來，也只是不醒。

大仙笑道：「好仙童啊！成仙的人，神滿再不思睡，卻怎麼這般困倦？莫不是有人做弄了他也？快取水來。」一童急取水半盞遞與大仙。大仙念動咒語，噀◆一口水，噴在臉上，隨即解了睡魔。

二人方醒，忽睜睛，抹抹臉，抬頭觀看，認得是仙師與世同君和仙兄等眾。慌得那清風頓首，明月叩頭道：「師父啊，你的故人原是東來的和尚，一夥強盜，十分兇狠。」

大仙笑道：「莫驚恐，慢慢的說來。」

清風道：「師父啊，當日別後不久，果有個東土唐僧，一行有四個和尚，連馬五口。弟子不敢違了師命，問及來因，將人參果取了兩個奉上。那長老俗眼愚心，不識我們仙家的寶貝。他說是三朝未滿的孩童，再三不吃，是弟子各吃了一個。不期他那手下有三個徒弟，有一個姓孫的，名悟空行者，先偷四個果子吃了。是弟子們向伊理說，實實的言語了幾句。他卻不容，暗自裡弄了個出神的手段。苦啊！」二童子說到此處，止不住腮邊淚落。

眾仙道：「那和尚打你來？」

明月道：「不曾打，只是把我們人參樹打倒了。」

大仙聞言，更不惱怒，道：「莫哭，莫哭。你不知那姓孫的也是個太乙散仙，也曾大鬧天宮，神通廣大。既然打倒了寶樹，你可認得那些和尚？」清風道：「都認得。」大仙道：「既認得，都跟我來。眾徒弟們，都收拾下刑具，等我回來打他。」眾仙領命。

大仙與明月、清風縱起祥光，來趕三藏，頃刻間就有千里之遙。

◆噀——音訓。將水含在口中噴出。

大仙在雲端裡向西觀看，不見唐僧。及轉頭向東看時，倒多趕了九百餘里。原來那長老一夜馬不停蹄，只行了一百二十里路；大仙的雲頭，一縱趕過了九百餘里。

仙童道：「師父，那路旁樹下坐的是唐僧。」

大仙道：「我已見了。你兩個回去安排下繩索，等我自家拿他。」清風、明月先回不題。

那大仙按落雲頭，搖身一變，變做個行腳全真。你道他怎生打扮：

穿一領百衲袍，繫一條呂公絛。手搖麈尾，漁鼓輕敲。
三耳草鞋登腳下，九陽巾子把頭包。飄飄風滿袖，口唱月兒高。

徑直來到樹下，對唐僧高叫道：「長老，貧道起手◆了。」

那長老忙忙答禮道：「失瞻◆！失瞻！」

大仙問：「長老是哪方來的？為何在途中打坐？」

三藏道：「貧僧乃東土大唐差往西天取經者，路過此間，權為一歇。」

大仙佯訝道：「長老東來，可曾在荒山經過？」

長老道：「不知仙官是何寶山？」

大仙道：「萬壽山五莊觀，便是貧道棲止處。」

行者聞言，他心中有物的人，忙答道：「不曾！不曾！我們是打上路來的。」

那大仙指定笑道：「我把你這個潑猴！你瞞誰哩？你倒在我觀裡，把我人參果樹打倒，你連夜走在此間，還不招認，遮飾甚麼？不要走，趁早去還我樹來！」

那行者聞言，心中惱怒，掣鐵棒，不容分說，望大仙劈頭就打。大仙側身躲過，踏祥光，逕到空中。行者也騰雲，急趕上去。大仙在半空現了本

◈起手——出家人行教禮，即稽首，叩頭至地的跪拜禮。　失瞻——失敬。

相，你看他怎生打扮：

頭戴紫金冠，無憂鶴氅穿。履鞋登足下，絲帶束腰間。
體如童子貌，面似美人顏。三鬚飄頷下，鴉翎疊鬢邊。
相迎行者無兵器，只將玉麈手中拈。

那行者沒高沒低的，棍子亂打。

大仙把玉麈左遮右擋，奈了他兩三回合。使一個「袖裡乾坤」的手段，在雲端裡把袍袖迎風輕輕的一展，刷地前來，把四僧連馬一袖子籠住。

八戒道：「不好了，我們都裝在褡褳裡了！」

行者道：「呆子，不是褡褳，我們被他籠在衣袖中哩。」

八戒道：「這個不打緊，等我一頓釘鈀，築他個窟窿，脫將下去，只說他不小心，籠不牢，吊的了罷！」那呆子使鈀亂築，哪裡築得動：手捻著雖然是個軟的，築起來就比鐵還硬。

那大仙轉祥雲，逕落五莊觀坐下，叫徒弟拿繩來。眾小仙一一伺候。你看他從袖子裡卻像撮◆傀儡一般，把唐僧拿出，縛在正殿簷柱上。又拿出他三個，每一根柱上綁了一個。將馬也拿出拴在庭下，與他些草料。行李拋在廊下。又道：「徒弟，這和尚是出家人，不可用刀槍，不可加鈇鉞◆。且與我取出皮鞭來，打他一頓，與我人參果出氣！」

眾仙即忙取出一條鞭，不是甚麼牛皮、羊皮、麂皮、犢皮的，原來是龍皮做的七星鞭，著水浸在那裡。令一個有力量的小仙，把鞭執定道：「師父，先打哪個？」

大仙道：「唐三藏做大不尊◆，先打他。」

行者聞言，心中暗道：「我那老和尚不禁打，假若一頓鞭打壞了啊，卻不是我造的業？」他忍不住，開言道：「先生差了。偷果子是我，吃果子是

◆褡縺—一種兩頭有口袋的兜囊，搭在肩上前後有袋，故名之。小的隨肩背帶，大的裝被褥。撮—牽引。**鈇鉞**—刑具，比喻刑戮。鈇鉞音夫月。**做大不尊**—自大而舉止無禮。

我，推倒樹也是我，怎麼不先打我，打他做甚？」

大仙笑道：「這潑猴倒言語膂烈。這等便先打他。」

小仙問：「打多少？」大仙道：「照依果數，打三十鞭。」

那小仙掄鞭就打。行者恐仙家法大，睜圓眼瞅定，看他打哪裡。原來打腿，行者就把腰扭一扭，叫聲：「變！」變做兩條熟鐵腿，看他怎麼打。那小仙一下一下的打了三十，天早向午了。

大仙又吩咐道：「還該打三藏訓教不嚴，縱放頑徒撒潑。」那仙又掄鞭來打。行者道：「先生又差了。偷果子時，我師父不知，他在殿上與你二童講話，是我兄弟們做的勾當。縱是有教訓不嚴之罪，我為弟子的也當替打，再打我罷。」

大仙道：「這潑猴，雖是狡猾奸頑，卻倒也有些孝意。既這等，還打他罷。」小仙又打了三十。行者低頭看看，兩隻腿似明鏡一般，通打亮了，更不知些疼癢。

此時天色將晚，大仙道：「且把鞭子浸在水裡，待明朝再拷打他。」小仙且收鞭去浸，各各歸房。晚齋已畢，盡皆安寢不題。

那長老淚眼雙垂，怨他三個徒弟道：「你等闖出禍來，卻帶累我在此受罪，這是怎的起？」

行者道：「且休報怨，打便先打我，你又不曾吃打，倒轉嗟呀◈怎的？」

唐僧道：「雖然不曾打，卻也綁得身上疼哩。」

沙僧道：「師父，還有陪綁的在這裡哩。」

行者道：「都莫要嚷，再停會兒走路。」

八戒道：「哥哥又弄虛頭◈了。這裡麻繩噴水，緊緊的綁著，還比關在殿上，被你使解鎖法搠開門走哩。」

行者道：「不是誇口說，那怕他三股的麻繩噴上了水，就是碗粗的棕纜，也只好當秋風！」

◈膂烈—強硬。 嗟呀—嘆息。 弄虛頭—搞花樣、耍手段。

正話處，早已萬籟無聲，正是天街人靜。好行者，把身子小一小，脫下索來道：「師父去呀！」

沙僧慌了道：「哥哥，也救我們一救。」行者道：「悄言！悄言！」

他卻解了三藏，放下八戒、沙僧，整束了褊衫，扣背了馬匹，廊下拿了行李，一齊出了觀門。又教八戒：「你去把那崖邊柳樹伐四棵來。」

八戒道：「要他怎的？」行者道：「有用處，快快取來。」

那呆子有些夯力，走了去，一嘴一棵，就拱了四棵，一抱抱來。行者將枝梢折了，教兄弟二人復進去，將原繩照舊綁在柱上。

那大聖念動咒語，咬破舌尖，將血噴在樹上，叫：「變！」一根變做長老，一根變做自身，那兩根變做沙僧、八戒；都變得容貌一般，相貌皆同，問他也就說話，叫名也就答應。他兩個卻才放開步，趕上師父。這一夜依舊馬不停蹄，躲離了五莊觀。

只是到天明，那長老在馬上搖樁打盹。行者見了，叫道：「師父不濟，出家人怎的這般辛苦？我老孫千夜不眠，也不曉得些困倦。且下馬來，莫教走路的人看見笑你，權在山坡下藏風聚氣處，歇歇再走。」

不說他師徒在路暫住。且說那大仙天明起來，吃了早齋，出在殿上，教：「拿鞭來，今日卻該打唐三藏了。」那小仙掄著鞭，望唐僧道：「打你哩。」那柳樹也應道：「打麼。」乒乓打了三十。掄過鞭來，對八戒道：「打你哩。」那柳樹也應道：「打麼。」及打沙僧，也應道教打。及打到行者，那行者在路，偶然打個寒噤道：「不好了！」

三藏問道：「怎麼說？」

行者道：「我將四顆柳樹變做我師徒四眾，我只說他昨日打了我兩頓，今日想不打了，卻又打我的化身，所以我真身打噤◆。收了法罷。」那行者慌忙念咒收法。

◆打噤——發抖。

你看那些道童害怕，丟了皮鞭，報道：「師父啊，為頭打的是大唐和尚，這一會打的都是柳樹之根。」

大仙聞言，呵呵冷笑，誇不盡道：「孫行者，真是一個好猴王！曾聞他大鬧天宮，布地網天羅，拿他不住，果有此理。你走了便也罷，卻怎麼綁些柳樹在此冒名頂替？決莫饒他，趕去來！」

那大仙說聲趕，縱起雲頭，往西一望，只見那和尚挑包策馬，正然走路。大仙低落雲頭，叫聲：「孫行者，往哪裡走？還我人參樹來。」

八戒聽見道：「罷了，對頭又來了！」

行者道：「師父，且把善字兒包起，讓我們使些凶惡，一發結果了他，脫身去罷。」

唐僧聞言，戰戰兢兢，未曾答應。沙僧掣寶杖，八戒舉釘鈀，大聖使鐵棒，一齊上前，把大仙圍住在空中，亂打亂築。這場惡鬥，有詩為證。

詩曰：

悟空不識鎮元仙，與世同君妙更玄。
三件神兵施猛烈，一根麈尾自飄然。
左遮右擋隨來往，後架前迎任轉旋。
夜去朝來難脫體，淹留何日到西天！

他兄弟三眾各舉神兵，一齊攻打；那大仙只把蠅帚兒演架。哪裡有半個時辰，他將袍袖一展，依然將四僧一馬並行李一袖籠去。返雲頭，又到觀裡，眾仙接著。

仙師坐於殿上，卻又在袖兒裡一個個搬出，將唐僧綁在階下矮槐樹上，八戒、沙僧各綁在兩邊樹上，將行者捆倒。

行者道：「想是調問哩。」不一時，捆綁停當，教把長頭布取十疋來。

行者笑道：「八戒，這先生好意思，拿出布來與我們做中袖哩！減省些

◆對頭──仇敵、仇人。頭音投輕聲。　蠅帚──驅趕蚊蠅的用具。
演架──防禦抵抗。　長頭布──足疋的布，約八丈長。

兒，做個一口鐘◆罷了。」那小仙將家機布◆搬將出來。

大仙道：「把唐三藏、豬八戒、沙和尚都使布裹了。」眾仙一齊上前裹了。行者笑道：「好！好！好！夾活兒就大殮了◆。」須臾，纏裹已畢。又教拿出漆來。眾仙即忙取了些自收自曬的生熟漆，把他三個渾身布裹漆漆了，上留著頭臉在外。八戒道：「先生，上頭倒不打緊，只是下面還留孔兒，我們好出恭。」那大仙又教把大鍋抬出來。

行者笑道：「八戒，造化◆！抬出鍋來，想是煮飯我們吃哩。」

八戒道：「也罷了，讓我們吃些飯兒，做個飽死的鬼也好看。」

眾仙果抬出一口大鍋支在階下。

大仙叫架起乾柴，發起烈火，教：「把清油拗◆上一鍋，燒得滾了，將孫行者下油鑊◆炸他一炸，與我人參樹報仇。」

行者聞言，暗喜道：「正可老孫之意，這一向不曾洗澡，有些兒皮膚燥癢，好歹燙燙，足感盛情。」頃刻間，那油鍋將滾。

大聖卻又留心，恐他仙法難參，油鍋裡難做手腳，急回頭四顧，只見那臺下東邊是一座日規臺，西邊是一個石獅子。行者將身一縱，滾到西邊，咬破舌尖，把石獅子噴了一口，叫聲：「變！」變做他本身模樣，也這般捆作一團。他卻出了元神，起在雲端裡，低頭看著道士。

只見那小仙報道：「師父，油鍋滾透了。」大仙教：「把孫行者抬下去。」四個仙童抬不動，八個來也抬不動，又加四個也抬不動。眾仙道：「這猴子戀土難移，小自小，倒也結實。」卻教二十個小仙扛將起來，往鍋裡一摜，烹的響了一聲，濺起些滾油點子，把那小道士們臉

◈一口鐘——一種沒有開衩的長袍。形狀如鐘形，上窄下寬。 家機布——一種質料較佳的布。

夾活兒就大殮了——戲謔的說法，意指人還活著就要被辦葬禮了。大殮，把死者放進棺木裡，釘上棺蓋的禮節。

造化——福氣、幸運。化音花輕聲。 拗——用勺取舀。 油鑊——古代一種烹人的刑具。

上燙了幾個燎漿大泡◆。

只聽得燒火的小童喊道：「鍋漏了！鍋漏了！」說不了◆，油已漏得罄盡◆，鍋底打破，原來是一個石獅子放在裡面。

大仙大怒道：「這個潑猴，著然◆無禮，教他當面做了手腳。你走了便罷，怎麼又搗了我的灶？這潑猴枉自也拿他不住；就拿住他，也似摶砂弄汞◆，捉影捕風。罷！罷！罷！饒他去罷！且將唐三藏解下，另換新鍋，把他炸一炸，與人參樹報報仇罷！」那小仙真個動手，拆解布漆。

行者在半空裡聽得明白，他想著：「師父不濟，他若到了油鍋裡，一滾就死，二滾就焦，到三五滾他就弄做個稀爛的和尚了。我還去救他一救。」好大聖，按落雲頭，上前叉手道：「莫要拆壞了布漆，炸我師父，還等我來下油鍋罷。」

那大仙驚罵道：「我把你這猢猻！怎麼弄手段搗了我的灶？」

行者笑道：「你遇著我就該倒灶，干我甚事？我才自也要領你些油湯油水之愛，但只是大小便急了，若在鍋裡開風◈，恐怕汙了你的熟油，不好調菜吃。如今大小便通乾淨了，才好下鍋。不要炸我師父，還來炸我。」那大仙聞言，呵呵冷笑，走出殿來，一把扯住。

畢竟不知有何話說，端的怎麼脫身，且聽下回分解。

◈燎漿大泡—皮膚因燙傷或火傷而引起的水泡。　說不了—話還沒有說完。
罄盡—用完、竭盡。　著然—實在、簡直。著音卓。　開風—大小便。
摶砂弄汞—砂子鬆散，水銀流動，無法團捏把握。比喻枉費力氣。摶音團。

第二六回

孫悟空三島求方
觀世音甘泉活樹

詩曰：

處世須存心上刃，修身切記寸邊而。
常言刃字為生意，但要三思戒怒欺。
上士無爭傳亙古，聖人懷德繼當時。
剛強更有剛強輩，究竟終成空與非。

卻說那鎮元大仙用手攙著行者道：「我也知道你的本事，我也聞得你的英名，只是你今番越理欺心，縱有騰那，脫不得我手。我就和你講到西天，見了你那佛祖，也少不得還我人參果樹。你莫弄神通。」

行者笑道：「你這先生，好小家子樣！若要樹活，有甚疑難？早說這話，可不省了一場爭競◆？」

大仙道：「不爭競，我肯善自◆饒你！」

行者道：「你解了我師父，我還你一棵活樹如何？」

大仙道：「你若有此神通，醫得樹活，我與你八拜為交◆，結為兄弟。」

行者道：「不打緊，放了他們，老孫管教還你活樹。」

大仙諒他走不脫，即命解放了三藏、八戒、沙僧。

沙僧道：「師父啊，不知師兄搗得是甚麼鬼哩。」

八戒道：「甚麼鬼！這叫做『當面人情鬼』！樹死了，又可醫得活？他弄個光皮散兒◆好看，者著◆求醫治樹，單單了脫身走路，還顧得你和我哩！」

◆**心上刃**—忍字的拆寫。 **寸邊而**—耐字的拆寫。 **欺心**—使壞心眼。 **騰那**—動作、跳躍。那音挪。

小家子—形容舉止不大方、小氣。 **爭競**—爭論、爭執。 **善自**—自作打算。

八拜為交—稱結拜為異姓兄弟姊姐的朋友。古時因為對父執輩需行八拜禮，所以朋友若相交親密如同手足，經過約定，互視對方父執如同自己的親人，即可稱為「八拜之交」。

光皮散兒—表面、外表。 **者著**—藉著、靠著。

三藏道：「他決不敢撒了我們。我們問他哪裡求醫去。」遂叫道：「悟空，你怎麼哄了仙長，解放我等？」

行者道：「老孫是真言實語，怎麼哄他？」

三藏道：「你往何處去求方？」

行者道：「古人云：『方從海上來。』我今要上東洋大海，遍遊三島十洲，訪問仙翁聖老，求一個起死回生之法，管教醫得他樹活。」

三藏道：「此去幾時可回？」行者道：「只消三日。」

三藏道：「既如此，就依你說，與你三日之限。三日裡來便罷；若三日之外不來，我就念那話兒經了。」

行者道：「遵命，遵命。」

你看他急整虎皮裙，出門來對大仙道：「先生放心，我就去就來。你卻要好生服侍我師父，逐日家三茶六飯，不可欠缺；若少了些兒，老孫回來和你算帳，先搗塌你的鍋底。衣服禳了，與他漿洗漿洗。臉兒黃了些兒，我不要；若瘦了些兒，不出門。」

那大仙道：「你去，你去，定不教他忍餓。」

好猴王，急縱觔斗雲，別了五莊觀，逕上東洋大海。在半空中，快如掣電，疾如流星，早到蓬萊仙境。按雲頭，往下仔細觀看，真個好去處。有詩為證。詩曰：

大地仙鄉列聖曹◆，蓬萊分合鎮波濤。
瑤臺影蘸天心冷，巨闕光浮海面高。
五色煙霞含玉籟，九霄星月射金鼇◆。
西池王母常來此，奉祝三仙幾次桃。

◆方—法子、辦法。　**穰**—穢、髒。穰音攘。　**聖曹**—神聖之輩。
三島十洲—道教稱距陸地極遙遠的大海之中有十洲三島，都是人跡罕至的地方，那裡長滿了可使人不死的仙草靈芝，神仙們則在這些島上逍遙自在。
金鼇—頭尾似龍，身似陸龜，全身金色，生活在海裡的神龜。

那行者看不盡仙景，逕入蓬萊。正然走處，見白雲洞外，松陰之下，有三個老兒圍碁◆，觀局者是壽星，對局者是福星、祿星。

行者上前叫道：「老弟們，作揖了。」

那三星見了，拂退碁枰，回禮道：「大聖何來？」

行者道：「特來尋你們耍子。」

壽星道：「我聞大聖棄道從釋◆，脫性命保護唐僧往西天取經，逐日奔波山路，那些兒得閒，卻來耍子？」

行者道：「實不瞞列位說，老孫因往西方，行在半路，有些兒阻滯，特來小事欲干，不知肯否？」

福星道：「是甚地方？因何阻滯？乞為明示，吾好裁處。」

行者道：「因路過萬壽山五莊觀有阻。」

三老驚訝道：「五莊觀是鎮元大仙的仙宮，你莫不是把他人參果偷吃了？」

行者笑道：「偷吃了能值甚麼？」

三老道：「你這猴子，不知好歹。那果子聞一聞，活三百六十歲；吃一個，活四萬七千年，叫做『萬壽草還丹』。我們的道，不及他多矣！他得之甚易，就可與天齊壽；我們還要養精、煉氣、存神◆，調和龍虎◆、捉坎填離，不知費多少工夫。你怎麼說他的能值甚緊？天下只有此種靈根！」

行者道：「靈根，靈根，我已弄了他個斷根哩！」

三老驚道：「怎的斷根？」

行者道：「我們前日在他觀裡，那大仙不在家，只有兩個小童接待了我師父，卻將兩個人參果奉與我師。我師不認得，只說是三朝未滿的孩童，再三不吃。那童子就拿去吃了，不曾讓得我們。是老孫就去偷了他三個，

◆**棄道從釋**—悟空本來學的是道門法術，為太乙金仙。被鎮壓了五百年後，拜了唐僧當師父，做了和尚。**圍碁**—即圍棋。**存神**—存養精神。

調和龍虎、**捉坎填離**—龍虎、坎離，指水與火。水指人體內的精，火指人體內的氣。養精運氣，使之協調，便可長壽成仙。

我兄弟三人吃了。那童子不知高低，賊前賊後的罵個不住。是老孫惱了，把他樹打了一棍，推倒在地，樹上果子全無，枒開葉落，根出枝傷，已枯死了。不想那童子關住我們，又被老孫扭開鎖走了。

「次日清辰，那先生回家趕來，問答間，語言不合，遂與他賭鬥，被他閃一閃，把袍袖展開，一袖子都籠去了。繩纏索綁，拷問鞭敲，就打了一日。是夜又逃了，他又趕上，依舊籠去。他身無寸鐵，只是把個麈尾遮架，我兄弟這等三般兵器，莫想打得著。他這一番仍舊擺布，將布裹漆了我師父與兩師弟，卻將我下油鍋。

「我又做了個脫身本事走了，把他鍋都打破。他見拿我不住，盡有幾分醋我。是我又與他好講，教他放了我師父、師弟，我與他醫樹管活，兩家才得安寧。我想著『方從海上來』，故此特遊仙境，訪三位老弟。有甚醫樹的方兒，傳我一個，急救唐僧脫苦。」

三星聞言，心中也悶道：「你這猴兒，全不識人。那鎮元子乃地仙之祖，我等乃神仙之宗；你雖得了天仙，還是太乙散數◆，未入真流，你怎麼脫得他手？若是大聖打殺了走獸飛禽、裸蟲鱗長，只用我黍米之丹，可以救活。那人參果乃仙木之根，如何醫治？沒方，沒方。」那行者見說無方，卻就眉峰雙鎖，額蹙千痕。

福星道：「大聖，此處無方，他處或有，怎麼就生煩惱？」

行者道：「無方別訪，果然容易，就是遊遍海角天涯，轉透三十六天◆，亦是小可。只是我那唐長老法嚴量窄，只與了我三日期限；三日以外不到，他就要念那緊箍兒咒哩。」

三星笑道：「好！好！好！若不是這個法兒拘束你，你又鑽天了。」

◆**醋**—怵的同音字。懼怵、怯陣。　**三十六天**—道教謂北斗群星中有三十六天罡星。

太乙散數—太乙仙人分為三階級，從下往上分別是太乙散仙、太乙真仙、太乙金仙。太乙金仙之上就是大羅神仙，大羅神仙分為兩階，分別是大羅散仙和大羅金仙。釋迦牟尼如來佛祖即是大羅金仙的級別。大羅金仙之上，還有道教三清、西方二聖、女媧娘娘、盤古真身。這就是聖人級別了。聖人級別又稱為混元無極太上大羅金仙，屬於大羅金仙的最高級別。

壽星道：「大聖放心，不須煩惱。那大仙雖稱上輩，卻也與我等有識。一則久別，不曾拜望；二來是大聖的人情：如今我三人同去望他一望，就與你道達此情，教那唐和尚莫念緊箍兒咒，休說三日五日，只等你求得方來，我們才別。」

行者道：「感激！感激！就請三位老弟行行，我去也。」大聖辭別三星不題。

卻說這三星駕起祥光，即往五莊觀而來。那觀中合眾人等，忽聽得長天鶴唳，原來是三老光臨。但見那：

盈空靄靄祥光簇，霄漢紛紛香馥郁。
彩霧千條護羽衣，輕雲一朵擎仙足。
青鸞飛，丹鳳翺◆，袖引香風滿地撲。
拄杖懸龍喜笑生，皓髯垂玉胸前拂。
童顏歡悅更無憂，壯體雄威多有福。

執星籌，添海屋，腰掛葫蘆並寶籙。
萬紀千旬福壽長，十洲三島隨緣宿。
常來世上送千祥，每向人間增百福。
概乾坤，榮福祿，福壽無疆今喜得。
三老乘祥謁大仙，福堂和氣皆無極。

那仙童看見，即忙報道：「師父，海上三星來了。」鎮元子正與唐僧師弟閒敘，聞報，即降階奉迎。那八戒見了壽星，近前扯住，笑道：「你這肉頭◆老兒，許久不見，還是這般脫灑，帽兒也不帶個來。」

遂把自家一個僧帽，撲地套在他頭上，撲著手呵呵大笑道：「好！好！好！真是『加冠進祿』也！」

那壽星將帽子摜◆了，罵道：「你這個夯貨，老大不知高低！」

◆翻──鳥振羽聲。翻音訴。肉頭──指肉多豐滿。摜──摔、扔。

八戒道：「我不是夯貨，你等真是奴才！」

福星道：「你倒是個夯貨，反敢罵人是奴才？」

八戒又笑道：「既不是人家奴才，好道叫做『添壽』、『添福』、『添祿』？」

那三藏喝退了八戒，急整衣拜了三星。

那三星以晚輩之禮見了大仙，方才敘坐。坐定，祿星道：「我們一向久闊尊顏，有失恭敬。今因孫大聖攪擾仙山，特來相見。」

大仙道：「孫行者到蓬萊去的？」

壽星道：「是，因為傷了大仙的丹樹，他來我處求方醫治。我輩無方，他又到別處求訪，但恐違了聖僧三日之限，要念緊箍兒咒。我輩一來奉拜，二來討個寬限。」

三藏聞言，連聲應道：「不敢念，不敢念。」

正說處，八戒又跑進來，扯住福星，要討果子吃。他去袖裡亂摸，腰裡亂挖，不住的揭他衣服搜檢。三藏笑道：「那八戒是甚麼規矩！」八戒道：「不是沒規矩，此叫做『番番是福◈』。」三藏又叱令出去。那呆子蹓◈出門，瞅著福星，眼不轉睛的發狠。福星道：「夯貨，我哪裡惱了你來，你這等恨我？」

八戒道：「不是恨你，這叫『回頭望福』。」那呆子出得門來，只見一個小童拿了四把茶匙，方去尋鍾取果看茶，被他一把奪過，跑上殿，拿著小磬兒，用手亂敲亂打，兩頭頑耍。

大仙道：「這個和尚越發不尊重了。」

八戒笑道：「不是不尊重，這叫做『四時吉慶』。」

且不說八戒打諢亂纏。卻表行者縱祥雲離了蓬萊，又早到方丈仙山，這

◈**番番是福**—所遇到的都是幸運、順利的事情。番是翻的諧音字。

蹓—慢步，挪蹭。形容被迫離開，腳步沉重的樣子。蹓音瓦ㄧ聲。

山真好去處。有詩為證。詩曰：

方丈巍峨別是天，太元宮府會神仙。
紫臺光照三清路，花木香浮五色煙。
金鳳自多槃蕊闕，玉膏◆誰逼灌芝田。
碧桃紫李新成熟，又換仙人信萬年。

那行者按落雲頭，無心玩景。正走處，只聞得香風馥馥，玄鶴聲鳴，那壁廂有個神仙。但見：

盈空萬道霞光現，彩霧飄飖光不斷。
丹鳳銜花也更鮮，青鸞飛舞聲嬌豔。
福如東海壽如山，貌似小童身體健。
壺隱洞天不老丹，腰懸與日長生篆。
人間數次降禎祥，世上幾番消厄願。
武帝曾宣加壽齡，瑤池每赴蟠桃宴。

教化眾僧脫俗緣，指開大道明如電。
也曾跨海祝千秋，常去靈山參佛面。
聖號東華大帝君，煙霞第一神仙眷。

孫行者靦◆面相迎，叫聲：「帝君，起手了。」那帝君慌忙回禮道：「大聖，失迎。請荒居◆奉茶。」遂與行者攙手而入。果然是貝闕仙宮，看不盡瑤池瓊閣。方坐待茶，只見翠屏後轉出一個童兒。他怎生打扮：

身穿道服飄霞爍，腰束絲絛光錯落。
頭戴綸巾布斗星，足登芒履遊仙岳。
煉元真，脫本殼，功行成時遂意樂。
識破原流精氣神，主人認得無虛錯。

◆玉膏—玉的脂膏，古代傳說中的仙藥。　荒居—謙稱自己的居處。　靦—厚臉皮之意。

逃名今喜壽無疆，甲子周天◆管不著。
轉回廊，登寶閣，天上蟠桃三度摸。
縹緲香雲出翠屏，小仙乃是東方朔。

行者見了，笑道：「這個小賊在這裡哩！帝君處沒有桃子你偷吃。」

東方朔朝上進禮，答道：「老賊，你來這裡怎的？我師父沒有仙丹你偷吃。」

帝君叫道：「曼倩休亂言，看茶來也。」

曼倩原是東方朔的道名，他急入裡取茶二杯。飲訖，行者道：「老孫此來，有一事奉干◆，未知允否？」

帝君道：「何事？自當領教。」

行者道：「近因保唐僧西行，路過萬壽山五莊觀，因他那小童無狀◆，是我一時發怒，把他人參果樹推倒，一時阻滯，唐僧不得脫身，特來尊處求賜一方醫治，萬望慨然。」

帝君道：「你這猴子，不管一二，到處裡闖禍。那五莊觀鎮元子，聖號與世同君，乃地仙之祖，你怎麼就衝撞了他？他那人參果樹乃草還丹，你偷吃了，尚說有罪；卻又連樹推倒，他肯干休？」

行者道：「正是呢。我們走脫了，被他趕上，把我們就當汗巾兒一般，一袖子都籠去了，所以閣氣◆。沒奈何，許他求方醫治，故此拜求。」

帝君道：「我有一粒九轉太乙還丹，但能治世間生靈，卻不能醫樹。樹乃土木之靈，天滋地潤。若是凡間的果木，醫治還可；這萬壽山乃先天福地，五莊觀乃賀洲洞天，人參果又是天開地闢之靈根，如何可治，無方！無方！」

行者道：「既然無方，老孫告別。」

◆周天—曆法以三百六十度為周天，即繞天體一周。　奉干—向人請教的敬詞。
無狀—無禮。　閣氣—惹氣。

帝君仍欲留奉玉液一杯，行者道：「急救事緊，不敢久滯。」遂駕雲復至瀛洲海島，也好去處。有詩為證。詩曰：

珠樹玲瓏照紫煙，瀛洲宮闕接諸天。
青山綠水琪花豔，玉液錕鋘鐵石堅。
五色碧雞啼海日，千年丹鳳吸朱煙。
世人罔究壺中景，象外春光億萬年。

那大聖至瀛洲，只見那丹崖珠樹之下，有幾個皓髮皤髯之輩，童顏鶴鬢之仙，在那裡著棋飲酒，談笑謳歌。真個是：

祥雲光滿，瑞靄香浮。彩鸞鳴洞口，玄鶴舞山頭。
碧藕水桃為按酒，交梨火棗壽千秋。
一個個丹詔無聞，仙符有籍。逍遙隨浪蕩，散淡任清幽。
周天甲子難拘管，大地乾坤只自由。
獻果玄猿，對對參隨多美愛；銜花白鹿，雙雙拱伏甚綢繆。

那些老兒正然灑樂◆。這行者厲聲高叫道：「帶我耍耍兒便怎的？」眾仙見了，急忙趨步相迎。有詩為證。詩曰：

人參果樹靈根折，大聖訪仙求妙訣。
繚繞丹霞出寶林，瀛洲九老◆來相接。

行者認得是九老，笑道：「老兄弟們自在哩！」

九老道：「大聖當年若存正，不鬧天宮，比我們還自在哩。如今好了，聞你歸真向西拜佛，如何得暇至此？」行者將那醫樹求方之事，具陳了一遍。

◆**玉液**—方士所煉的丹藥，道家認為飲之可以長生。　**錕鋘**—同昆吾。古代名劍。
壺中景—道教正一天師張道陵，命弟子張申為雲臺道觀主持。張申有一把酒壺，只要念動咒語，壺中會展現日月星辰、藍天大地、亭臺樓閣等奇景，而且他晚上會鑽進壺中睡覺。
謳歌—唱歌。謳音歐。　**按酒**—下酒的菜餚。也做「案酒」。
交梨火棗—道教指神仙所吃的仙果。　**灑樂**—縱情歡樂。
瀛洲九老—有一說是石老、花老、蟲老、藥老、魚老、鳥老、葫蘆老、黑棋老、白棋老。

九老也大驚道：「你也忒惹禍！惹禍！我等實是無方。」

行者道：「既是無方，我且奉別。」

九老又留他飲瓊漿◆，食碧藕◆。行者定不肯坐，只立飲了一杯漿，吃了一塊藕，急急離了瀛洲，逕轉東洋大海。早望見落伽山不遠，遂落下雲頭，直到普陀巖上，見觀音菩薩在紫竹林中與諸天大神、木叉、龍女講經說法。有詩為證。詩曰：

海主城高瑞氣濃，更觀奇異事無窮。
須知隱約千般外，盡出希微一品中。
四聖◆授時成正果，六凡◆聽後脫樊籠。
少林別有真滋味，花果馨香滿樹紅。

那菩薩早已看見行者來到，即命守山大神去迎。那大神出林來，叫聲：「孫悟空，哪裡去？」

行者抬頭喝道：「你這個熊羆！悟空可是你叫的？當初不是老孫饒了

你，你已做了黑風山的屍鬼矣。今日跟了菩薩，受了善果，居此仙山，常聽法教，你叫不得我一聲『老爺』？」那黑熊真個得了正果，在菩薩處鎮守普陀，稱為大神，是也虧了行者。

他只得陪笑道：「大聖，古人云：『君子不念舊惡。』只管題他怎的！菩薩著我來迎你哩。」

這行者就端肅尊誠，與大神到了紫竹林裡，參拜菩薩。

菩薩道：「悟空，唐僧行到何處也？」

行者道：「行到西牛賀洲萬壽山了。」

菩薩道：「那萬壽山有座五莊觀，鎮元大仙你曾會他麼？」

行者頓首道：「因是在五莊觀，弟子不識鎮元大仙，毀傷了他的人參果

◈**瓊漿**—美酒。　**碧藕**—神話傳說中仙人所食的藕。

四聖六凡—四聖是指佛、菩薩、緣覺、聲聞四種聖者的果位，乃聖者之悟界；六凡則指天、人、阿修羅、畜生、餓鬼及地獄等六界。合稱十法界，每一法界有各自的特色與因緣果報。

樹，衝撞了他，他就困滯了我師父，不得前進。」

那菩薩情知，怪道：「你這潑猴，不知好歹！他那人參果樹，乃天開地闢的靈根。鎮元子乃地仙之祖，我也讓他三分，你怎麼就打傷他樹？」

行者再拜道：「弟子實是不知。那一日他不在家，只有兩個仙童候待我等。是豬悟能曉得他有果子，要一個嘗新，弟子委◆偷了他三個，兄弟們分吃了。那童子知覺，罵我等無已，是弟子發怒，遂將他樹推倒。他次日回來趕上，將我等一袖子籠去，繩綁鞭抽，拷打了一日。我等當夜走脫，又被他趕上，依然籠了。三番兩次，其實難逃。已允了與他醫樹，卻才自海上求方，遍遊三島，眾神仙都沒有本事。弟子因此志心朝禮，特拜告菩薩，伏望慈憫，俯賜一方，以救唐僧早早西去。」

菩薩道：「你怎麼不早來見我，卻往島上去尋找？」

行者聞得此言，心中暗喜道：「造化了！造化了！菩薩一定有方也！」他又上前懇求。

菩薩道：「我這淨瓶◆底的甘露水，善治得仙樹靈苗。」

行者道：「可曾經驗過麼？」菩薩道：「經驗過的。」

行者問：「有何經驗？」

菩薩道：「當年太上老君曾與我賭勝：他把我的楊柳枝拔了去，放在煉丹爐裡，炙得焦乾，送來還我。是我拿了插在瓶中，一晝夜，復得青枝綠葉，與舊相同。」

行者笑道：「真造化了！真造化了！烘焦了的尚能醫活，況此推倒的，有何難哉！」

菩薩吩咐大眾：「看守林中，我去去來。」遂手托淨瓶，白鸚哥前邊巧囀，孫大聖隨後相從。有詩為證。詩曰：

玉毫◆金象世難論，正是慈悲救苦尊。
過去劫逢無垢佛，至今成得有為身。

◆委──確實。　淨瓶──佛家洗手用的器具。　玉毫──指佛眉間白毫，佛教謂其有巨大神力。

幾生欲海澄清浪，一片心田絕點塵。
甘露久經真妙法，管教寶樹永長春。

卻說那觀裡大仙與三老正然清話，忽見孫大聖按落雲頭，叫道：「菩薩來了。快接！快接！」慌得那三星與鎮元子共三藏師徒，一齊迎出寶殿。菩薩才住了祥雲，先與鎮元子陪了話，後與三星作禮，禮畢上坐。那階前，行者引唐僧、八戒、沙僧都拜了。那觀中諸仙也來拜見。行者道：「大仙不必遲疑，趁早兒陳設香案，請菩薩替你治那甚麼果樹去。」

大仙躬身謝菩薩道：「小可的勾當，怎麼敢勞菩薩下降？」菩薩道：「唐僧乃我之弟子，孫悟空衝撞了先生，理當賠償寶樹。」三老道：「既如此，不須謙講了，請菩薩都到園中去看看。」

那大仙即命設具香案，打掃後園，請菩薩先行，三老隨後。三藏師徒與本觀眾仙都到園內觀看時，那棵樹倒在地下，土開根現，葉落枝枯。

菩薩叫：「悟空，伸手來。」那行者將左手伸開。

菩薩將楊柳枝蘸出瓶中甘露，把行者手心裡畫了一道起死回生的符字，教他放在樹根之下，但看水出為度。那行者捏著拳頭，往那樹根底下揣著，須臾，有清泉一汪。

菩薩道：「那個水不許犯五行之器，須用玉瓢舀出，扶起樹來，從頭澆下，自然根皮相合，葉長芽生，枝青果出。」

行者道：「小道士們，快取玉瓢來。」

鎮元子道：「貧道荒山沒有玉瓢，只有玉茶盞、玉酒杯，可用得麼？」

菩薩道：「但是◆玉器，可舀得水的便罷，取將來看。」

大仙即命小童子取出有二、三十個茶盞、四、五十個酒盞，卻將那根下清泉舀出。行者、八戒、沙僧扛起樹來，扶得周正，擁上土，將玉器內甘

◆清話——閒聊、閒談。　但是——只要是。

泉，一甌甌捧與菩薩。菩薩將楊柳枝細細灑上，口中又念著經咒。不多時，灑淨那舀出之水，見那樹果然依舊青綠葉陰森，上有二十三個人參果。

清風、明月二童子道：「前日不見了果子時，顛倒只數得二十二個；今日回生，怎麼又多了一個？」

行者道：「『日久見人心。』前日老孫只偷了三個，那一個落下地來，土地說這寶遇土而入，八戒只嚷我打了偏手，故走了風信，只纏到如今，才見明白。」

菩薩道：「我方才不用五行之器者，知道此物與五行相畏故耳。」

那大仙十分歡喜，急令取金擊子來，把果子敲下十個，請菩薩與三老復回寶殿，一則謝勞，二來做個人參果會。眾小仙遂調開桌椅，鋪設丹盤，請菩薩坐了上面正席，三老左席，唐僧右席，鎮元子前席相陪，各食了一個。有詩為證。詩曰：

萬壽山中古洞天，人參一熟九千年。

靈根現出芽枝損，甘露滋生果葉全。
三老喜逢皆舊契，四僧幸遇是前緣。
自今會服人參果，盡是長生不老仙。

此時菩薩與三老各吃了一個，唐僧始知是仙家寶貝，也吃了一個，悟空三人亦各吃一個，鎮元子陪了一個，本觀仙眾分吃了一個。行者才謝了菩薩回上普陀巖，送三星逕轉蓬萊島。鎮元子卻又安排蔬酒，與行者結為兄弟。這才是不打不成相識，兩家合了一家。師徒四眾，喜喜歡歡，天晚歇了。那長老才是：

有緣吃得草還丹，長壽苦捱妖怪難。

畢竟到明日如何作別，且聽下回分解。

◆打偏手——私下做手腳，從中謀利。

第二七回
屍魔三戲唐三藏　聖僧恨逐美猴王

卻說三藏師徒次日天明收拾前進，那鎮元子與行者結為兄弟，兩人情投意合，決不肯放，又安排管待，一連住了五六日。

那長老自服了草還丹，真似脫胎換骨，神爽體健。他取經心重，哪裡肯淹留，無已，遂行。

師徒別了上路，早見一座高山。三藏道：「徒弟，前面有山險峻，恐馬不能前，大家須仔細仔細。」

行者道：「師父放心，我等自然理會。」好猴王，他在馬前橫擔著棒，剖開山路，上了高崖，看不盡：

峰巖重疊，澗壑灣環。虎狼成陣走，麂鹿作群行。
無數獐犯鑽簇簇，滿山狐兔聚叢叢。
千尺大蟒，萬丈長蛇。大蟒噴愁霧，長蛇吐怪風。
道旁荊棘牽漫，嶺上松柟秀麗。薜蘿滿目，芳草連天。
影落滄溟北，雲開斗柄南。萬古常含元氣老，千峰巍列日光寒。

那長老馬上心驚。孫大聖布施手段，舞著鐵棒，哮吼一聲，諕得那狼蟲顛竄，虎豹奔逃。師徒們入此山，正行到嵯峨◆之處，三藏道：「悟空，我這一日，肚中飢了，你去哪裡化些齋吃。」行者陪笑道：「師父好不聰明。這等半山之中，前不巴村，後不著店，有錢也沒買處，教往哪裡尋齋？」三藏心中不快，口裡罵道：「你這猴子！想你在兩界山，被如來壓在石

◆**無已**——不得已。　**嵯峨**——山勢高峻的樣子。

匣之內，口能言，足不能行，也虧我救你性命，摩頂受戒，做了我的徒弟。怎麼不肯努力，常懷懶惰之心？」

行者道：「弟子亦頗殷勤，何嘗懶惰？」

三藏道：「你既殷勤，何不化齋我吃？我肚飢怎行？況此地山嵐瘴氣，怎麼得上雷音？」

行者道：「師父休怪，少要言語。我知你尊性高傲，十分違慢了你，便要念那話兒咒。你下馬穩坐，等我尋哪裡有人家處化齋去。」

行者將身一縱，跳上雲端裡，手搭涼篷，睜眼觀看。可憐西方路甚是寂寞，更無莊堡人家，正是多逢樹木，少見人煙去處。看多時，只見正南上有一座高山，那山向陽處，有一片鮮紅的點子。

行者按下雲頭道：「師父，有吃的了。」那長老問甚東西。

行者道：「這裡沒人家化飯，那南山有一片紅的，想必是熟透了的山桃，我去摘幾個來你充飢。」

三藏喜道：「出家人若有桃子吃，就為上分◈了。」行者取了缽盂，縱起祥光，你看他觔斗晃晃，冷氣颼颼，須臾間，奔南山摘桃不題。

卻說常言有云：「山高必有怪，嶺峻卻生精。」果然這山上有一個妖精，孫大聖去時，驚動那怪。他在雲端裡踏著陰風，看見長老坐在地下，就不勝歡喜道：「造化！造化！幾年家人都講東土的唐和尚取大乘，他本是金蟬子化身，十世修行的原體，有人吃他一塊肉，長壽長生。真個今日到了。」那妖精上前就要拿他，只見長老左右手下有兩員大將護持，不敢攏身◈。他說兩員大將是誰？說是八戒、沙僧。八戒、沙僧雖沒甚麼大本事，然八戒是天蓬元帥，沙僧是捲簾大將，他的威氣尚不曾泄，故不敢攏身。妖精說：「等我且戲他戲，看怎麼說。」

◈上分——上等的福分。　**攏身**——接近。

好妖精，停下陰風，在那山凹裡搖身一變，變做個月貌花容的女兒，說不盡那眉清目秀，齒白唇紅。左手提著一個青砂罐兒，右手提著一個綠磁瓶兒，從西向東，逕奔唐僧：

聖僧歇馬在山巖，忽見裙釵女近前。
翠袖輕搖籠玉筍，湘裙斜拽顯金蓮。
汗流粉面花含露，塵拂蛾眉柳帶煙。
仔細定睛觀看處，看看行至到身邊。

三藏見了，叫：「八戒、沙僧，悟空才說這裡曠野無人，你看那裡不走出一個人來了？」

八戒道：「師父，你與沙僧坐著，等老豬去看看來。」

那呆子放下釘鈀，整整直裰，擺擺搖搖，充作個斯文氣象，一直的覿面相迎。真個是遠看未實，近看分明，那女子生得：

冰肌藏玉骨，衫領露酥胸。柳眉積翠黛，杏眼閃銀星。

月樣容儀俏，天然性格清。體似燕藏柳，聲如鶯囀林。
半放海棠籠曉日，才開芍藥弄春晴。

那八戒見他生得俊俏，呆子就動了凡心，忍不住胡言亂語，叫道：「女菩薩，往哪裡去？手裡提著是甚麼東西？」分明是個妖怪，他卻不能認得。那女子連聲答應道：「長老，我這青罐裡是香米飯，綠瓶裡是炒麵筋。特來此處無他故，因還誓願要齋僧。」

八戒聞言，滿心歡喜，急抽身，就跑了個豬顛風，報與三藏道：「師父，『吉人自有天報』，師父餓了，教師兄去化齋，那猴子不知哪裡摘桃兒耍子去了。桃子吃多了，也有些嘈人，又有些下墜。你看那不是個齋僧的來了？」

唐僧不信道：「你這個夯貨胡纏！我們走了這向，好人也不曾遇著一個，

◆靦面─厚著臉皮。嘈─腸胃不適應，口冒酸水。下墜─腹部沉重，似要大便的感覺。

齋僧的從何而來！」

八戒道：「師父，這不到了？」

三藏一見，連忙跳起身來，合掌當胸道：「女菩薩，妳府上在何處住？是甚人家？有甚願心，來此齋僧？」分明是個妖精，那長老也不認得。

那妖精見唐僧問他來歷，他立地就起個虛情◈，花言巧語，來賺哄道：「師父，此山叫做蛇回獸怕的白虎嶺，正西下面是我家。我父母在堂，看經好善，廣齋方上遠近僧人。只因無子，求神作福，生了奴奴◈。欲扳門第，配嫁他人，又恐老來無倚，只得將奴招了一個女婿，養老送終。」

三藏聞言道：「女菩薩，妳語言差了。聖經云：『父母在，不遠遊，遊必有方。』妳既有父母在堂，又與妳招了女婿，有願心，教妳男子還，便也罷，怎麼自家在山行走？又沒個侍兒隨從。這個是不遵婦道了。」

那女子笑吟吟，忙陪俏語◈道：「師父，我丈夫在山北凹裡，帶幾個客子◈鋤田。這是奴奴煮的午飯，送與那些人吃的。只為五黃六月◈，無人使喚，父母又年老，所以親身來送。忽遇三位遠來，卻思父母好善，故將此飯齋僧，如不棄嫌，願表芹獻◆。」

三藏道：「善哉！善哉！我有徒弟摘果子去了，就來。我不敢吃，假如我和尚吃了妳飯，妳丈夫曉得，罵妳，卻不罪坐貧僧也？」

那女子見唐僧不肯吃，卻又滿面春生道：「師父啊，我父母齋僧，還是小可；我丈夫更是個善人，一生好的是修橋補路，愛老憐貧。但聽見說這飯送與師父吃了，他與我夫妻情上，比尋常更是不同。」三藏也只是不吃。

旁邊卻惱壞了八戒，那呆子努著嘴◆，口裡埋怨道：「天下和尚也無數，不曾像我這個老和尚罷軟◆。現成的飯，三分兒倒不吃，只等那猴子來，做四分才吃。」他不容分說，一嘴把個罐子拱倒，就要動口。

◆**虛情**—謊言、騙局。　**奴奴**—古代女子自謙之詞。　**俏語**—俏皮動聽的話語。　**客子**—傭工。
五黃六月—農曆五、六月間天氣炎熱的時候。　**芹獻**—表示自謙禮物菲薄之辭。
努嘴—翹起嘴唇。　**罷軟**—即軟弱之意。罷通「疲」。

只見那行者自南山頂上摘了幾個桃子，托著鉢盂，一觔斗，點將回來，睜火眼金睛觀看，認得那女子是個妖精，放下鉢盂，掣鐵棒，當頭就打。諕得個長老用手扯住道：「悟空，你走將來打誰？」

行者道：「師父，你面前這個女子，莫當做個好人，她是個妖精，要來騙你哩。」

三藏道：「你這個猴頭，當時倒也有些眼力，今日如何亂道？這女菩薩有此善心，將這飯要齋我等，你怎麼說她是個妖精？」

行者笑道：「師父，你哪裡認得。老孫在水簾洞裡做妖魔時，若想人肉吃，便是這等：或變金銀，或變莊臺，或變醉人，或變女色。有那等痴心的愛上我，我就迷他到洞裡，盡意隨心，或蒸或煮受用；吃不了，還要曬乾了防天陰哩。師父，我若來遲，你定入她套子，遭她毒手。」

那唐僧哪裡肯信，只說是個好人。行者道：「師父，我知道你了，你見她那等容貌，必然動了凡心。若果有此意，叫八戒伐幾棵樹來，沙僧尋些草來，我做木匠，就在這裡搭個窩鋪，你與她圓房成事，我們大家散了，卻不是件事業？何必又跋涉，取甚經去！」那長老原是個軟善的人，哪裡吃得他這句言語，羞得光頭徹耳通紅。

三藏正在此羞慚，行者又發起性來，掣鐵棒，望妖精劈臉一下。那怪物有些手段，使個「解屍法」，見行者棍子來時，他卻抖擻精神，預先走了，把一個假屍首打死在地下。諕得個長老戰戰兢兢，口中作念道：「這猴著然無禮，屢勸不從，無故傷人性命。」

行者道：「師父莫怪，你且來看看這罐子裡是甚東西？」沙僧攙著長老，近前看時，哪裡是甚香米飯，卻是一罐子拖尾巴的長蛆；也不是麵筋，卻是幾個青蛙、癩蝦蟆，滿地亂跳。長老才有三分兒信了。

怎禁豬八戒氣不忿，在旁漏八分兒唆嘴◆道：「師父，說起這個女子，她是此間農婦，因為送飯下田，路遇我等，卻怎麼栽她是個妖怪？哥哥的棍

◆漏八分兒唆嘴——說幾句壞話。

重，走將來試手打她一下，不期就打殺了。怕你念甚麼緊箍兒咒，故意的使個障眼法兒，變做這等樣東西，演晃你眼，使不念咒哩。」

三藏自此一言，就是晦氣到了。果然信那呆子攛唆◆，手中捻訣，口裡念咒。行者就叫：「頭疼！頭疼！莫念！莫念！有話便說。」

唐僧道：「有甚話說？出家人時時常要方便，念念不離善心，掃地恐傷螻蟻命，愛惜飛蛾紗罩燈。你怎麼步步行凶，打死這個無故平人，取將經來何用？你回去罷！」

行者道：「師父，你教我回哪裡去？」唐僧道：「我不要你做徒弟。」

行者道：「你不要我做徒弟，只怕你西天路去不成。」

唐僧道：「我命在天，該那個妖精蒸了吃，就是煮了，也算不過。終不然，你救得我的大限？你快回去。」

行者道：「師父，我回去便也罷了，只是不曾報得你的恩哩。」

唐僧道：「我與你有甚恩？」

那大聖聞言，連忙跪下叩頭道：「老孫因大鬧天宮，致下了傷身之難，被我佛壓在兩界山。幸觀音菩薩與我受了戒行，幸師父救脫吾身。若不與你同上西天，顯得我知恩不報非君子，萬古千秋作罵名。」

原來這唐僧是個慈憫的聖僧，他見行者哀告，卻也回心轉意道：「既如此說，且饒你這一次，再休無禮。如若仍前作惡，這咒語顛倒就念二十遍。」

行者道：「三十遍也由你，只是我不打人了。」卻才服侍唐僧上馬，又將摘來桃子奉上。唐僧在馬上也吃了幾個，權且充飢。

卻說那妖精脫命升空，原來行者那一棒不曾打殺妖精，妖精出神◆去了。他在那雲端裡咬牙切齒，暗恨行者道：「幾年只聞得講他手段，今日果然話不虛傳。那唐僧已是不認得我，將要吃飯。若低頭聞一聞兒，我就一把撈住，卻不是我的人了？不期被他走來，弄破我這勾當，又幾乎被他打

◆攛唆—慫恿、唆使。　出神—神魂飛出軀體之外。

了一棒。若饒了這個和尚，誠然是勞而無功也，我還下去戲他一戲。」

好妖精，按落陰雲，在那前山坡下搖身一變，變做個老婦人，年滿八旬，手拄著一根彎頭竹杖，一步一聲的哭著走來。

八戒見了，大驚道：「師父，不好了，那媽媽兒來尋人了。」

唐僧道：「尋甚人？」

八戒道：「師兄打殺的定是她女兒，這個定是她娘尋將來了。」

行者道：「兄弟莫要胡說，那女子十八歲，這老婦有八十歲，怎麼六十多歲還生產？斷乎是個假的，等老孫去看來。」

好行者，拽開步，走近前觀看，那怪物：

假變一婆婆，兩鬢如冰雪。走路慢騰騰，行步虛怯怯。
弱體瘦伶仃，臉如枯菜葉。顴骨望上翹，嘴唇往下別。
老年不比少年時，滿臉都是荷葉摺。

行者認得她是妖精，更不理論，舉棒照頭便打。那怪見棍子起時，依然抖擻，又出化了元神，脫真兒去了，把個假屍首又打死在山路旁之下。唐僧一見，驚下馬來，睡在路旁，更無二話，只是把緊箍兒咒顛倒足足念了二十遍。可憐把個行者頭勒得似個亞腰兒葫蘆◆，十分疼痛難忍，滾將來哀告道：「師父莫念了！有甚話說了罷！」

唐僧道：「有甚話說？出家人耳聽善言，不墮地獄。我這般勸化你，你怎麼只是行凶？把平人◆打死一個，又打死一個，此是何說？」

行者道：「她是妖精。」

唐僧道：「這個猴子胡說，就有這許多妖怪？你是個無心向善之輩，有意作惡之人，你去罷！」

行者道：「師父又教我去？回去便也回去了，只是一件不相應。」

唐僧道：「你有甚麼不相應處？」

◆亞腰兒葫蘆——形容中間細兩頭粗的樣子。　平人——無罪的人。

八戒道：「師父，他要和你分行李哩。跟著你做了這幾年和尚，不成空著手回去？你把那包袱內的甚麼舊褊衫，破帽子、分兩件與他罷。」

行者聞言，氣得暴跳道：「我把你這個尖嘴的夯貨！老孫一向秉教沙門，更無一毫嫉妒之意，貪戀之心，怎麼要分甚麼行李？」

唐僧道：「你既不嫉妒貪戀，如何不去？」

行者道：「實不瞞師父說，老孫五百年前，居花果山水簾洞大展英雄之際，收降七十二洞邪魔，手下有四萬七千小怪，頭戴的是紫金冠，身穿的是赭黃袍，腰繫的是藍田帶，足踏的是步雲履，手執的是如意金箍棒，著實也曾為人。

「自從涅槃罪度，削髮秉正沙門，跟你做了徒弟，把這個金箍兒勒在我頭上，若回去，卻也難見故鄉人。師父果若不要我，把那個鬆箍兒咒念一念，退下這個箍子，交付與你，套在別人頭上，我就快活相應了，也是跟你一場。莫不成這些人意兒也沒有了？」

唐僧大驚道：「悟空，我當時只是菩薩暗授一卷《緊箍兒咒》，卻沒有甚麼《鬆箍兒咒》。」

行者道：「若無鬆箍兒咒，你還帶我去走走罷。」

長老又沒奈何道：「你且起來，我再饒你這一次，卻不可再行凶了。」

行者道：「再不敢了。再不敢了。」又服侍師父上馬，剖路◆前進。

卻說那妖精，原來行者第二棍也不曾打殺他。那怪物在半空中誇獎不盡道：「好個猴王，著然有眼！我那般變了去，他也還認得我。這些和尚他去得快，若過此山，西下四十里，就不伏我所管了。若是被別處妖魔撈了去，好道就笑破他人口，使碎自家心。我還下去戲他一戲。」好妖精，按聳陰風，在山坡下搖身一變，變做一個老公公，真個是：

◆剖路——辨明路途。

白髮如彭祖，蒼髯賽壽星。耳中鳴玉磬，眼裡晃金星。
手拄龍頭拐，身穿鶴氅輕。數珠掐在手，口誦南無經。

唐僧在馬上見了，心中大喜道：「阿彌陀佛！西方真是福地，那公公路也走不上來，逼法◆的還念經哩。」

八戒道：「師父，你且莫要誇奬，那個是禍的根哩。」

唐僧道：「怎麼是禍根？」

八戒道：「師兄打殺他的女兒，又打殺他的婆子，這個正是他的老兒尋將來了。我們若撞在他的懷裡呵，師父，你便償命，該個死罪；把老豬為從，問個充軍◆；沙僧喝令，問個擺站◆。那師兄使個遁法走了，卻不苦了我們三個頂缸◆？」

行者聽見道：「這個呆根◆，這等胡說，可不諕了師父？等老孫再去看看。」

他把棍藏在身邊，走上前，迎著怪物，叫聲：「老官兒◆，往哪裡去？怎麼又走路，又念經？」

那妖精錯認了定盤星◆，把孫大聖也當作個等閒的，遂答道：「長老啊，我老漢祖居此地，一生好善齋僧，看經念佛。命裡無兒，只生得一個小女，招了個女婿。今早送飯下田，想是遭逢虎口。老妻先來找尋，也不見回去。全然不知下落，老漢特來尋看。果然是傷殘她命，也沒奈何，將她骸骨收拾回去，安葬塋◆中。」

行者笑道：「我是個做𪘿虎的祖宗，你怎麼袖子裡籠了個鬼兒來哄我？你瞞了諸人，瞞不過我，我認得你是個妖精。」那妖精諕得頓口無言。

◆**逼法**—象聲詞。　**呆根**—笨蛋、傻瓜。
充軍—古時遣發罪犯到遠地服刑。
擺站—在驛站中充當驛卒或苦差。是古代處置徒刑犯人的一種刑罰。　**頂缸**—代人受過。
老官兒—對老者的稱呼。　**塋**—墳地、墓地。塋音營。
定盤星—星名。戥子或秤上的第一星，其位置為戥鎚與戥盤成平衡時戥鎚的懸點。因以比喻事物的準繩。

行者掣出棒來，自忖道：「若要不打他，顯得他倒弄個風兒；若要打他，又怕師父念那話兒咒語。」

又思量道：「不打殺他，他一時間抄空兒把師父撈了去，卻不又費心勞力去救他？……還打的是。就一棍子打殺，師父念起那咒，常言道：『虎毒不吃兒。』憑著我巧言花語，嘴伶舌便，哄他一哄，好道也罷了。」

好大聖，念動咒語，叫當坊土地、本處山神道：「這妖精三番來戲弄我師父，這一番卻要打殺他。你與我在半空中作證，不許走了。」

眾神聽令，誰敢不從，都在雲端裡照應。那大聖棍起處，打倒妖魔，才斷絕了靈光。

那唐僧在馬上又諕得戰戰兢兢，口不能言。八戒在旁邊又笑道：「好行者，風發◆了！只行了半日路，倒打死三個人！」

唐僧正要念咒，行者急到馬前叫道：「師父，莫念！莫念！你且來看看他的模樣。」卻是一堆粉骷髏在那裡。

唐僧大驚道：「悟空，這個人才死了，怎麼就化作一堆骷髏？」

行者道：「他是個潛靈◆作怪的殭屍，在此迷人敗本◆，被我打殺，他就現了本相。他那脊梁上有一行字，叫做『白骨夫人』。」

唐僧聞說，倒也信了。怎禁那八戒旁邊唆嘴道：「師父，他的手重棍凶，把人打死，只怕你念那話兒，故意變化這個模樣，掩你的眼目哩！」

唐僧果然耳軟，又信了他，隨復念起。行者禁不得疼痛，跪於路旁，只叫：「莫念！莫念！有話快說了罷。」

唐僧道：「猴頭，還有甚說話？出家人行善，如春園之草，不見其長，日有所增；行惡之人，如磨刀之石，不見其損，日有所虧。你在這荒郊野外，一連打死三人，還是無人檢舉，沒有對頭；倘到城市之中，人煙輳集之所，你拿了那哭喪棒，一時不知好歹，亂打起人來，撞出大禍，教我怎的脫身？你回去罷！」

◆風發─比喻快速而勢盛。 潛靈─幽魂。 迷人敗本─迷惑人性，敗壞道德。

行者道：「師父錯怪了我也。這廝分明是個妖魔，他實有心害你。我倒打死他，替你除了害，你卻不認得，反信了那呆子讒言冷語，屢次逐我。常言道：『事不過三。』我若不去，真是個下流無恥之徒。我去！我去！去便去了，只是你手下無人。」

唐僧發怒道：「這潑猴越發無禮！看起來，只你是人，那悟能、悟淨就不是人？」

那大聖一聞得說他兩個是人，只不住傷情悽慘，對唐僧道聲：「苦啊！你那時節出了長安，有劉伯欽送你上路。到兩界山，救我出來，投拜你為師。我曾穿古洞，入深林，擒魔捉怪，收八戒，得沙僧，吃盡千辛萬苦。今日昧著惺惺使糊塗，只教我回去。這才是『鳥盡弓藏，兔死狗烹』！罷！罷！罷！但只是多了那《緊箍兒咒》。」

唐僧道：「我再不念了。」

行者道：「這個難說。若到那毒魔苦難處不得脫身，八戒、沙僧救不得你，那時節想起我來，忍不住又念誦起來，就是十萬里路，我的頭也是疼的；假如再來見你，不如不作此意。」

唐僧見他言言語語，越添惱怒，滾鞍下馬來，叫沙僧包袱內取出紙筆，即於澗下取水，石上磨墨，寫了一紙貶書，遞於行者道：「猴頭，執此為照，再不要你做徒弟了；如再與你相見，我就墮了阿鼻地獄。」

行者連忙接了貶書道：「師父，不消發誓，老孫去罷。」他將書摺了，留在袖內，卻又軟款唐僧道：「師父，我也是跟你一場，又蒙菩薩指教，今日半途而廢，不曾成得功果，你請坐，受我一拜，我也去得放心。」

唐僧轉回身不睬，口裡唧唧噥噥的道：「我是個好和尚，不受你歹人的

◆**言言語語**—絮絮叨叨，說個不停。**貶書**—記載降謫損抑的文字憑據。**軟款**—婉轉、溫柔。**阿鼻地獄**—佛教宇宙觀中地獄中最苦的一種。為胡語音義合譯，意為無間，即墮落到此的眾生受苦無間斷。為八大地獄中的第八獄。

禮。」大聖見他不睬，又使個身外法，把腦後毫毛拔了三根，吹口仙氣，叫：「變！」即變了三個行者，連本身四個，四面圍住師父下拜。那長老左右躲不脫，好道也受了一拜。

大聖跳起來，把身一抖，收上毫毛，卻又吩咐沙僧道：「賢弟，你是個好人，卻只要留心防著八戒詀言詀語◆，途中更要仔細。倘一時有妖精拿住師父，你就說老孫是他大徒弟，西方毛怪聞我的手段，不敢傷我師父。」唐僧道：「我是個好和尚，不題你這歹人的名字，你回去罷。」那大聖見長老三番兩復，不肯轉意回心，沒奈何才去。你看他：

噙淚叩頭辭長老，含悲留意囑沙僧。
一頭拭迸坡前草，兩腳蹬翻地上藤。
上天下地如輪轉，跨海飛山第一能。
頃刻之間不見影，霎時疾返舊途程。

你看他忍氣別了師父，縱觔斗雲，逕回花果山水簾洞去了。獨自個悽悽慘慘，忽聞得水聲聒耳。大聖在那半空裡看時，原來是東洋大海潮發的聲響。一見了，又想起唐僧，止不住腮邊淚墜，停雲住步，良久方去。

畢竟不知此去反覆何如，且聽下回分解。

◆詀言詀語——花言巧語，胡說八道。詀音詹。

第二八回

花果山群妖聚義
黑松林三藏逢魔

卻說那大聖雖被唐僧逐趕，然猶思念感嘆不已，早望見東洋大海，道：「我不走此路者，已五百年矣！」只見那海水：

煙波蕩蕩，巨浪悠悠。
煙波蕩蕩接天河，巨浪悠悠通地脈。
潮來洶湧，水浸灣環。
潮來洶湧，猶如霹靂吼三春；
水浸灣環，卻似狂風吹九夏。
乘龍福老，往來必定皺眉行；
跨鶴仙童，反覆果然憂慮過。
近岸無村社，傍水少漁舟。
浪捲千年雪，風生六月秋。
野禽憑出沒，沙鳥任沉浮。

眼前無釣客，耳畔只聞鷗。
海底游魚樂，天邊過雁愁。

那行者將身一縱，跳過了東洋大海，早至花果山。按落雲頭，睜睛觀看，那山上花草俱無，煙霞盡絕；峰巖倒塌，林樹焦枯。你道怎麼這等？只因他鬧了天宮，拿上界去，此山被顯聖二郎神率領那梅山七弟兄，放火燒壞了。這大聖倍加悽慘。有一篇敗山頹景的古風為證。古風云：

回顧仙山兩淚垂，對山悽慘更傷悲。
當時只道山無損，今日方知地有虧。
可恨二郎將我滅，堪嗔小聖把人欺。
行凶掘你先靈墓，無干破爾祖墳基。
滿天霞霧皆消蕩，遍地風雲盡散稀。

◆九夏——指夏季九十日。

東嶺不聞斑虎嘯，西山哪見白猿啼。
北谿狐兔無蹤跡，南谷獐犯沒影遺。
青石燒成千塊土，碧砂化作一堆泥。
洞外喬松皆倚倒，崖前翠柏盡稀少。
椿杉槐檜栗檀焦，桃杏李梅梨棗了。
柘絕桑無怎養蠶？柳稀竹少難棲鳥。
峰頭巧石化為塵，澗底泉乾都是草。
崖前土黑沒芝蘭，路畔泥紅藤薜攀。
往日飛禽飛哪處？當時走獸走何山？
豹嫌蟒惡傾頹所，鶴避蛇回敗壞間。
想是日前行惡念，致令目下受艱難。

那大聖正當悲切，只聽得那芳草坡前，蔓荊凹內，響一聲，跳出七八個小猴，一擁上前，圍住叩頭。高叫道：「大聖爺爺，今日來家了？」

美猴王道：「你們因何不耍不頑，一個個都潛蹤隱跡？我來多時了，不見你們形影，何也？」

群猴聽說，一個個垂淚告道：「自大聖擒拿上界，我們被獵人之苦，著實難捱。怎禁他硬弩強弓，黃鷹劣犬，網扣槍鉤，故此各惜性命，不敢出頭頑耍，只是深潛洞府，遠避窩巢。飢去坡前偷草食，渴來澗下吸清泉。卻才聽得大聖爺爺聲音，特來接見，伏望扶持。」

那大聖聞得此言，愈加悽慘。便問：「你們還有多少在此山上？」

群猴道：「老者小者，只有千把。」

大聖道：「我當時共有四萬七千群妖，如今都往哪裡去了？」

群猴道：「自從爺爺去後，這山被二郎菩薩點上火，燒殺了大半。我們蹲在井裡，鑽在澗內，藏於鐵板橋下，得了性命。及至火滅煙消出來時，又沒花果養贍，難以存活，別處又去了一半。我們這一半，捱苦的住在山中。這兩年，又被些打獵的搶了一半去也。」

行者道：「他搶你去何幹？」

群猴道：「說起這獵戶，可恨！他把我們中箭著槍的，中毒打死的，拿了去剝皮剔骨，醬煮醋蒸，油煎鹽炒，當作下飯食用。或有那遭網的，遇扣的，夾活兒拿去了，教他跳圈做戲，翻觔斗，豎蜻蜓，當街上篩鑼擂鼓，無所不為的頑耍。」

大聖聞此言，更十分惱怒道：「洞中有甚麼人執事？」群妖道：「還有馬、流二元帥，崩、芭二將軍管著哩。」大聖道：「你們去報他知道，說我來了。」那些小妖，撞入門內報道：「大聖爺爺來家了。」那馬、流、崩、芭聞報，忙出門叩頭，迎接進洞。大聖坐在中間，群怪羅拜於前，啟道：「大聖爺爺，近聞得你得了性命，保唐僧往西天取經，如何不走西方，卻回本山？」大聖道：「小的們，你不知道，那唐三藏不識賢愚！我為他一路上捉怪擒魔，使盡了平生的手段，幾番家打殺妖精；他說我行凶作惡，不要我做徒弟，把我逐趕回來，寫立貶書為照，永不聽用了。」

眾猴鼓掌大笑道：「造化！造化！做甚麼和尚，且家來，帶攜我們耍子幾年罷！」叫：「快安排椰子酒來，與爺爺接風。」

大聖道：「且莫飲酒。我問你那打獵的人，幾時來我山上一度？」

馬、流道：「大聖，不論甚麼時度，他逐日家在這裡纏擾。」

大聖道：「他怎麼今日不來？」馬、流道：「看待來耶。」

大聖吩咐：「小的們，都出去把那山上燒酥了的碎石頭與我搬將起來堆著。或二、三十個一堆，或五、六十個一堆堆著，我有用處。」

那些小猴都是一窩蜂，一個個亂搬了許多堆集。大聖看了，教：「小的們，都往洞內藏躲，讓老孫作法。」

那大聖上了山巔看處，只見那南半邊鼕鼕鼓響，噹噹鑼鳴，閃出有千餘人馬，都架著鷹犬，持著刀槍。猴王仔細看那些人來得凶險。好男子，真

◆聽用──聽從採用。

個驍勇！但見：

狐皮苫肩頂，錦綺裹腰胸。袋插狼牙箭，胯掛寶雕弓。
人似搜山虎，馬如跳澗龍。成群引著犬，滿膀架其鷹。
荊筐抬火炮，帶定海東青◆。粘竿百十擔，兔叉有千根。
牛頭攔路網，閻王扣子繩。一齊亂吆喝，散撒滿天星。

大聖見那些人布上他的山來，心中大怒，手裡捻訣，口內念念有詞，往那巽地上吸了一口氣，呼的吹將去，便是一陣狂風。好風！但見：

揚塵播土，倒樹摧林。海浪如山聳，渾波萬疊侵。
乾坤昏蕩蕩，日月暗沉沉。一陣搖松如虎嘯，忽然入竹似龍吟。
萬竅怒號天噫氣，飛砂走石亂傷人。

大聖作起這大風，將那碎石，乘風亂飛亂舞。可憐把那些千餘人馬，一個個：

石打烏頭粉碎，沙飛海馬俱傷。人參官桂嶺前忙，血染朱砂地上。附子難歸故里，檳榔怎得還鄉。屍骸輕粉臥山場，紅娘子家中盼望◆。

詩曰：

人亡馬死怎歸家，野鬼孤魂亂似麻。
可憐抖擻英雄將，不辨賢愚血染沙。

大聖按落雲頭，鼓掌大笑道：「造化！造化！自從歸順唐僧，做了和尚，他每每勸我話道：『千日行善，善猶不足；一日行惡，惡自有餘。』真有此話。我跟著他，打殺幾個妖精，他就怪我行凶；今日來家，卻結果了這許多獵戶。」叫：「小的們，出來！」那群猴狂風過去，聽得大聖呼喚，一個

◆海東青──一種產自遼東的青鵰。
紅娘子家中盼望──這是集合各種藥名寫的詞。烏頭、海馬、人參、官桂、朱砂、附子、檳榔、輕粉、紅娘子等，都是藥名。

個跳將出來。

大聖道：「你們去南山下，把那打死的獵戶衣服剝得來家，洗淨血跡，穿了遮寒；把死人的屍首，都推在那萬丈深潭內；把死倒的馬拖將來，剝了皮，做靴穿，將肉醃著，慢慢的食用；把那些弓箭槍刀，與你們操演武藝；將那雜色旗號，收來我用。」群猴一個個領諾。

那大聖把旗拆洗，總鬥做一面雜彩花旗，上寫著「重修花果山，復整水簾洞，齊天大聖」十四字。豎起杆子，將旗掛於洞外。逐日招魔聚獸，積草屯糧，不題「和尚」二字。他的人情又大，手段又高，便去四海龍王借些甘霖仙水，把山洗青了。前栽榆柳，後種松楠，桃李棗梅，無所不備，逍遙自在，樂業安居不題。

卻說唐僧聽信狡性，縱放心猿，攀鞍上馬。八戒前邊開路，沙僧挑著行李西行。過了白虎嶺，忽見一帶林丘，真個是藤攀葛繞，柏翠松青。

三藏叫道：「徒弟呀，山路崎嶇，甚是難走，卻又松林叢簇，樹木森羅，切須仔細，恐有妖邪妖獸。」你看那呆子抖擻精神，叫沙僧帶著馬，他使釘鈀開路，領唐僧逕入松林之內。正行處，那長老兜住馬道：「八戒，我這一日其實飢了，哪裡尋些齋飯我吃？」

八戒道：「師父請下馬，在此等老豬去尋。」長老下了馬，沙僧歇了擔，取出缽盂，遞與八戒。八戒道：「我去也。」長老問：「哪裡去？」八戒道：「莫管，我這一去，鑽冰取火尋齋至，壓雪求油化飯來。」

你看他出了松林，往西行經十餘里，更不曾撞著一個人家，真是有狼虎無人煙的去處。那呆子走得辛苦，心內沉吟道：「當年行者在日，老和尚要的就有；今日輪到我的身上，誠所謂『當家才知柴米價，養子方曉父娘恩。』公道沒去化處。」

卻又走得瞌睡上來，思道：「我若就回去，對老和尚說沒處化齋，他也不信我走了這許多路。須是再多晃個時辰，才好去回話。也罷，也罷，且往這草科裡睡睡。」呆子就把頭拱在草裡睡下。當時也只說朦朧朦朧就起來，豈知走路辛苦的人，丟倒頭，只管齁齁睡起。

且不言八戒在此睡覺。卻說長老在那林間耳熱眼跳，身心不安。急回叫沙僧道：「悟能去化齋，怎麼這早晚還不回？」

沙僧道：「師父，你還不曉得哩。他見這西方上人家齋僧的多，他肚子又大，他管你？直等他吃飽了才來哩。」

三藏道：「正是呀，倘或他在那裡貪著吃齋，我們哪裡會他？天色晚了，此間不是個住處，須要尋個下處◆方好哩。」

沙僧道：「不打緊，師父，你且坐在這裡，等我去尋他來。」

三藏道：「正是，正是。有齋沒齋罷了，只是尋下處要緊。」沙僧綽了寶杖，逕出松林來找八戒。

長老獨坐林中，十分悶倦，只得強打精神，跳將起來，把行李攢在一處，將馬拴在樹上。取下戴的斗笠，插定了錫杖，整一整緇衣，徐步幽林，權為散悶。那長老看遍了野草山花，聽不得歸巢鳥噪。原來那林子內都是些草深路小的去處，只因他情思紊亂，卻走錯了。

他一來也是要散散悶，二來也是要尋八戒、沙僧。不期他兩個走的是直西路，長老轉了一會，卻走向南邊去了。出得松林，忽抬頭，見那壁廂金光閃爍，彩氣騰騰。仔細看處，原來是一座寶塔，金頂放光。這是那西落的日色，映著那金頂放亮。

他道：「我弟子卻沒緣法哩！自離東土，發願逢廟燒香，見佛拜佛，遇塔掃塔。那放光的不是一座黃金寶塔？怎麼就不曾走那條路？塔下必有寺院，院內必有僧家，且等我走走。這行李、白馬，料此處無人行走，卻也無事。那裡若有方便處，待徒弟們來，一同借歇。」

噫！長老一時晦氣到了。你看他拽開步，逕至塔邊。但見那：

◆下處—旅客寄宿的地方。

石崖高萬丈，山大接青霄。根連地厚，峰插天高。
兩邊雜樹數千棵，前後藤纏百餘里。
花映草梢風有影，水流雲竇月無根。
倒木橫擔深澗，枯藤結掛光峰。
石橋下，流滾滾清泉；臺座上，長明明白粉。
遠觀一似三島天堂，近看有如蓬萊勝境。
香松紫竹繞山溪，鴉鵲猿猴穿峻嶺。
洞門外，有一來一往的走獸成行；樹林裡，有或出或入的飛禽作隊。
青青香草秀，豔豔野花開。
這所在分明是惡境，那長老晦氣撞將來。

那長老舉步進前，才來到塔門之下，只見一個斑竹簾兒掛在裡面。他破步入門，揭起來，往裡就進，猛抬頭，見那石床上，側睡著一個妖魔。你道他怎生模樣：

青靛臉，白獠牙，一張大口呀呀。
兩邊亂蓬蓬的鬢毛，卻都是些胭脂染色；
三四紫巍巍的髭鬚，恍疑是那荔枝排芽。
鸚嘴般的鼻兒拱拱，曙星樣的眼兒巴巴。
兩個拳頭，和尚缽盂模樣；
一雙藍腳，懸崖榾柮◆枒槎。
斜披著淡黃袍帳，賽過那織錦袈裟。
拿的一口刀，精光耀映；眠的一塊石，細潤無瑕。
他也曾小妖排蟻陣，他也曾老怪坐蜂衙◆。
你看他威風凜凜，大家吆喝，叫一聲爺。
他也曾月作三人壺酌酒◆，他也曾風生兩腋盞傾茶◆。
你看他神通浩浩，霎著下眼，遊遍天涯。

◆榾柮—木頭，可當炭用。榾柮音股惰。 蜂衙—蜂早晚定時聚會，如下屬參謁長官於衙中。

荒林喧鳥雀，深莽宿龍蛇。
仙子種田生白玉，道人伏火養丹砂。
小小洞門，雖到不得那阿鼻地獄；楞楞妖怪，卻就是一個牛頭夜叉。

那長老看見他這般模樣，諕得打了一個倒退，遍體酥麻，兩腿酸軟，即忙的抽身便走。剛剛轉了一個身，那妖魔他的靈性著實是強，大撐開著一雙金睛鬼眼，叫聲：「小的們，你看門外是甚麼人？」一個小妖就伸頭望門外一看，看見是個光頭的長老，連忙跑將進去報道：「大王，外面是個和尚哩。團頭大面，兩耳垂肩；嫩刮刮的一身肉，細嬌嬌的一張皮，且是好個和尚！」那妖聞言，呵聲笑道：「這叫做個『蛇頭上蒼蠅，自來的衣食。』你眾小的們，疾忙趕上也，與我拿將來，我這裡重重有賞。」

那些小妖就是一窩蜂，齊齊擁上。三藏見了，雖則是一心忙似箭，兩腳走如飛，終是心驚膽戰，腿軟腳麻；況且是山路崎嶇，林深日暮，步兒哪裡移得動？被那些小妖平抬將去。正是：

龍游淺水遭蝦戲，虎落平原被犬欺。
縱然好事多磨障，誰像唐僧西向時？

你看那眾小妖抬得長老，放在那竹簾兒外，歡歡喜喜報聲道：「大王，拿得和尚進來了。」那老妖他也偷眼瞧一瞧，只見三藏頭直上，貌堂堂◆，果然好一個和尚。他便心中想道：「這等好和尚，必是上方人物，不當小可的。若不做個威風，他怎肯服降哩？」陡然間，就狐假虎威，紅鬚倒豎，血髮朝天，眼睛迸裂，大喝一聲道：「帶那和尚進來！」眾妖們大家響響的答應了一聲：「是！」就把三藏望裡面只是一推。這是

◆月作三人壺酌酒——這裡是用唐李白「舉杯邀明月，對影成三人」的詩意。
風生兩腋盞傾茶——這裡是用唐盧仝「惟覺兩腋習習清風生」的詩意。
頭直上，貌堂堂——形容儀表壯偉。

「既在矮簷下，怎敢不低頭」。三藏只得雙手合著，與他見個禮。

那妖道：「你是哪裡和尚？從哪裡來？到哪裡去？快快說明！」

三藏道：「我本是唐朝僧人，奉大唐皇帝敕命，前往西方訪求經偈，經過貴山，特來塔下謁聖，不期驚動威嚴，望乞恕罪。待往西方取得經回東土，永注高名也。」

那妖聞言，呵呵大笑道：「我說是上邦◆人物，果然是你。正要吃你哩！卻來的甚好！甚好！不然，卻不錯放過了？你該是我口裡的食，自然要撞將來，就放也放不去，就走也走不脫！」叫小妖：「把那和尚拿去綁了。」果然那些小妖一擁上前，把個長老繩纏索綁，縛在那定魂樁上。

老妖持刀又問道：「和尚，你一行有幾人？終不然一人敢上西天？」

三藏見他持刀，又老實說道：「大王，我有兩個徒弟，叫做豬八戒、沙和尚，都出松林化齋去了。還有一擔行李，一匹白馬，都在松林裡放著哩。」

老妖道：「又造化了。兩個徒弟，連你三個，連馬四個，夠吃一頓了。」

小妖道：「我們去捉他來。」老妖道：「不要出去，把前門關了。他兩個化齋來，一定尋師父吃；尋不著，一定尋著我門上。常言道：『上門的買賣好做。』且等慢慢的捉他。」眾小妖把前門閉了。

且不言三藏逢災。卻說那沙僧出林找八戒，直有十餘里遠近，不曾見個莊村。他卻站在高埠上正然觀看，只聽得草中有人言語，急使杖撥開深草看時，原來是呆子在裡面說夢話哩。被沙僧揪著耳朵，方叫醒了。道：「好呆子啊！師父教你化齋，許你在此睡覺的？」

那呆子冒冒失失的醒來道：「兄弟，有甚時候了？」

沙僧道：「快起來，師父說有齋沒齋也罷，教你我哪裡尋下住處哩。」

呆子懵懵懂懂的托著鉢盂，拑著釘鈀，與沙僧徑直回來。到林中看時，

◆上邦—近王都之國。

不見了師父。沙僧埋怨道：「都是你這呆子化齋不來，必有妖精拿師父也。」八戒笑道：「兄弟，莫要胡說。那林子裡是個清雅的去處，決然沒有妖精。想是老和尚坐不住，往那裡觀風◆去了。我們尋他去來。」二人只得牽馬挑擔，收拾了斗篷、錫杖，出松林尋找師父。

這一回，也是唐僧不該死。他兩個尋一會不見，忽見那正南下有金光閃灼，八戒道：「兄弟啊，有福的只是有福，你看師父往他家去了。那放光的是座寶塔，誰敢怠慢？一定要安排齋飯，留他在那裡受用。我們還不走動些，也趕上去吃些齋兒。」沙僧道：「哥啊，定不得吉凶哩，我們且去看來。」

二人雄糾糾的到了門前：「呀！閉著門哩。」只見那門上橫安了一塊白玉石板，上鐫著六個大字：「碗子山波月洞」。沙僧道：「哥啊，這不是甚麼寺院，是一座妖精洞府也。我師父在這裡，也見不得哩。」

八戒道：「兄弟莫怕。你且拴下馬匹，守著行李，待我問他的信看。」那呆子舉著鈀，上前高叫：「開門！開門！」那洞內有把門的小妖開了門，忽見他兩個的模樣，急抽身，跑入裡面報道：「大王！買賣來了！」老妖道：「哪裡買賣？」小妖道：「洞門外有一個長嘴大耳的和尚，與一個晦氣色的和尚，來叫門了！」

老妖大喜道：「是豬八戒與沙僧尋將來也！噫，他也會尋哩！怎麼就尋到我這門上？既然嘴臉兇頑，卻莫要怠慢了他。」叫：「取披掛來！」小妖抬來，就結束了，綽刀在手，逕出門來。

卻說那八戒、沙僧在門前正等，只見妖魔來得兇險。你道他怎生打扮：

青臉紅鬚赤髮飄，黃金鎧甲亮光饒。

裹肚襯腰磲石帶◆，攀胸勒甲步雲絛。

◆觀風—欣賞、參觀。　磲石帶—用文蛤的殼做帶上的裝飾。磲音骨。

閒立山前風吼吼，悶遊海外浪滔滔。
一雙藍靛焦筋手，執定追魂取命刀。
要知此物名和姓，聲揚二字喚黃袍。

那黃袍老怪出得門來，便問：「你是哪方和尚，在我門首吆喝？」八戒道：「我兒子，你不認得？我是你老爺。我是大唐差往西天去的。我師父是那御弟三藏。若在你家裡，趁早送出來，省了我釘鈀築進去。」那怪笑道：「是，是，是有一個唐僧在我家，我也不曾怠慢他，安排些人肉包兒與他吃哩。你們也進去吃一個兒，何如？」

這呆子認真就要進去。沙僧一把扯住道：「哥啊，他哄你哩，你幾時又吃人肉哩？」呆子卻才省悟，掣釘鈀，望妖怪劈臉就築；那怪物側身躲過，使鋼刀急架相迎。兩個都顯神通，縱雲頭，跳在空中廝殺。沙僧撇了行李、白馬，舉寶杖，急急幫攻。

此時兩個狠和尚，一個潑妖魔，在雲端裡，這一場好殺。正是那：

杖起刀迎，鈀來刀架。一員魔將施威，兩個神僧顯化。
九齒鈀真個英雄，降妖杖誠然凶咤。
沒前後左右齊來，那黃袍公然不怕。
你看他蘸鋼刀晃亮如銀，其實的那神通也為廣大。
只殺得滿空中霧繞雲迷，半山裡崖崩嶺咋。
一個為聲名，怎肯干休？一個為師父，斷然不怕。

他三個在半空中往往來來，戰經數十回合，不分勝負。各因性命要緊，其實難解難分。

畢竟不知怎救出唐僧，且聽下回分解。

第二九回

脫難江流來國土
承恩八戒轉山林

詩曰：

妄想不復強滅，真如何必希求？
本原自性佛前修，迷悟豈居前後？
悟即剎那成正，迷而萬劫沉流。
若能一念合真修，滅盡恆沙罪垢。

卻說那八戒、沙僧與怪鬥經個三十回合，不分勝負。你道怎麼不分勝負？若論賭手段，莫說兩個和尚，就是二十個也敵不過那妖精。只為唐僧命不該死，暗中有那護法神祇保著他；空中又有那六丁六甲、五方揭諦、四值功曹、一十八位護教伽藍助著八戒、沙僧。

且不言他三人戰鬥。卻說那長老在洞裡悲啼，思量他那徒弟，眼中流淚道：「悟能啊，不知你在哪個村中逢了善友，貪著齋供？悟淨啊，你又不知在哪裡尋他，可能得會？豈知我遇妖魔，在此受難？幾時得會你們，脫了大難，早赴靈山？」

正當悲啼煩惱，忽見那洞裡走出一個婦人來，扶著定魂樁，叫道：「那長老，你從何來？為何被他縛在此處？」長老聞言，淚眼偷看，那婦人約有三十年紀。遂道：「女菩薩，不消問了。我已是該死的，走進妳家門來也，要吃就吃了罷，又問怎的？」

那婦人道：「我不是吃人的。我家離此西下有三百餘里，那裡有座城，叫做寶象國。我是那國王的第三個公主，乳名叫做百花羞。只因十三年前八月十五日夜，玩月◈中間，被這妖魔一陣狂風攝將來，與他做了十三年夫妻，在此生兒育女，杳無音信回朝。思量我那父母，不能相見。你從何

◈玩月──賞月。

來，被他拿住？」

唐僧道：「貧僧乃是差往西天取經者，不期閒步，誤撞在此。如今要拿住我兩個徒弟，一齊蒸吃哩。」

那公主陪笑道：「長老寬心，你既是取經的，我救得你。那寶象國是你西方去的大路，你與我捎一封書兒去，拜上我那父母，我就教他饒了你罷。」

三藏點頭道：「女菩薩，若還救得貧僧命，願做捎書寄信人。」

那公主急轉後面，即修了一紙家書，封固停當。到樁前解放了唐僧，將書付與。唐僧得解脫，捧書在手道：「女菩薩，多謝妳活命之恩。貧僧這一去，過貴處，定送國王處。只恐日久年深，妳父母不肯相認，奈何？切莫怪我貧僧打了誑語。」

公主道：「不妨，我父王無子，只生我三個姐妹，若見此書，必有相看之意。」三藏緊緊袖了家書，謝了公主，就往外走。

被公主扯住道：「前門裡你出不去，那些大小妖精都在門外搖旗吶喊，擂鼓篩鑼，助著大王，與你徒弟廝殺哩。你往後門裡去罷。若是大王拿住，還審問審問；只恐小妖兒捉了，不分好歹，挾生兒傷了你的性命。等我去他面前說個方便。若是大王放了你啊，待你徒弟討個示下，尋著你一同好走。」

三藏聞言，磕了頭，謹依吩咐，辭別公主，躲離後門之外，不敢自行，將身藏在荊棘叢中。

卻說公主娘娘心生巧計，急往前來，出門外，分開了大小群妖。只聽得叮叮噹噹，兵刃亂響。原來是八戒、沙僧與那怪在半空裡廝殺哩。這公主厲聲高叫道：「黃袍郎！」

那妖王聽得公主叫喚，即丟了八戒、沙僧，按落雲頭，揪了鋼刀，攙著公主道：「渾家，有甚話說？」

公主道：「郎君啊，我才時睡在羅幃之內，夢魂中，忽見個金甲神人。」

妖魔道：「哪個金甲神？上我門怎的？」

公主道：「是我幼時在宮裡，對人暗許下一樁心願：若得招個賢郎駙馬，上名山，拜仙府，齋僧布施。自從配了你，夫妻們歡會，到今不曾題起。那金甲神人來討誓願，喝我醒來，卻是南柯一夢。因此，急整容來郎君處訴知，不期那樁上綁著一個僧人。萬望郎君慈憫，看我薄意，饒了那個和尚罷，只當與我齋僧還願。不知郎君肯否？」

那怪道：「渾家，妳卻多心吶，甚麼打緊之事。我要吃人，哪裡不撈幾個吃吃，這個把和尚到得哪裡？放他去罷。」

公主道：「郎君，放他從後門裡去罷。」

妖魔道：「奈煩哩，放他去便罷，又管他甚麼後門前門哩。」

他遂綽了鋼刀，高叫道：「那豬八戒，你過來。我不是怕你，不與你戰；看著我渾家的分上，饒了你師父也。趁早去後門首尋著他，往西方去罷。若再來犯我境界，斷乎不饒！」

那八戒與沙僧聞得此言，就如鬼門關上放回來的一般，即忙牽馬挑擔，鼠竄而行。轉過那波月洞後門之外，叫聲：「師父。」那長老認得聲音，就在那荊棘中答應。沙僧就剖開草徑，攙著師父，慌忙的上馬。這裡：

狠毒險遭青面鬼，殷勤幸有百花羞。
鰲魚脫卻金鈎釣，擺尾搖頭逐浪游。

八戒當頭領路，沙僧後隨，出了那松林，上了大路。你看他兩個嘈嘈嘈嘈◆，埋埋怨怨，三藏只是解和。遇晚先投宿，雞鳴早看天。一程一程，長亭短亭，不覺的就走了二百九十九里。猛抬頭，只見一座好城，就是寶象國。真好個處所也：

雲渺渺，路迢迢。地雖千里外，景物一般饒。
瑞靄祥煙籠罩，清風明月招搖。
嵂嵂崒崒◆的遠山，大開圖畫；潺潺湲湲的流水，碎濺瓊瑤。

◆甚麼打緊—有甚麼關係、沒什麼要緊。　奈煩—麻煩、討厭。
嘈嘈嘈嘈—形容聲音嘈雜。嘈音計。　嵂嵂崒崒—形容山的高峻。

可耕的連阡帶陌，足食的密蕙新苗。
漁釣的幾家三澗曲，樵採的一擔兩峰椒。
廓的廓，城的城，金湯鞏固；家的家，戶的戶，只鬥逍遙。
九重的高閣如殿宇，萬丈的層臺似錦標。
也有那太極殿、華蓋殿、燒香殿、觀文殿、宣政殿、延英殿，
一殿殿的玉陛金階，擺列著文冠武弁；
也有那大明宮、昭陽宮、長樂宮、華清宮、建章宮、未央宮，
一宮宮的鐘鼓管籥，撒抹了閨怨春愁。
也有禁苑的露花勻嫩臉，也有御溝的風柳舞纖腰。
通衢上，也有個頂冠束帶的，盛儀容，乘五馬；
幽僻中，也有個持弓挾矢的，撥雲霧，貫雙鵰。
花柳的巷，管弦的樓，春風不讓洛陽橋。
取經的長老，回首大唐肝膽裂；
伴師的徒弟，息肩小驛夢魂消。

看不盡寶象國的景致。師徒三眾收拾行李、馬匹，安歇館驛中。

唐僧步行至朝門外，對閣門大使道：「有唐朝僧人，特來面駕◆，倒換文牒，乞為轉奏轉奏。」

那黃門奏事官連忙走至白玉階前奏道：「萬歲，唐朝有個高僧，欲求見駕，倒換文牒。」

那國王聞知是唐朝大國，且又說是個方上聖僧，心中甚喜，即時准奏。叫：「宣他進來。」把三藏宣至金階，舞蹈山呼禮畢。兩邊文武多官無不嘆道：「上邦人物，禮樂雍容如此！」

那國王道：「長老，你到我國中何事？」

三藏道：「小僧是唐朝釋子◆，承我天子敕旨，前往西方取經。原領有文牒，到陛下上國，理合倒換◆。故此不識進退，驚動龍顏◆。」

◆**面駕**—當面謁見君主。　**釋子**—佛教的出家人。　**倒換**—替換。
龍顏—眉骨突起似龍。比喻帝王的容貌。

國王道：「既有唐天子文牒，取上來看。」三藏雙手捧上去，展開放在御案上。牒云：

南贍部洲大唐國奉天承運唐天子牒行：

切惟朕以涼德，嗣續丕基，事神治民，臨深履薄，朝夕是惴。前者失救涇河老龍，獲譴於我皇皇后帝，三魂七魄，倏忽陰司，已作無常之客。因有陽壽未絕，感冥君放送回生，廣陳善會，修建度亡道場。感蒙救苦觀世音菩薩金身出現，指示西方有佛有經，可度幽亡，超脫孤魂。特著法師玄奘，遠歷千山，詢求經偈。倘到西邦諸國，不滅善緣，照牒放行。須至牒者。

大唐貞觀一十三年秋吉日，御前文牒。（上有寶印九顆）

國王見了，取本國玉寶，用了花押，遞與三藏。三藏謝了恩，收了文牒，又奏道：「貧僧一來倒換文牒，二來與陛下寄有家書。」

國王大喜道：「有甚書？」

三藏道：「陛下第三位公主娘娘，被碗子山波月洞黃袍妖攝將去，貧僧偶爾相遇，故寄書來也。」

國王聞言，滿眼垂淚道：「自十三年前不見了公主，兩班文武官也不知貶退了多少，宮內宮外大小婢子、太監也不知打死了多少；只說是走出皇宮，迷失路徑，無處找尋。滿城中百姓人家，也盤詰了無數，更無下落。怎知道是妖怪攝了去！今日乍聽得這句話，故此傷情流淚。」

三藏袖中取出書來獻上。國王接了，見有「平安」二字，一發手軟，拆不開書。傳旨宣翰林院大學士上殿讀書。學士隨即上殿。殿前有文武多官，殿後有后妃宮女，俱側耳聽書。

學士拆開朗誦。上寫著：

◈花押——在文書、契約上所簽的名字或記號。

不孝女百花羞頓首百拜大德父王萬歲龍鳳殿前，暨三宮母后昭陽宮下，及舉朝文武賢卿臺次：拙女幸托坤宮，感激劬勞萬種。不能竭力怡顏，盡心奉孝。

乃於十三年前八月十五日良夜佳辰，蒙父王恩旨，著各宮排宴，賞玩月華，共樂清霄盛會。

正歡娛之間，不覺一陣香風，閃出個金睛藍面青髮魔王，將女擒住，駕祥光，直帶至半野山中無人處，難分難辨，被妖倚強，霸占為妻。是以無奈捱了一十三年，產下兩個妖兒，盡是妖魔之種。

論此真是敗壞人倫，有傷風化，不當傳書玷辱。但恐女死之後，不顯分明。正含怨思憶父母，不期唐朝聖僧亦被魔王擒住。是女滴淚修書，大膽放脫，特托寄此片楮，以表寸心。伏望父王垂憫，遣上將早至碗子山波月洞捉獲黃袍怪，救女回朝，深為恩念。草草欠恭，面聽不一。

逆女百花羞再頓首頓首。

那學士讀罷家書，國王大哭，三宮滴淚，文武傷情，前前後後，無不哀念。

國王哭之許久，便問兩班文武：「哪個敢興兵領將，與寡人捉獲妖魔，救我百花公主？」一連問數聲，更無一人敢答。真是木雕成的武將，泥塑就的文官。那國王心生煩惱，淚若湧泉。

只見那多官齊俯伏奏道：「陛下且休煩惱。公主已失，至今一十三載無音，偶遇唐朝聖僧，寄書來此，未知的否。況臣等俱是凡人凡馬，習學兵書武略，只可布陣安營，保國家無侵陵◆之患。那妖精乃雲來霧去之輩，不得與他覿面相見，何以征救？想東土取經者，乃上邦聖僧。這和尚道高龍虎伏，德重鬼神欽，必有降妖之術。

「自古道：『來說是非者，就是是非人。』可就請這長老降妖邪，救公主，庶為萬全之策。」

◆**楮**—落葉喬木，樹皮是製造桑皮紙和宣紙的原料。片楮，片紙。楮音處。　**侵陵**—侵犯欺陵。

那國王聞言，急回頭，便請三藏道：「長老若有手段，放法力，捉了妖魔，救我孩兒回朝，也不須上西方拜佛，長髮留頭，朕與你結為兄弟，同坐龍床，共享富貴如何？」

三藏慌忙啟上道：「貧僧粗知念佛，其實不會降妖。」

國王道：「你既不會降妖，怎麼敢上西天拜佛？」

那長老瞞不過，說出兩個徒弟來了。奏道：「陛下，貧僧一人，實難到此。貧僧有兩個徒弟，善能逢山開路，遇水疊橋，保貧僧到此。」

國王怪道：「你這和尚大沒理，既有徒弟，怎麼不與他一同進來見朕？若到朝中，雖無中意賞賜，必有隨分齋供。」

三藏道：「貧僧那徒弟醜陋，不敢擅自入朝，但恐驚傷了陛下的龍體。」

國王笑道：「你看你這和尚說話，終不然朕當怕他？」

三藏道：「不敢說。我那大徒弟姓豬，名悟能八戒，他生得長嘴獠牙，剛鬃扇耳，身粗肚大，行路生風。第二個徒弟姓沙，法名悟淨和尚，他生得身長丈二，臂闊三停，臉如藍靛，口似血盆，眼光閃灼，牙齒排釘。他都是這等個模樣，所以不敢擅領入朝。」

國王道：「你既這等樣說了一遍，寡人怕他怎的？宣進來。」隨即著金牌至館驛相請。

那呆子聽見來請，對沙僧道：「兄弟，你還不教下書哩，這才見了下書的好處。想是師父下了書，國王道：捎書人不可怠慢，一定整治筵宴待他；他的食腸不濟，有你我之心，舉出名來，故此著金牌來請。大家吃一頓，明日好行。」

沙僧道：「哥啊，知道是甚緣故，我們且去來。」遂將行李、馬匹俱交付驛丞◆，各帶隨身兵器，隨金牌入朝。早行到白玉階前，左右立下，朝上唱個喏，再也不動。那文武多官，無人不怕。

都說道：「這兩個和尚貌醜也罷，只是粗俗太甚，怎麼見我王更不下拜，

◆驛丞──職官名，負責管理驛站迎送之事。

喏畢平身，挺然而立！可怪！可怪！」

八戒聽見道：「列位，莫要議論，我們是這般。乍看果有些醜，只是看下些時來，卻也耐看。」

那國王見他醜陋，已是心驚。及聽得那呆子說出話來，越發膽戰，就坐不穩，跌下龍床。幸有近侍官員扶起。

慌得個唐僧跪在殿前，不住的叩頭道：「陛下，貧僧該萬死！萬死！我說徒弟醜陋，不敢朝見，恐傷龍體，果然驚了駕也。」

那國王戰兢兢走近前，攙起道：「長老，還虧你先說過了；若未說，猛然見他，寡人一定諕殺了也。」

國王定性多時，便問：「豬長老、沙長老，是哪一位善於降妖？」

那呆子不知好歹，答道：「老豬會降。」國王道：「怎麼家降？」

八戒道：「我乃是天蓬元帥，只因罪犯天條，墮落下世，幸今皈正為僧。自從東土來此，第一會降妖的是我。」

國王道：「既是天將臨凡，必然善能變化。」

八戒道：「不敢，不敢，也將就曉得幾個變化兒。」

國王道：「你試變一個我看看。」

八戒道：「請出題目，照依樣子好變。」國王道：「變一個大的罷。」

那八戒他也有三十六般變化，就在階前賣弄手段，卻便捻訣念咒，喝一聲叫：「長！」把腰一躬，就長有八九丈長，卻似個開路神一般。嚇得那兩班文武戰戰兢兢，一國君臣呆呆掙掙。時有鎮殿將軍問道：「長老，似這等變得身高，必定長到甚麼去處，才有止極？」

那呆子又說出呆話來道：「看風。東風猶可，西風也將就；若是南風起，把青天也拱個大窟窿！」

那國王大驚道：「收了神通罷，曉得是這般變化了。」

八戒把身一矬，依然現了本相，侍立階前。國王又問道：「長老此去，有何兵器與他交戰？」

八戒腰裡掣出鈀來道：「老豬使的是釘鈀。」

國王笑道：「可敗壞門面。我這裡有的是鞭、簡、瓜、鎚，刀、槍、鉞、斧，劍、戟、矛、鐮，隨你選稱手的拿一件去。那鈀算做甚麼兵器？」

八戒道：「陛下不知。我這鈀雖然粗夯，實是自幼隨身之器。曾在天河水府為帥，轄押八萬水兵，全仗此鈀之力。今臨凡世，保護吾師，逢山築破虎狼窩，遇水掀翻龍蜃穴，皆是此鈀。」

國王聞得此言，十分歡喜心信。即命九嬪妃子：「將朕親用的御酒整瓶取來，權與長老送行。」

遂滿斟一爵，奉與八戒道：「長老，這杯酒，聊引奉勞之意。待捉得妖魔，救回小女，自有大宴相酬，千金重謝。」

那呆子接杯在手，人物雖是粗魯，行事倒有斯文，對三藏唱個大喏道：「師父，這酒本該從你飲起；但君王賜我，不敢違背，讓老豬先吃了，助助興頭，好捉妖怪。」那呆子一飲而乾，才斟一爵，遞與師父。

三藏道：「我不飲酒，你兄弟們吃罷。」沙僧近前接了。八戒就足下生雲，直上空裡。國王見了道：「豬長老又會騰雲？」

呆子去了，沙僧將酒亦一飲而乾，道：「師父，那黃袍怪拿住你時，我兩個與他交戰，只戰個手平。今二哥獨去，恐戰不過他。」

三藏道：「正是，徒弟啊，你可去與他幫幫功。」

沙僧聞言，也縱雲跳將起去。那國王慌了，扯住唐僧道：「長老，你且陪寡人坐坐，也莫騰雲去了。」

唐僧道：「可憐！可憐！我半步兒也去不得！」此時二人在殿上敘話不題。

卻說那沙僧趕上八戒道：「哥哥，我來了。」

八戒道：「兄弟，你來怎的？」沙僧道：「師父叫我來幫幫功的。」

八戒大喜道：「說得是，來得好。我兩個努力齊心，去捉那怪物，雖不怎的，也在此國揚揚姓名。」你看他：

靉靆◆祥光辭國界，氤氳瑞氣出京城。
領王旨意來山洞，努力齊心捉怪靈。

他兩個不多時到了洞口，按落雲頭。八戒掣鈀，往那波月洞的門上盡力氣一築，把他那石門築了斗來大小的個窟窿。嚇得那把門的小妖開門，看見是他兩個，急跑進去報道：「大王，不好了，那長嘴大耳的和尚，與那晦氣臉的和尚，又來把門都打破了！」

那怪驚道：「這個還是豬八戒、沙和尚二人。我饒了他師父，怎麼又敢復來打我的門？」

小妖道：「想是忘了甚麼物件，來取的。」

老怪咄的一聲道：「胡纏◆！忘了物件，就敢打上門來？必有緣故！」急整束了披掛，綽了鋼刀，走出來問道：「那和尚，我既饒了你師父，你怎麼又敢來打上我門？」

八戒道：「你這潑怪幹得好事兒！」老魔道：「甚麼事？」

八戒道：「你把寶象國三公主騙來洞內，倚強霸占為妻，住了一十三載，也該還他了。我奉國王旨意，特來擒你。你快快進去，自家把繩子綁縛出來，還免得老豬動手！」

那老怪聞言，十分發怒。你看他屹迸迸，咬響鋼牙；滴溜溜，睜圓環眼；雄糾糾，舉起刀來；赤淋淋，攔頭便砍。八戒側身躲過，使釘鈀劈面迎來；隨後又有沙僧舉寶杖趕上前齊打。這一場在山頭上賭鬥，比前不同。真個是：

言差語錯招人惱，意毒情傷怒氣生。

這魔王大鋼刀，著頭便砍；那八戒九齒鈀，對面來迎。

沙悟淨丟開寶杖，那魔王抵架神兵。

◈靉靆——雲多而昏暗的樣子。靉靆音愛帶。　胡纏——無理的糾纏。

一猛怪，二神僧，來來往往甚消停。

這個說：「你騙國理該死罪！」

那個說：「你羅閒事報不平！」

這個說：「你強婚公主傷國體！」

那個說：「不干你事莫閒爭！」算來只為捎書故，致使僧魔兩不寧。

他們在那山坡前戰經八九個回合，八戒漸漸不濟將來，釘鈀難舉，氣力不加。你道如何這等戰他不過？當時初相戰鬥，有那護法諸神，為唐僧在洞，暗助八戒、沙僧，故僅得個手平；此時諸神都在寶象國護定唐僧，所以二人難敵。

那呆子道：「沙僧，你且上前來與他鬥著，讓老豬出恭來。」他就顧不得沙僧，一溜往那蒿草薜蘿荊棘葛藤裡，不分好歹，一頓鑽進。哪管刮破頭皮，搠傷嘴臉，一轂轆睡倒，再也不敢出來。但留半邊耳朵，聽著梆聲。那怪見八戒走了，就奔沙僧。沙僧措手不及，被怪一把抓住，捉進洞去。小妖將沙僧四馬攢蹄捆住。

畢竟不知端的性命如何，且聽下回分解。

第三〇回

邪魔侵正法　意馬憶心猿

卻說那怪把沙僧捆住，也不來殺他，也不曾打他，罵也不曾罵他一句。

綽起鋼刀，心中暗想道：「唐僧乃上邦人物，必知禮義，終不然我饒了他性命，又著他徒弟拿我不成？噫！這多是我渾家有甚麼書信到他那國裡，走了風汛。等我去問她一問。」

那怪陡起凶性，要殺公主。

卻說那公主不知，梳妝方畢，移步前來。只見那怪怒目攢眉，咬牙切齒。

那公主還陪笑臉迎道：「郎君有何事這等煩惱？」

那怪咄的一聲罵道：「妳這狗心賤

婦，全沒人倫！我當初帶妳到此，更無半點兒說話。妳穿的錦，戴的金，缺少東西我去尋。四時受用，每日情深。妳怎麼只想妳父母，更無一半點夫婦心？」

那公主聞說，嚇得跪倒在地道：「郎君啊，你怎麼今日說起這分離的話？」那怪道：「不知是我分離，是妳分離哩！我把那唐僧拿來，算計要他受用，妳怎麼不先告過我，就放了他？原來是妳暗地裡修了書信，教他替妳傳寄；不然，怎麼這兩個和尚又來打上我門，教還妳回去？這不是妳幹的事？」

公主道：「郎君，妳差怪我了，我何嘗有甚書去？」

老怪道：「妳還強嘴◆哩！現拿住一個對頭在此，卻不是證見？」

公主道：「是誰？」老妖道：「是唐僧第二個徒弟沙和尚。」

原來人到了死處，誰肯認死，只得與他放賴◆。

◆風汛──祕密。　**強嘴**──強辯、嘴硬。強音降。　**放賴**──耍無賴。

公主道：「郎君且息怒，我和你去問他一聲。果然有書，就打死了，我也甘心；假若無書，卻不枉殺了奴奴也？」

那怪聞言，不容分說，掄開一隻簸箕大小的藍靛手，抓住那金枝玉葉的髮萬根，把公主揪上前，捽在地下。執著鋼刀，卻來審沙僧，咄的一聲道：「沙和尚，你兩個輒敢擅打上我門來，可是這女子有書到他那國，國王教你們來的？」

沙僧已捆在那裡，見妖精凶惡之甚，把公主摜倒在地，持刀要殺，他心中暗想道：「分明是她有書去，救了我師父，此是莫大之恩。我若一口說出，他就把公主殺了，此卻不是恩將仇報？罷！罷！罷！想老沙跟我師父一場，也沒寸功報效，今日已此被縛，就將此性命與師父報了恩罷。」

遂喝道：「那妖怪不要無禮！她有甚麼書來，你這等枉她，要害她性命？我們來此問你要公主，有個緣故。只因你把我師父捉在洞中，我師父曾看見公主的模樣動靜。及至寶象國，倒換關文，那皇帝將公主畫影圖形，前後訪問，因將公主的形影，問我師父沿途可曾看見，我師父遂將公主說起。他故知是他兒女，賜了我等御酒，教我們來拿你，要他公主還宮。此情是實，何嘗有甚書信？你要殺就殺了我老沙，不可枉害平人，大虧天理！」

那妖見沙僧說得雄壯，遂丟了刀，雙手抱起公主道：「是我一時粗鹵，多有衝撞，莫怪，莫怪。」遂與她挽了青絲，扶上寶髻，軟款溫柔，怡顏悅色，撮哄著她進去了，又請上坐陪禮。

那公主是婦人家水性，見他錯敬，遂回心轉意道：「郎君啊，你若念夫婦的恩愛，可把那沙僧的繩子略放鬆些兒。」老妖聞言，即命小的們把沙僧解了繩子，鎖在那裡。

沙僧見解縛鎖住，立起來，心中暗喜道：「古人云：『與人方便，自己方便。』我若不方便了她，她怎肯教把我鬆放鬆放？」

那老妖又教安排酒席，與公主陪禮壓驚。

吃酒到半酣，老妖忽的又換了一件鮮明的衣服，取了一口寶刀，佩在腰裡，轉過手，摸著公主道：「渾家，妳且在家吃酒，看著兩個孩兒，不要放了沙和尚。趁那唐僧在那國裡，我也趕早兒去認認親也。」

公主道：「你認甚親？」

老妖道：「認妳父王。我是他駙馬，他是我丈人，怎麼不去認認？」

公主道：「你去不得。」老妖道：「怎麼去不得？」

公主道：「我父王不是馬掙力戰◆的江山，他本是祖宗遺留的社稷。自幼兒是太子登基，城門也不曾遠出，沒有見你這等凶漢。你這嘴臉相貌，生得這等醜陋，若見了他，恐怕嚇了他，反為不美。卻不如不去認的還好。」

老妖道：「既如此說，我變個俊的兒去便罷。」

公主道：「你試變來我看看。」好怪物，他在那酒席間搖身一變，就變做一個俊俏之人。真個生得：

形容典雅，體段崢嶸。
言語多官樣，行藏正妙齡。
才如子建成詩易，貌似潘安擲果輕。
頭上戴一頂鵲尾冠，烏雲斂伏；身上穿一件玉羅褶，廣袖飄迎。
足下烏靴花摺，腰間鸞帶光明。
丰神真是奇男子，聳壑軒昂美俊英。

公主見了，十分歡喜。那妖笑道：「渾家，可是變得好麼？」公主道：「變得好！變得好！你這一進朝啊，我父王是親不滅，一定著文武多官留你飲宴。倘吃酒中間，千千仔細，萬萬個小心；卻莫要現出原嘴臉來，露出馬腳，走了風汛，就不斯文了。」老妖道：「不消吩咐，自有道理。」

◈馬掙力戰——以武力奪取。

你看他縱雲頭，早到了寶象國。按落雲頭，行至朝門之外，對閤門大使道：「三駙馬特來見駕，乞為轉奏轉奏。」

那黃門奏事官來至白玉階前奏道：「萬歲，有三駙馬來見駕，現在朝門外聽宣。」

那國王正與唐僧敘話，忽聽得三駙馬，便問多官道：「寡人只有兩個駙馬，怎麼又有個三駙馬？」

多官道：「三駙馬，必定是妖怪來了。」國王道：「可好宣他進來？」

那長老心驚道：「陛下，妖精啊，不精者不靈。他能知過去未來，他能騰雲駕霧。宣他也進來，不宣他也進來，倒不如宣他進來，還省些口面。」

國王准奏，叫宣，把怪宣至金階。他一般的也舞蹈山呼的行禮。多官見他生得俊麗，也不敢認他是妖精。他都是些肉眼凡胎，卻當做好人。

那國王見他聳壑昂霄，以為濟世之梁棟，便問他：「駙馬，你家在哪裡居住？是何方人氏？幾時得我公主配合？怎麼今日才來認親？」

那老妖叩頭道：「主公，臣是城東碗子山波月莊人家。」

國王道：「你那山離此處多遠？」老妖道：「不遠，只有三百里。」

國王道：「三百里路，我公主如何得到那裡，與你匹配？」

那妖精巧語花言，虛情假意的答道：「主公，微臣自幼兒好習弓馬，採獵為生。那十三年前，帶領家僮數十，放鷹逐犬，忽見一隻斑斕猛虎，身馱著一個女子，往山坡下走。是微臣兜弓一箭，射倒猛虎，將女子帶上本莊，把溫水溫湯灌醒，救了她性命。因問她是哪裡人家，她更不曾題『公主』二字。早說是萬歲的三公主，怎敢欺心，擅自配合？當得進上金殿，大小討一個官職榮身。只因她說是民家之女，才被微臣留在莊所。女貌郎才，兩相情願，故配合至此多年。

「當時配合之後，欲將那虎宰了，邀請諸親，卻是公主娘娘教且莫殺。其不殺之故，有幾句言詞，道得甚好，說道：

◆口面—口角、口舌。

托天托地成夫婦，無媒無證配婚姻。
前世赤繩曾繫足，今將老虎做媒人。

「臣因此言，故將虎解了索子，饒了他性命。那虎帶著箭傷，跑蹄剪尾而去。不知他得了性命，在那山中，修了這幾年，煉體成精，專一迷人害人。臣聞得昔年也有幾次取經的，都說是大唐來的唐僧。想是這虎害了唐僧，得了他文引，變做那取經的模樣，今在朝中哄騙主公。主公啊，那繡墩上坐的，正是那十三年前馱公主的猛虎，不是真正取經之人。」

你看那水性◆的君王，愚迷肉眼，不識妖精，轉把他一片虛詞，當了真實。道：「賢駙馬，你怎的認得這和尚是馱公主的老虎？」那妖道：「主公，臣在山中，吃的是老虎，穿的也是老虎，與他同眠同起，怎麼不認得？」

國王道：「你既認得，可教他現出本相來看。」

怪物道：「借半盞淨水，臣就教他現了本相。」國王命官取水，遞與駙馬。那怪接水在手，縱起身來，走上前，使個「黑眼定身法」。念了咒語，將一口水望唐僧噴去，叫聲：「變！」那長老的真身，隱在殿上，真個變做一隻斑斕猛虎。此時君臣肉眼觀看，那隻虎生得：

白額圓頭，花身電目。
四隻蹄，挺直崢嶸；二十爪，鈎彎鋒利。
鋸牙包口，尖耳連眉。獰猙壯若大貓形，猛烈雄如黃犢樣。
剛鬚直直插銀條，刺舌騂騂◈噴惡氣。
果然是隻猛斑斕，陣陣威風吹寶殿。

國王一見，魄散魂飛。諕得那多官盡皆躲避。有幾個大膽的武將，領著

◈水性—性情軟弱，沒有主見。　騂騂—形容舌頭吞吐、翻轉靈活的樣子。騂音星。

將軍、校尉一擁上前，使各項兵器亂砍。

這一番，不是唐僧該有命不死，就是二十個僧人也打為肉醬。此時幸有丁甲、揭諦、功曹、護教諸神暗在半空中護佑，所以那些人兵器皆不能打傷。眾臣嚷到天晚，才把那虎活活的捉了，用鐵繩鎖了，放在鐵籠裡，收於朝房之內。

那國王卻傳旨，教光祿寺大排筵宴，謝駙馬救拔之恩；不然，險被那和尚害了。當晚眾臣朝散，那妖魔進了銀安殿。又選十八個宮娥綵女，吹彈歌舞，勸妖魔飲酒作樂。那怪物獨坐上席，左右排列的都是那豔質嬌姿。你看他受用飲酒，至二更時分，醉將上來，忍不住胡為：跳起身，大笑一聲，現了本相，陡發凶心，伸開簸箕大手，把一個彈琵琶的女子抓將過來，扢咋的把頭咬了一口。

嚇得那十七個宮娥，沒命的前後亂跑亂藏。你看那：

宮娥悚懼，綵女忙驚。

宮娥悚懼，一似雨打芙蓉籠夜雨；
綵女忙驚，就如風吹芍藥舞春風。
捽碎琵琶顧命，跌傷琴瑟逃生。
出門哪分南北，離殿不管西東。
磕損玉面，撞破嬌容。人人逃命走，各各奔殘生。

那些人出去，又不敢吆喝。夜深了，又不敢驚駕。都躲在那短牆簷下，戰戰兢兢不題。

卻說那怪物坐在上面，自斟自酌。喝一盞，扳過人來，血淋淋的啃上兩口。他在裡面受用，外面人盡傳道：「唐僧是個虎精。」亂傳亂嚷，嚷到金亭館驛。此時驛裡無人，只有白馬在槽上吃草吃料。

◈光祿寺——掌理膳食的官署。

他本是西海小龍王，因犯天條，鋸角退鱗，變白馬，馱唐僧往西方取經。

忽聞人講唐僧是個虎精，他也心中暗想道：「我師父分明是個好人，必然被怪把他變做虎精，害了師父。怎的好？怎的好？大師兄去得久了，八戒、沙僧又無音信！」

他只捱到二更時分，卻才跳將起來道：「我今若不救唐僧，這功果休矣！休矣！」

他忍不住頓絕韁繩，抖鬆鞍轡，急縱身，忙顯化，依然化作龍。駕起烏雲，直上九霄空裡觀看。有詩為證。詩曰：

三藏西來拜世尊，途中偏有惡妖氛。
今宵化虎災難脫，白馬垂韁救主人。

小龍王在半空裡，只見銀安殿內燈燭輝煌。原來那八個滿堂紅◆上點著八根蠟燭。低下雲頭，仔細看處，那妖魔獨自個在上面，逼法◆的飲酒吃人肉哩。

小龍笑道：「這廝不濟！走了馬腳，識破風汛，屣匾秤鉈◈了。吃人可是個長進的！卻不知我師父下落何如，倒遇著這個潑怪。且等我去戲他一戲，若得手，拿住妖精，再救師父不遲。」

好龍王，他就搖身一變，也變做個宮娥，真個身體輕盈，儀容嬌媚。忙移步走入裡面，對妖魔道聲萬福：「駙馬啊，你莫傷我性命，我來替你把盞。」

那妖道：「斟酒來。」小龍接過壺來，將酒斟在他盞中，酒比鍾高出三五分來，更不漫出。這是小龍使的「逼水法」。

那怪見了不識，心中喜道：「妳有這般手段？」

小龍道：「還斟得有幾分高哩。」那怪道：「再斟上，再斟上。」他舉著壺，只情斟，那酒只情高，就如十三層寶塔一般，尖尖滿滿，更

◈滿堂紅—鐵製朱漆的蠟燭架。　逼法—象聲詞。
屣匾秤鉈—什麼都不管，鐵了心的意思。屣匾，砸了招牌。

不漫出些須。

那怪物伸過嘴來，吃了一鍾；扳著死人，吃了一口。道：「會唱麼？」

小龍道：「也略曉得些兒。」依腔韻唱了一個小曲，又奉了一鍾。

那怪道：「妳會舞麼？」

小龍道：「也略曉得些兒，但只是素手，舞得不好看。」那怪揭起衣服，解下腰間所佩寶劍，掣出鞘來，遞與小龍。

小龍接了刀，就留心，在那酒席前上三下四，左五右六，丟開了花刀法。那怪看得眼咤，小龍丟了花字，望妖精劈一刀來。好怪物，側身躲過，慌了手腳，舉起一根滿堂紅，架住寶刀。那滿堂紅原是熟鐵打造的，連柄有八、九十斤。兩個出了銀安殿，小龍現了本相，駕起雲頭，與那妖魔在那半空中相殺。

這一場，黑地裡好殺！怎見得：

那一個是碗子山生成的怪物，這一個是西洋海罰下的真龍。

一個放毫光，如噴白電；一個生銳氣，如迸紅雲。
一個好似白牙老象走人間，一個就如金爪狸貓飛下界。
一個是擎天玉柱，一個是架海金梁。
銀龍飛舞，黃鬼翻騰。左右寶刀無怠慢，往來不歇滿堂紅。

他兩個在雲端裡，戰夠八九回合，小龍的手軟筋麻，老魔的身強力壯。小龍抵敵不住，飛起刀去，砍那妖怪。妖怪有接刀之法，一隻手接了寶刀，一隻手拋下滿堂紅便打。小龍措手不及，被他把後腿上著了一下。急慌慌按落雲頭，多虧了御水河救了性命，小龍一頭鑽下水去。那妖魔趕來尋他不見，執了寶刀，拿了滿堂紅，回上銀安殿，照舊吃酒睡覺不題。

卻說那小龍潛於水底，半個時辰聽不見聲息，方才咬著牙，忍著腿疼跳

◆素手──空手。

將起去。踏著烏雲，逕轉館驛，還變做依舊馬匹，伏於槽下。可憐渾身是水，腿有傷痕。那時節：

意馬心猿都失散，金公木母盡凋零。
黃婆◆傷損通分別，道義消疏怎得成！

且不言三藏逢災，小龍敗戰。卻說那豬八戒從離了沙僧，一頭藏在草科裡，拱了一個豬渾塘。這一覺，直睡到半夜時候才醒。醒來時，又不知是甚麼去處。摸摸眼，定了神思，側耳才聽。噫！正是那山深無犬吠，野曠少雞鳴。他見那星移斗轉，約莫有三更時分，心中想道：「我要回救沙僧，誠然是『單絲不線，孤掌難鳴。』罷！罷！罷！我且進城去見了師父，奏准當今，再選些驍勇人馬，助著老豬明日來救沙僧罷。」

那呆子急縱雲頭，逕回城裡。半霎時，到了館驛。此時人靜月明。兩廊下尋不見師父，只見白馬睡在那廂，渾身水濕，後腿有盤子大小一點青痕。八戒失驚道：「雙晦氣了！這亡人◈又不曾走路，怎麼身上有汗，腿有青痕？想是歹人打劫師父，把馬打壞了。」

那白馬認得是八戒，忽然口吐人言，叫聲：「師兄。」這呆子嚇了一跌，扒起來，往外要走。被白馬探探身，一口咬住皂衣，道：「哥啊，你莫怕我。」

八戒戰兢兢的道：「兄弟，你怎麼今日說起話來了？你但說話，必有大不祥之事。」

小龍道：「你知師父有難麼？」八戒道：「我不知。」

小龍道：「你是不知！你與沙僧在皇帝面前弄了本事，思量拿倒妖魔，請功求賞。不想妖魔本領大，你們手段不濟，禁他不過。好道著一個回來，說個信息是，卻更不聞音。

◈**黃婆**—道教信徒稱脾液為「黃婆」。 **亡人**—罵人的話。即死鬼、該死的。

「那妖精變做一個俊俏文人，撞入朝中，與皇帝認了親眷。把我師父變做一個斑斕猛虎，現被眾臣捉住，鎖在朝房鐵籠裡面。我聽得這般苦惱，心如刀割。你兩日又不在不知，恐一時傷了性命，只得化龍身去救，不期到朝裡，又尋不見師父。及到銀安殿外，遇見妖精，我又變做個宮娥模樣，哄那怪物。那怪叫我舞刀他看，遂爾留心，砍他一刀。早被他閃過，雙手舉個滿堂紅，把我戰敗。

「我又飛刀砍去，他又把刀接了，捽下滿堂紅，把我後腿上著了一下。故此鑽在御水河，逃得性命。腿上青是他滿堂紅打的。」

八戒聞言道：「真個有這樣事？」小龍道：「莫成我哄你了？」

八戒道：「怎的好？怎的好？你可掙得動麼？」

小龍道：「我掙得動便怎的？」

八戒道：「你掙得動，便掙下海去罷。把行李等老豬挑去高老莊上，回爐◈做女婿去呀。」

小龍聞說，一口咬住他直裰子，哪裡肯放，止不住眼中滴淚道：「師兄啊，你千萬休生懶惰！」

八戒道：「不懶惰便怎麼？沙兄弟已被他拿住，我是戰不過他，不趁此散夥，還等甚麼？」

小龍沉吟半晌，又滴淚道：「師兄啊，莫說散夥的話。若要救得師父，你只去請個人來。」

八戒道：「教我請誰麼？」

小龍道：「你趁早兒駕雲回上花果山，請大師兄孫行者來。他還有降妖的大法力，管教救了師父，也與你我報得這敗陣之仇。」

八戒道：「兄弟，另請一個兒便罷了。那猴子與我有些不睦。前者在白虎嶺上，打殺了那白骨夫人，他怪我攛掇師父念緊箍兒咒。我也只當耍子，

◈回爐─比喻再做以前放棄的事。

不想那老和尚當真的念起來，就把他趕逐回去。他不知怎麼樣的惱我，他也決不肯來。倘或言語上略不相對，他那哭喪棒又重，假若不知高低，撈上幾下，我怎的活得成麼？」

小龍道：「他決不打你。他是個有仁有義的猴王。你見了他，且莫說師父有難，只說：『師父想你哩。』把他哄將來。到此處，見這樣個情節，他必然不忿，斷乎要與那妖精比並，管情拿得那妖精，救得我師父。」

八戒道：「也罷，也罷。你倒這等盡心，我若不去，顯得我不盡心了。我這一去，果然行者肯來，我就與他一路來了；他若不來，你卻也不要望我，我也不來了。」

小龍道：「你去，你去，管情他來也。」

真個呆子收拾了釘鈀，整束了直裰，跳將起去，踏著雲，逕往東來。這一回，也是唐僧有命。那呆子正遇順風，撐起兩個耳朵，好便似風篷一般，早過了東洋大海，按落雲頭。不覺的太陽星上，他卻入山尋路。

正行之際，忽聞得有人言語。八戒仔細看時，看來是行者在山凹裡，聚集群妖。他坐在一塊石頭崖上，面前有一千二百多猴子，分序排班，口稱：「萬歲！大聖爺爺！」

八戒道：「且是好受用！且是好受用！怪道他不肯做和尚，只要來家哩，原來有這些好處，許大的家業，又有這多的小猴服侍。若是老豬有這一座山場，也不做甚麼和尚了。如今既到這裡，卻怎麼好？必定要見他一見是。」

那呆子有些怕他，又不敢明明的見他，卻往草崖邊溜啊溜的，溜在那一千二三百猴子當中擠著，也跟那些猴子磕頭。

不知孫大聖坐得高，眼又乖滑◆，看得他明白，便問：「那班部中亂拜的

◆比並—較量。　乖滑—機靈圓滑。

是個夷人◆，是哪裡來的？拿上來！」
說不了，那些小猴一窩蜂，把個八戒推將上來，按倒在地。
行者道：「你是哪裡來的夷人？」
八戒低著頭道：「不敢，承問了。不是夷人，是熟人，熟人。」
行者道：「我這大聖部下的群猴，都是一般模樣。你這嘴臉生得各樣◆，相貌有些雷堆◆，定是別處來的妖魔。既是別處來的，若要投我部下，先來遞個腳色手本◆，報了名字，我好留你在這隨班點札。若不留你，你敢在這裡亂拜？」
八戒低著頭，拱著嘴道：「不羞！就拿出這副嘴臉來了。我和你兄弟也做了幾年，又推認不得，說是甚麼夷人。」
行者笑道：「抬起頭來我看。」
那呆子把嘴往上一伸道：「你看麼，你認不得我，好道認得嘴耶！」
行者忍不住笑道：「豬八戒。」
他聽見一聲叫，就一轂轆跳將起來道：「正是！正是！我是豬八戒！」

他又思量道：「認得就好說話了。」

行者道：「你不跟唐僧取經去，卻來這裡怎的？想是你衝撞了師父，師父也貶你回來了？有甚貶書，拿來我看。」

八戒道：「不曾衝撞他，他也沒甚麼貶書，也不曾趕我。」

行者道：「既無貶書，又不曾趕你，你來我這裡怎的？」

八戒道：「師父想你，著我來請你的。」

行者道：「他也不請我，他也不想我。他那日對天發誓，親筆寫了貶書，怎麼又肯想我，又肯著你遠來請我？我斷然也是不好去的。」

八戒就地扯個謊，忙道：「委是想你！委是想你！」

行者道：「他怎的想我來？」

◈**夷人**──舊時對外國人的稱呼。　**各樣**──特別、古怪。

雷堆──這裡指笨重、累贅。　**手本**──門生見座師或下官見上官時所用的名帖。

八戒道：「師父在馬上正行，叫聲『徒弟』，我不曾聽見，沙僧又推耳聾。師父就想起你來，說我們不濟，說你還是個聰明伶俐之人，常時聲叫聲應，問一答十。因這般想你，專專教我來請你的。萬望你去走走，一則不孤他仰望之心，二來也不負我遠來之意。」

行者聞言，跳下崖來，用手攙住八戒道：「賢弟，累你遠來，且和我耍耍兒去。」

八戒道：「哥啊，這個所在路遠，恐師父盼望去遲，我不耍子了。」

行者道：「你也是到此一場，看看我的山景何如？」那呆子不敢苦辭，只得隨他走走。

二人攜手相攙，概眾小妖隨後，上那花果山極巔之處。好山，自是那大聖回家，這幾日，收拾得復舊如新。但見那：

青如削翠，高似摩雲。

周圍有虎踞龍蟠，四面多猿啼鶴唳。

朝出雲封山頂，暮觀日掛林間。
流水潺潺鳴玉珮，澗泉滴滴奏瑤琴。
山前有崖峰峭壁，山後有花木穠華。
上連玉女洗頭盆，下接天河分派水。
乾坤結秀賽蓬萊，清濁育成真洞府。
丹青妙筆畫時難，仙子天機描不就。
玲瓏怪石石玲瓏，玲瓏結彩嶺頭峰。
日影動，千條紫豔；瑞氣搖，萬道紅霞。
洞天福地人間有，遍山新樹與新花。

八戒觀之不盡，滿心歡喜道：「哥啊，好去處！果然是天下第一名山！」
行者道：「賢弟，可過得日子麼？」
八戒笑道：「你看師兄說的話。寶山乃洞天福地之處，怎麼說度日之言也？」

二人談笑多時，下了山。只見路旁有幾個小猴，捧著紫巍巍的葡萄，香噴噴的梨棗，黃森森的枇杷，紅豔豔的楊梅，跪在路旁，叫道：「大聖爺爺，請進早膳。」

行者笑道：「我豬弟食腸大，卻不是以果子作膳的。也罷！也罷！莫嫌菲薄，將就吃個兒當點心罷。」八戒道：「我雖食腸大，卻也隨鄉入鄉是。拿來，拿來，我也吃幾個兒嘗新。」

二人吃了果子，漸漸日高。那呆子恐怕誤了救唐僧，只管催促道：「哥哥，師父在那裡盼望我和你哩。望你和我早早兒去罷。」

行者道：「賢弟，請你往水簾洞裡去耍耍。」

八戒堅辭道：「多感老兄盛意，奈何師父久等，不勞進洞罷。」

行者道：「既如此，不敢久留，請就此處奉別。」

八戒道：「哥哥，你不去了？」

行者道：「我往哪裡去？我這裡天不收，地不管，自由自在，不耍子兒，做甚麼和尚？我是不去，你自去罷。但上覆唐僧：既趕退了，再莫想我。」呆子聞言，不敢苦逼，只恐逼發他性子，一時打上兩棍。無奈，只得喏喏告辭，找路而去。

行者見他去了，即差兩個溜撒的小猴跟著八戒，聽他說些甚麼。真個那呆子下了山，不上三四里路，回頭指著行者，口裡罵道：「這個猴子，不做和尚，倒做妖怪！這個猢猻，我好意來請他，他卻不去！你不去便罷！」走幾步，又罵幾聲。那兩個小猴急跑回來報道：「大聖爺爺，那豬八戒不大老實，他走走兒，罵幾聲。」行者大怒，叫：「拿將來！」那眾猴滿地飛來趕上，把個八戒扛翻倒了，抓鬃扯耳，拉尾揪毛，捉將回去。

畢竟不知怎麼處治，性命死活若何，且聽下回分解。

第三一回

豬八戒義激猴王 孫行者智降妖怪

義結孔懷◆，法歸本性。
金順木馴成正果，心猿木母合丹元。
共登極樂世界，同來不二法門。
經乃修行之總徑，佛配自己之元神。
兄和弟會成三契，妖與魔色應五行。
剪除六門趣，即赴大雷音。

卻說那呆子被一窩猴子捉住了，扛抬扯拉，把一件直裰子揪破。口裡勞勞叨叨◆的，自家◆念誦道：「罷了！罷了！這一去有個打殺的情了。」

不一時，到洞口。那大聖坐在石崖之上，罵道：「你這饢糠的夯貨！你去便罷了，怎麼罵我？」

八戒跪在地下道：「哥啊，我不曾罵你；若罵你，就嚼了舌頭根。我只說哥哥不去，我自去報師父便了。怎敢罵你？」

行者道：「你怎麼瞞得過我？我這左耳往上一扯，曉得三十三天人說話；我這右耳往下一扯，曉得十代閻王與判官算帳。你今走路把我罵，我豈不聽見？」

八戒道：「哥啊，我曉得你賊頭鼠腦的，一定又變做個甚麼東西兒，跟著我聽的。」

行者叫：「小的們，選大棍來！先打二十個見面孤拐，再打二十個背花◆，然後等我使鐵棒與他送行！」

八戒慌得磕頭道：「哥哥，千萬看師父面上，饒了我罷！」

行者道：「我想那師父好仁義兒哩！」

◆孔懷—極為思念。後指兄弟之情。　勞勞叨叨—話說個不停。
自家—自己、本身。　打背花—鞭背的刑罰。

八戒又道：「哥哥，不看師父啊，請看海上菩薩之面，饒了我罷！」

行者見說起菩薩，卻有三分兒轉意道：「兄弟，既這等說，我且不打你。你卻老實說，不要瞞我。那唐僧在哪裡有難，你卻來此哄我？」

八戒道：「哥哥，沒甚難處，實是想你。」

行者罵道：「這個好打的劣貨，你怎麼還要者囂◆我？老孫身回水簾洞，心逐取經僧。那師父步步有難，處處該災，你趁早兒告訴我，免打！」

八戒聞得此言，叩頭上告道：「哥啊，分明要瞞著你，請你去的，不期你這等樣靈。饒我打，放我起來說罷。」

行者道：「也罷，起來說。」眾猴撒開手。那呆子跳得起來，兩邊亂張◆。

行者道：「你張甚麼？」

八戒道：「看看那條路兒空闊，好跑。」

行者道：「你跑到哪裡？我就讓你先走三日，老孫自有本事趕轉你來！快早說來！這一惱發我的性子，斷不饒你！」

八戒道：「實不瞞哥哥說，自你回後，我與沙僧保師父前行，只見一座黑松林，師父下馬，教我化齋。我因許遠，無一個人家，辛苦了，略在草裡睡睡。不想沙僧別了師父，又來尋我。你曉得師父沒有坐性，他獨步林間玩景。出得林，見一座黃金寶塔放光，他只當寺院。不期塔下有個妖精，名喚黃袍，被他拿住。

「後邊我與沙僧回尋，只見白馬、行囊，不見師父。隨尋至洞口，與那怪廝殺。師父在洞，幸虧了一個救星。原是寶象國王第三個公主，被那怪攝來者。她修了一封家書，托師父寄去，遂說方便，解放了師父。到了國中，遞了書子，那國王就請師父降妖，取回公主。哥啊，你曉得，那老和尚可會降妖？我二人復去與戰，不知那怪神通廣大，將沙僧又捉了。我敗陣而走，伏在草中。

「那怪變做個俊俏文人入朝，與國王認親，把師父變做老虎。又虧了白

◈者囂──掩飾、隱瞞。　張──窺探。

龍馬夜現龍身，去尋師父，師父倒不曾尋見，卻遇著那怪在銀安殿飲酒。他變一宮娥，與他巡酒、舞刀，欲乘機而砍，反被他用滿堂紅打傷馬腿。「就是他教我來請師兄的，說道：『師兄是個有仁有義的君子，君子不念舊惡，一定肯來救師父一難。』萬望哥哥念『一日為師，終身為父』之情，千萬救他一救！」

行者道：「你這個呆子，我臨別之時，曾叮嚀又叮嚀，說道：『若有妖魔捉住師父，你就說老孫是他大徒弟。』怎麼卻不說我？」

八戒又思量道：「請將不如激將，等我激他一激。」道：「哥啊，不說你還好哩；只為說你，他一發無狀！」

行者道：「怎麼說？」

八戒道：「我說：『妖精，你不要無禮，莫害我師父。我還有個大師兄，叫做孫行者，他神通廣大，善能降妖，他來時教你死無葬身之地！』那怪聞言，越加忿怒，罵道：『是個甚麼孫行者，我可怕他？他若來，我剝了他皮，抽了他筋，啃了他骨，吃了他心！饒他猴子瘦，我也把他剁鮓著油烹！』」

行者聞言，就氣得抓耳撓腮，暴躁亂跳道：「是哪個敢這等罵我？」八戒道：「哥哥息怒，是那黃袍怪這等罵來，我故學與你聽也。」行者道：「賢弟，你起來。不是我去不成，既是妖精敢罵我，我就不能不降他。我和你去。老孫五百年前大鬧天宮，普天的神將看見我，一個個控背躬身，口口稱呼大聖。這妖怪無禮，他敢背前面後罵我！我這去，把他拿住，碎屍萬段，以報罵我之仇！報畢，我即回來。」八戒道：「哥哥，正是。你只去拿了妖精，報了你仇，那時來與不來，任從尊意。」

那大聖才跳下崖，撞入洞裡，脫了妖衣。整一整錦直裰，束一束虎皮裙，執了鐵棒，逕出門來。慌得那群猴攔住道：「大聖爺爺，你往哪裡去？帶挈我們耍子幾年也好。」

行者道：「小的們，你說哪裡話！我保唐僧的這樁事，天上地下，都曉得孫悟空是唐僧的徒弟，他倒不是趕我回來，倒是教我來家看看，送我來家自在耍子。如今只因這件事，你們卻都要仔細看守家業，依時插柳栽松，毋得廢墜。待我還去保唐僧，取經回東土，功成之後，仍回來與你們共樂天真。」眾猴各各領命。

那大聖才和八戒攜手駕雲，離了洞，過了東洋大海，至西岸，住雲光，叫道：「兄弟，你且在此慢行，等我下海去淨淨身子。」

八戒道：「忙忙的走路，且淨甚麼身子？」

行者道：「你哪裡知道。我自從回來，這幾日弄得身上有些妖精氣了。師父是個愛乾淨的，恐怕嫌我。」八戒於此始識得行者是片真心，更無他意。

須臾洗畢，復駕雲西進，只見那金塔放光。八戒指道：「那不是黃袍怪家？沙僧還在他家裡。」

行者道：「你在空中，等我下去看看那門前如何，好與妖精見陣◆。」八戒道：「不要去，妖精不在家。」行者道：「我曉得。」

好猴王，按落祥光，逕至洞門外觀看。只見有兩個小孩子，在那裡使彎頭棍，打毛球，搶窩◆耍子哩！一個有十來歲，一個有八九歲了。正戲處，被行者趕上前，也不管他是張家李家的，一把抓著頂搭◆子，提將過來。那孩子吃了諕，口裡夾罵帶哭的亂嚷。驚動那波月洞的小妖，急報與公主道：「奶奶，不知甚人把二位公子搶去也！」原來那兩個孩子是公主與那怪生的。

公主聞言，忙忙走出洞門來，只見行者提著兩個孩子，站在那高崖之上，意欲往下摜。

◆**見陣**——兩軍對陣。　**頂搭**——孩童剃髮時，留在頭頂上的一撮頭髮。　**搶窩**——一種兒童遊戲。

慌得那公主厲聲高叫道：「那漢子，我與你沒甚相干，怎麼把我兒子拿去？他老子利害，有些差錯，決不與你干休！」

行者道：「妳不認得我？我是那唐僧的大徒弟孫悟空行者。我有個師弟沙和尚在妳洞裡，妳去放他出來，我把這兩個孩兒還妳。似這般兩個換一個，還是妳便宜。」那公主聞言，急往裡面，喝退那幾個把門的小妖，親動手，把沙僧解了。

沙僧道：「公主，妳莫解我，恐妳那怪來家，問妳要人，帶累妳受氣。」

公主道：「長老啊，你是我的恩人，你替我折辨了家書，救了我一命，我也留心放你。不期洞門之外，你有個大師兄孫悟空來了，叫我放你哩。」

噫！那沙僧一聞「孫悟空」的三個字，好便似醍醐灌頂，甘露滋心；一面天生喜，滿腔都是春；也不似聞得個人來，就如拾著一方金玉一般。你看他捽手拂衣，走出門來，對行者施禮道：「哥哥，你真是從天而降也！萬乞救我一救！」

行者笑道：「你這個沙尼，師父念緊箍兒咒，可肯替我方便一聲？都弄嘴施展，要保師父，如何不走西方路，卻在這裡蹲甚麼？」

沙僧道：「哥哥，不必說了，君子人既往不咎。我等是個敗軍之將，不可語勇，救我救兒罷！」

行者道：「你上來。」沙僧才縱身跳上石崖。

卻說那八戒停立空中，看見沙僧出洞，即按下雲頭，叫聲：「沙兄弟，心忍！心忍！」

沙僧現身道：「二哥，你從哪裡來？」

八戒道：「我昨日敗陣，夜間進城，會了白馬，知師父有難，被黃袍使法，變做個老虎。那白馬與我商議，請師兄來的。」

行者道：「呆子，且休敘闊，把這兩個孩子，各抱著一個，先進那寶象城去激那怪來，等我在這裡打他。」

沙僧道：「哥啊，怎麼樣激他？」

行者道：「你兩個駕起雲，站在那金鑾殿上，莫分好歹，把那孩子往那白玉階前一摜。有人問你是甚人，你便說是黃袍妖精的兒子，被我兩個拿將來也。那怪聽見，管情回來，我卻不須進城與他鬥了。若在城上廝殺，必要噴雲曖霧，播土揚塵，驚擾那朝廷與多官黎庶，俱不安也。」

八戒笑道：「哥哥，你但幹事，就左◆我們。」

行者道：「如何為左你？」

八戒道：「這兩個孩子被你抓來，已此諕破膽了，這一會聲都哭啞，再一會必死無疑。我們拿他往下一摜◆，摜做個肉胞子，那怪趕上肯放？定要我兩個償命。你卻還不是個乾淨人？連見證也沒你，你卻不是左我們？」

行者道：「他若扯你，你兩個就與他打將這裡來。這裡有戰場寬闊，我在此等候打他。」

沙僧道：「正是，正是。大哥說得有理，我們去來。」他兩個才倚仗威風，將孩子拿去。

行者即跳下石崖，到他塔門之下。

那公主道：「你這和尚，全無信義！你說放了你師弟，就與我孩兒，怎麼你師弟放去，把我孩兒又留，反來我門首做甚？」

行者陪笑道：「公主休怪。妳來的日子已久，帶妳令郎去認他外公去哩。」公主道：「和尚莫無禮。我那黃袍郎比眾不同，你若諕了我的孩兒，與他柳柳驚◆是。」

行者笑道：「公主啊，為人生在天地之間，怎麼便是得罪？」

公主道：「我曉得。」行者道：「妳女流◆家，曉得甚麼？」

公主道：「我自幼在宮，曾受父母教訓。記得古書云：『五刑之屬三千，而罪莫大於不孝。』」

行者道：「妳正是個不孝之人。蓋『父兮生我，母兮鞠我。哀哀父母，生我劬勞。』故孝者，百行之原，萬善之本。卻怎麼將身陪伴妖精，更不思

◆左－欺騙、給人上當。摜－摔、扔。柳柳驚－壓壓驚。女流－泛稱婦女。含有輕視的意味。

念父母？非得不孝之罪，如何？」

公主聞此正言，半晌家耳紅面赤，慚愧無地。忽失口道：「長老之言最善。我豈不思念父母？只因這妖精將我攝騙在此，他的法令又謹，我的步履又難，路遠山遙，無人可傳音信。欲要自盡，又恐父母疑我逃走，事終不明。故沒奈何，苟延殘喘，誠為天地間一大罪人也！」說罷，淚如泉湧。

行者道：「公主不必傷悲。豬八戒曾告訴我，說妳有一封書，曾救了我師父一命，妳書上也有思念父母之意。老孫來，管與妳拿了妖精，帶妳回朝見駕，別尋個佳偶，侍奉雙親到老。妳意如何？」

公主道：「和尚啊，你莫要尋死。昨者你兩個師弟那樣好漢，也不曾打得過我黃袍郎。你這般一個筋多骨少的瘦鬼，一似個螃蟹模樣，骨頭都長在外面，有甚本事，你敢說拿妖魔之話？」

行者笑道：「妳原來沒眼色，認不得人。俗語云：『尿泡雖大無斤兩，秤鉈雖小壓千斤。』他們相貌，空大無用：走路抗風，穿衣費布，種火心空，頂門腰軟，吃食無功。咱老孫小自小，筋節◆。」

那公主道：「你真個有手段麼？」

行者道：「我的手段，妳是也不曾看見，絕會降妖，極能伏怪。」

公主道：「你卻莫誤了我耶。」行者道：「決然誤妳不得。」

公主道：「你既會降妖伏怪，如今卻怎樣拿他？」

行者說：「妳且迴避迴避，莫在我這眼前：倘他來時，不好動手腳，只恐妳與他情濃了，捨不得他。」

公主道：「我怎的捨不得他？其稽留於此者，不得已耳。」

行者道：「妳與他做了十三年夫妻，豈無情意？我若見了他，不與他兒戲，一棍便是一棍，一拳便是一拳，須要打倒他，才得妳回朝見駕。」

那公主果然依行者之言，往僻靜處躲避。也是她姻緣該盡，故遇著大聖

◆失口—失言。　筋節—結實有勁。

來臨。那猴王把公主藏了，他卻搖身一變，就變做公主一般模樣，回轉洞中，專候那怪。

卻說八戒、沙僧把兩個孩子拿到寶象國中，往那白玉階前捽下。可憐都摜做個肉餅相似，鮮血迸流，骨骸粉碎。慌得那滿朝多官報道：「不好了！不好了！天上摜下兩個人來了！」八戒厲聲高叫道：「那孩子是黃袍妖精的兒子，被老豬與沙弟拿將來也！」

那怪還在銀安殿，宿酒未醒。正睡夢間，聽得有人叫他名字，他就翻身，抬頭觀看，只見那雲端裡是豬八戒、沙和尚二人吆喝。妖怪心中暗想道：「豬八戒便也罷了；沙和尚是我綁在家裡，他怎麼得出來？我的渾家怎麼肯放他？我的孩兒怎麼得到他手？這怕是豬八戒不得我出去與他交戰，故將此計來羈我。我若認了這個泛頭◆，就與他打啊。噫！我卻還害酒◆哩！假若被他築上一鈀，卻不滅了這個威風，識破了那個關竅◆？且等我回家看看，是我的兒子不是我的兒子，再與他說話不遲。」

好妖怪，他也不辭王駕，轉山林，逕去洞中查信息。

此時朝中已知他是個妖怪了。原來他夜裡吃了一個宮娥，還有十七個脫命◆去的，五更時奏了國王，說他如此如此。又因他不辭而去，越發知他是怪。那國王即著多官看守著假老虎不題。

卻說那怪逕回洞口。行者見他來時，設法哄他，把眼擠了一擠，撲簌簌淚如雨落，兒天兒地的跌腳捶胸，於此洞裡嚎啕痛哭。

那怪一時間哪裡認得，上前摟住道：「渾家，妳有何事，這般煩惱？」

◆泛頭—虛幻的景象。引申為詭計、陷阱。**害酒**—因酒喝多而引起身體不舒服。
關竅—訣竅、竅門。**脫命**—保住性命。

那大聖編成的鬼話，捏出的虛詞，淚汪汪的告道：「郎君啊，常言道：『男子無妻財沒主，婦女無夫身落空。』「你昨日進朝認親，怎不回來？今早被豬八戒劫了沙和尚，又把我兩個孩兒搶去，是我苦告，更不肯饒。他說拿去朝中認認外公，這半日不見孩兒，又不知存亡如何，你又不見來家，教我怎生割捨？故此止不住傷心痛哭。」

那怪聞言，心中大怒道：「真個是我的兒子？」

行者道：「正是，被豬八戒搶去了。」

那妖魔氣得亂跳道：「罷了！罷了！我兒被他摜殺了，已是不可活也！只好拿那和尚來與我兒子償命報仇罷！渾家，妳且莫哭。妳如今心裡覺道怎麼？且醫治一醫治。」

行者道：「我不怎的，只是捨不得孩兒，哭得我有些心疼。」

妖魔道：「不打緊，妳請起來，我這裡有件寶貝，只在妳那疼上摸一摸兒，就不疼了。卻要仔細，休使大指兒彈著；若使大指兒彈著啊，就看出我本相來了。」

行者聞言，心中暗笑道：「這潑怪，倒也老實，不動刑法，就自家供了。等他拿出寶貝來，我試彈他一彈，看他是個甚麼妖怪。」

那怪攜著行者，一直行到洞裡深遠密閉之處。卻從口中吐出一件寶貝，有雞子◆大小，是一顆舍利子玲瓏內丹。

行者心中暗喜道：「好東西耶！這件物不知打了多少做工，煉了幾年磨難，配了幾轉雌雄，煉成這顆內丹舍利。今日大有緣法，遇著老孫。」

那猴子拿將過來，哪裡有甚麼疼處，特故意摸了一摸，一指頭彈將去。那妖慌了，劈手來搶。你思量，那猴子好不溜撒，把那寶貝一口吸在肚裡。那妖魔揝著拳頭就打。被行者一手隔住，把臉抹了一抹，現出本相，道聲：「妖怪，不要無禮！你且認認看我是誰？」

◆雞子—雞蛋。

那妖怪見了，大驚道：「呀！渾家，妳怎麼拿出這一副嘴臉來耶？」

行者罵道：「我把你這個潑怪！誰是你渾家？連你祖宗也還不認得哩！」

那怪忽然省悟道：「我像有些認得你哩。」

行者道：「我且不打你，你再認認看。」

那怪道：「我雖見你眼熟，一時間卻想不起姓名。你果是誰？從哪裡來的？你把我渾家估倒◆在何處，卻來我家詐誘我的寶貝？著實無禮，可惡！」

行者道：「你是也不認得我。我是唐僧的大徒弟，叫做孫悟空行者。我是你五百年前的舊祖宗哩！」

那怪道：「沒有這話！沒有這話！我拿住唐僧時，只知他有兩個徒弟，叫做豬八戒、沙和尚，何曾見有人說個姓孫的？你不知是哪裡來的個怪物，到此騙我！」

行者道：「我不曾同他二人來，是我師父因老孫慣打妖怪，殺傷甚多，他是個慈悲好善之人，將我逐回，故不曾同他一路行走。你是不知你祖宗名姓。」那怪道：「你好不丈夫◆啊！既受了師父趕逐，卻有甚麼嘴臉又來見人？」

行者道：「你這個潑怪，豈知『一日為師，終身為父』，『父子無隔宿之仇』！你傷害我師父，我怎麼不來救他？你害他便也罷，卻又背前面後罵我，是怎的說？」

妖怪道：「我何嘗罵你？」行者道：「是豬八戒說的。」

那怪道：「你不要信他。那個豬八戒，尖著嘴，有些會說老婆舌頭◆，你怎聽他？」

行者道：「且不必講此閒話。只說老孫今日到你家裡，你好怠慢了遠客。雖無酒饌款待，頭卻是有的。快快將頭伸過來，等老孫打一棍兒當茶！」

那怪聞得說打，呵呵大笑道：「孫行者，你差了計較了，你既說要打，不

◆估倒──鼓搗。藏匿的意思。　不丈夫──沒有男人氣概。

說老婆舌頭──比喻搬弄是非，揭發他人隱私。

該跟我進來。我這裡大小群妖還有百十，饒你滿身是手，也打不出我的門去。」行者道：「不要胡說，莫說百十個，就有幾千幾萬，只要一個個查明白了好打，棍棍無空，教你斷根絕跡！」

那怪聞言，急傳號令，把那山前山後群妖，洞裡洞外諸怪，一齊點起，各執器械，把那三四層門，密密攔阻不放。

行者見了，滿心歡喜，雙手理棍，喝聲叫：「變！」變得三頭六臂。把金箍棒晃一晃，變做三根金箍棒。你看他六隻手使著三根棒，一路打將去，好便似虎入羊群，鷹來雞柵。可憐那小怪，湯著的，頭如粉碎；刮著的，血似水流。往來縱橫，如入無人之境。

只剩一個老妖，趕出門來罵道：「你這潑猴，其實憊懶！怎麼上門子欺負人家？」

行者急回頭，用手招呼道：「你來！你來！打倒你，才是功績！」那怪物舉寶刀，分頭便砍；好行者掣鐵棒，覿面相迎。

這一場，在那山頂上，半雲半霧的殺哩：

大聖神通大，妖魔本事高。
這個橫理生鐵棒，那個斜舉蘸鋼刀。
悠悠刀起明霞亮，輕輕棒架彩雲飄。
往來護頂翻多次，反覆渾身轉數遭。
一個隨風更面目，一個立地把身搖。
那個大睜火眼伸猿臂，這個明晃金睛折虎腰。
你來我去交鋒戰，刀迎棒架不相饒。
猴王鐵棍依三略，怪物鋼刀按六韜。
一個慣行手段為魔主，一個廣施法力保唐僧。
猛烈的猴王添猛烈，英豪的怪物長英豪。
死生不顧空中打，都為唐僧拜佛遙。

◆湯——接觸、碰觸。

他兩個戰有五、六十合，不分勝負。

行者心中暗喜道：「這個潑怪，他那口刀倒也抵得住老孫的這根棒。等老孫丟個破綻與他，看他可認得。」

好猴王，雙手舉棍，使一個「高探馬」的勢子。那怪不識是計，見有空兒，舞著寶刀，逕奔下三路◆砍；被行者急轉個「大中平」，挑開他那口刀，又使個「葉底偷桃勢」，望妖精頭頂一棍，就打得他無影無蹤。急收棍子看處，不見了妖精。

行者大驚道：「我兒啊，不禁打，就打得不見了。果是打死，好道也有些膿血，如何沒一毫蹤影？想是走了。」

急縱身跳在雲端裡看處，四邊更無動靜：「老孫這雙眼睛，不管哪裡，一抹都見，卻怎麼走得這等溜撒？我曉得了，那怪說有些兒認得我，想必不是凡間的怪，多是天上來的精。」

那大聖一時忍不住怒發，揝著鐵棒，打個觔斗，只跳到南天門上。慌得那龐、劉、苟、畢、張、陶、鄧、辛等眾，兩邊躬身控背，不敢攔阻，讓他打入天門，直至通明殿下。

早有張、葛、許、丘四大天師問道：「大聖何來？」行者道：「因保唐僧至寶象國，有一妖魔欺騙國女，傷害吾師，老孫與他賭鬥。正鬥間，不見了這怪。想那怪不是凡間之怪，多是天上之精，特來查勘，那一路走了甚麼妖神。」天師聞言，即進靈霄殿上啟奏。蒙差查勘九曜星官、十二元辰、東西南北中央五斗、河漢群辰、五岳四瀆◆、普天神聖都在天上，更無一個敢離方位。又查那斗牛宮外二十八宿，顛倒只有二十七位，內獨少了奎星。天師回奏道：「奎木狼下界了。」玉帝道：「多少時不在天了？」天師道：「四卯不到，三日點卯一次，今已十三日了。」玉帝道：「天上十三日，下界已是十三年。」即命本部收他上界。

◆**下三路**—下三路是腹、襠、腿。攻擊下三路在武學中是比較凶殘的招式。
五岳四瀆—泛指群山眾川。引申為山神水神。

那二十七宿星員領了旨意，出了天門，各念咒語，驚動奎星。你道他在哪裡躲避？他原來是孫大聖大鬧天宮時打怕了的神將，閃在那山澗裡潛災，被水氣隱住妖雲，所以不曾看見他。他聽得本部星員念咒，方敢出頭，隨眾上界。被大聖攔住天門要打，幸虧眾星勸住，押見玉帝。那怪腰間取出金牌，在殿下叩頭納罪。

玉帝道：「奎木狼，上界有無邊的勝景，你不受用，卻私走一方，何也？」

奎宿叩頭奏道：「萬歲，赦臣死罪。那寶象國王公主，非凡人也。她本是披香殿侍香的玉女，因欲與臣私通，臣恐點汙了天宮勝境，她思凡先下界去，托生◆於皇宮內院。是臣不負前期，變做妖魔，占了名山，攝她到洞府，與她配了一十三年夫妻。『一飲一啄，莫非前定。』今被孫大聖到此成功。」

玉帝聞言，收了金牌，貶他去兜率宮與太上老君燒火，帶俸差操◆，有功復職，無功重加其罪。

行者見玉帝如此發放，心中歡喜，朝上唱個大喏，又向眾神道：「列位，起動◈了。」

天師笑道：「那個猴子還是這等村俗◈，替他收了怪神，也倒不謝天恩，卻就唱喏而退。」

玉帝道：「只得他無事，落得天上清平是幸。」

那大聖按落祥光，逕轉碗子山波月洞，尋出公主，將那思凡下界收妖的言語正然陳訴。只聽得半空中八戒、沙僧厲聲高叫道：「師兄，有妖精，留幾個兒我們打耶。」

行者道：「妖精已盡絕矣。」

沙僧道：「既把妖精打絕，無甚罣礙，將公主引入朝中去罷。不要睜眼，

◈帶俸差操—武官本職開缺，派往別處操演兵丁，但仍給原職俸祿。 托生—投胎。 起動—麻煩、偏勞。表示客氣、尊敬之意。 村俗—粗野鄙俗。

兄弟們使個縮地法來。」

那公主只聞得耳內風響，霎時間逕回城裡，他三人將公主帶上金鑾殿上。那公主參拜了父王、母后，會了姊妹。各官俱來拜見。

那公主才啟奏道：「多虧孫長老法力無邊，降了黃袍怪，救奴回國。」

那國王問曰：「黃袍是個甚怪？」

行者道：「陛下的駙馬是上界的奎星，令愛乃侍香的玉女，因思凡降落人間。不非小可，都因前世前緣，該有這些姻眷◈。那怪被老孫上天宮啟奏玉帝，玉帝查得他四卯不到，下界十三日，就是十三年了。蓋天上一日，下界一年。隨差本部星宿收他上界，貶在兜率宮立功去訖。老孫卻救得令愛來也。」

那國王謝了行者的恩德，便教：「看你師父去來。」

他三人逕下寶殿，與眾官到朝房裡，抬出鐵籠，將假虎解了鐵索。別人看他是虎，獨行者看他是人。原來那師父被妖術魘住，不能行走，心上明白，只是口眼難開。

行者笑道：「師父啊，你是個好和尚，怎麼弄出這般個惡模樣來也？你怪我行凶作惡，趕我回去，你要一心向善，怎麼一旦弄出個這等嘴臉？」

八戒道：「哥啊，救他救兒罷，不要只管揭挑◈他了。」

行者道：「你凡事攛唆，是他個得意的好徒弟，你不救他，又尋老孫怎的？原與你說來，待降了妖精，報了罵我之仇，就回去的。」

沙僧近前跪下道：「哥啊，古人云：『不看僧面看佛面。』兄長既是到此，萬望救他一救。若是我們能救，也不敢許遠的來奉請你也。」

行者用手挽起道：「我豈有安心不救之理？快取水來。」

那八戒飛星◈去驛中，取了行李、馬匹，將紫金鉢盂取出，盛水半盂，遞與行者。行者接水在手，念動真言，望那虎劈頭一口噴上，退了妖術，

◈**姻眷**——夫婦。因婚姻而成眷屬。　**揭挑**——揭發他人短處，數落他人不是。　**飛星**——形容動作迅速。

解了虎氣。

長老現了原身，定性睜睛，才認得是行者。一把攙住道：「悟空，你從哪裡來也？」沙僧侍立左右，把那請行者，降妖精，救公主，解虎氣，並回朝上項事，備陳了一遍。三藏謝之不盡道：「賢徒，虧了你也！虧了你也！這一去，早詣西方，逕回東土，奏唐王，你的功勞第一。」行者笑道：「莫說！莫說！但不念那話兒，足感愛厚之情也。」國王聞此言，又勸謝了他四眾。整治素筵，大開東閣。他師徒受了皇恩，辭王西去。國王又率多官遠送。這正是：

君回寶殿定江山，僧去雷音參佛祖。

畢竟不知此後又有甚事，幾時得到西天，且聽下回分解。

第三二回

平頂山功曹傳信
蓮花洞木母逢災

話說唐僧復得了孫行者，師徒們一心同體，共詣◆西方。自寶象國救了公主，承君臣送出城西。說不盡沿路飢餐渴飲，夜住曉行。卻又值三春景候，那時節：

輕風吹柳綠如絲，佳景最堪題。
時催鳥語，暖烘花發，遍地芳菲。
海棠庭院來雙燕，正是賞春時。
紅塵紫陌，綺羅弦管，鬥草◆傳卮◆。

師徒們正行賞間，又見一山擋路。唐僧道：「徒弟們仔細，前遇山高，恐有虎狼阻擋。」

行者道：「師父，出家人莫說在家

話。你記得那烏巢和尚的《心經》云『心無罣礙；無罣礙，方無恐怖，遠離顛倒夢想』之言？但只是『掃除心上垢，洗淨耳邊塵。不受苦中苦，難為人上人』。你莫生憂慮，但有老孫，就是塌下天來，可保無事，怕甚麼虎狼？」

長老勒回馬道：「我當年奉旨出長安，只憶西來拜佛顏。舍利國中金像彩，浮屠塔裡玉毫斑。尋窮天下無名水，歷遍人間不到山。逐逐煙波重疊疊，幾時能夠此身閒？」

行者聞說，笑呵呵道：「師要身閒，有何難事？若功成之後，萬緣都罷，諸法皆空。那時節，自然而然，卻不是身閒也？」長老聞言，只得樂以忘憂。放轡催銀驪，兜韁趲玉龍。

◈詣—前往。傳卮—傳杯。卮音之，古代盛酒的器具。

鬥草—有三種遊戲規則，一是以草鉤連拉扯，比賽誰的草強韌。二是先各自採集不同的花草標本，限時集合後，雙方鬥花草的種類，以獨得的花草多者為贏。三是不僅鬥花草種類，還講究名目相對，平仄相當，自然工巧，此規則最為複雜、高深。

師徒們上得山來，十分險峻，真個嵯峨。好山：

巍巍峻嶺，削削尖峰。
灣環深澗下，孤峻陡崖邊。
灣環深澗下，只聽得唿喇喇戲水蟒翻身；
孤峻陡崖邊，但見那崒嵂嵂出林虎剪尾。
往上看，巒頭突兀透青霄；回眼觀，壑下深沉鄰碧落。
上高來，似梯似凳；下低行，如塹如坑。
真個是古怪巔峰嶺，果然是連尖削壁崖。
巔峰嶺上，採藥人尋思怕走；削壁崖前，打柴夫寸步難行。
胡羊野馬亂攛梭，狡兔山牛如布陣。
山高蔽日遮星斗，時逢妖獸與蒼狼。
草徑迷漫難進馬，怎得雷音見佛王？

長老勒馬觀山，正在難行之處，只見那綠莎坡上，佇立著一個樵夫。你道他怎生打扮：

頭戴一頂老藍氈笠，身穿一領毛皂◆衲衣◆。

老藍氈笠，遮煙蓋日果稀奇；毛皂衲衣，樂以忘憂真罕見。

手持鋼斧快磨明，刀伐乾柴收束緊。

檐頭春色，幽然四序融融；身外閒情，常是三星◆澹澹◆。

到老只於隨分過，有何榮辱暫關山？

那樵子：

正在坡前伐朽柴，忽逢長老自東來。

停柯住斧出林外，趨步將身上石崖。

◆**毛皂**—淺黑色。　**澹澹**—恬靜的樣子。

三星—星名。一說為參星，一說為心星。

衲衣—又作納衣、糞掃衣、弊衲衣、五衲衣、百衲衣。即以世人所棄之朽壞破碎衣片修補縫綴，所製成之法衣。

對長老厲聲高叫道：「那西進的長老！暫停片時，我有一言奉告：此山有一夥毒魔狠怪，專吃你東來西去◆的人哩。」

長老聞言，魂飛魄散，戰兢兢坐不穩雕鞍，急回頭，忙呼徒弟道：「你聽那樵夫報道：『此山有毒魔狠怪。』誰敢去細問他一問？」

行者道：「師父放心，等老孫去問他一個端的。」

好行者，拽開步，逕上山來，對樵子叫聲「大哥」，道個問訊。

樵夫答禮道：「長老啊，你們有甚緣故來此？」

行者道：「不瞞大哥說，我們是東土差來西天取經的。那馬上是我的師父，他有些膽小。適蒙見教，說有甚麼毒魔狠怪，故此我來奉問一聲：那魔是幾年之魔，怪是幾年之怪？還是個把勢◆，還是個雛兒◆？煩大哥老實說說，我好著山神、土地遞解◆他起身。」

樵子聞言，仰天大笑道：「你原來是個風和尚。」

行者道：「我不風啊，這是老實話。」

樵子道：「你說是老實，便怎敢說把他遞解起身？」

行者道：「你這等長他那威風，胡言亂語的攔路報信，莫不是與他有親？不親必鄰，不鄰必友。」

樵子笑道：「你這個風潑和尚，忒沒道理。我倒是好意，特來報與你們，教你們走路時，早晚間防備，你倒轉賴在我身上。且莫說我不曉得妖魔出處，就曉得啊，你敢把他怎麼的遞解？解往何處？」

行者道：「若是天魔，解與玉帝；若是土魔，解與土府◆。西方的歸佛，東方的歸聖；北方的解與真武◆，南方的解與火德◆。是蛟精解與海主，是鬼祟解與閻王。各有地頭方向。我老孫到處裡人熟，發一張批文，把他連

◆**東來西去**—形容川流不息。

把勢—專精一種技藝的人。這裡指行家。　**土府**—道家神話中的神職稱。

雛兒—閱歷經驗不豐的人。這裡指外行的人。　**火德**—司火之神。相傳為炎帝。

遞解—舊時將罪犯押解到遠地，由沿途官府遞相負責傳送，故稱為「遞解」。

真武—北方之神，道家奉為真武大帝。其像被髮、黑衣，仗劍、裸足、蹈龜蛇，隨從者執黑旗。每年三月初三為其神誕日。也稱為「玄武」。

夜解著飛跑。」

那樵子止不住呵呵冷笑道：「你這個風潑和尚，想是在方上雲遊，學了些書符咒水的法術，只可驅邪縛鬼，還不曾撞見這等狠毒的怪哩。」

行者道：「怎見他狠毒？」

樵子道：「此山徑過有六百里遠近，名喚平頂山。山中有一洞，名喚蓮花洞。洞裡有兩個魔頭，他畫影圖形，要捉和尚；抄名訪姓，要吃唐僧。你若別處來的還好，但犯了一個『唐』字兒，莫想去得，去得！」

行者道：「我們正是唐朝來的。」樵子道：「他正要吃你們哩。」

行者道：「造化！造化！但不知他怎的樣吃哩？」

樵子道：「你要他怎的吃？」

行者道：「若是先吃頭，還好耍子；若是先吃腳，就難為了。」

樵子道：「先吃頭怎麼說？先吃腳怎麼說？」

行者道：「你還不曾經著哩。若是先吃頭，一口將他咬下，我已死了，憑他怎麼煎炒熬煮，我也不知疼痛。若是先吃腳，他啃了孤拐◆，嚼了腿亭◆，吃到腰截骨◆，我還急忙不死，卻不是零零碎碎受苦？此所以難為也。」

樵子道：「和尚，他哪裡有這許多工夫，只是把你拿住，捆在籠裡，囫圇蒸吃了。」

行者笑道：「這個更好！更好！疼倒不忍疼，只是受些悶氣罷了。」

樵子道：「和尚不要調嘴◆。那妖怪隨身有五件寶貝，神通極大極廣。就是擎天的玉柱，架海的金梁，若保得唐朝和尚去，也須要發發昏◆是。」

行者道：「發幾個昏麼？」

樵子道：「要發三四個昏是。」

行者道：「不打緊，不打緊。我們一年，常發七八百個昏兒，這三四個昏兒易得發，發發兒就過去了。」

◆**孤拐**—指腳踝。**腿亭**—指腿部。**腰截骨**—指腰椎第一至五節的部分。**調嘴**—說長道短，搬弄是非。**發發昏**—神智不清楚或失去知覺。

好大聖，全然無懼，一心只是要保唐僧。

捽脫◆樵夫，拽步◆而轉，逕至山坡馬頭前道：「師父，沒甚大事。有便有個把◆妖精兒，只是這裡人膽小，放他在心上。有我哩，怕他怎的？走路！走路！」

長老見說，只得放懷◆隨行。正行處，早不見了那樵夫。

長老道：「那報信的樵子如何就不見了？」

八戒道：「我們造化低，撞見日裡鬼了。」

行者道：「想是他鑽進林子裡尋柴去了。等我看看來。」

好大聖，睜開火眼金睛，漫山越嶺的望處，卻無蹤跡。忽抬頭往雲端裡一看，看見是日值功曹◆，他就縱雲趕上，罵了幾聲：「毛鬼！」道：「你怎麼有話不來直說，卻那般變化了，演樣◆老孫？」

慌得那功曹施禮道：「大聖，報信來遲，勿罪，勿罪。那怪果然神通廣大，變化多端。只看你騰挪乖巧，運動神機，仔細保你師父；假若怠慢了些兒，西天路莫想去得。」

行者聞言，把功曹叱退，切切在心，按雲頭，逕來山上。只見長老與八戒、沙僧簇擁前進。

他卻暗想：「我若把功曹的言語實實告訴師父，師父他不濟事，必就哭了；假若不與他實說，夢◆著頭，帶著他走，常言道：『乍入蘆圩，不知深淺◆。』倘或被妖魔撈去，卻不又要老孫費心？且等我照顧八戒一照顧，先著他出頭與那怪打一仗看。若是打得過他，就算他一功；若是沒手段，被怪拿去，等老孫再去救他不遲，卻好顯我本事出名。」

正自家計較，以心問心道：「只恐八戒躲懶，便不肯出頭，師父又有些護短。等老孫羈勒◆他羈勒。」

好大聖，你看他弄個虛頭，把眼揉了一揉，揉出些淚來。迎著師父，往

◆**捽脫**—掙脫。 **拽步**—拖著腳步。 **個把**—一兩個，約略之詞。 **放懷**—寬心。
功曹—職官名。負責選署功勞工作。 **演樣**—欺瞞、戲弄。
夢—同矇。這裡作蒙、悶解釋。 **羈勒**—套在馬頭上的繩具。比喻束縛。
乍入蘆圩，不知深淺—比喻新到一個地方，對當地情形還不熟悉。圩音於，用來防水護田的堤岸。

前逕走。八戒看見，連忙叫：「沙和尚，歇下擔子，拿出行李來，我兩個分了罷！」

沙僧道：「二哥，分怎的？」

八戒道：「分了罷！你往流沙河還做妖怪，老豬往高老莊上盼盼渾家。把白馬賣了，買口棺木，與師父送老◆。大家散夥，還往西天去哩？」

長老在馬上聽見，道：「這個夯貨，正走路，怎麼又胡說了？」

八戒道：「你兒子便胡說！你不看見孫行者那裡哭將來了？他是個鑽天入地，斧砍火燒，下油鍋都不怕的好漢；如今戴了個愁帽◆，淚汪汪的哭來，必是那山險峻，妖怪凶狠。似我們這樣軟弱的人兒，怎麼去得？」

長老道：「你且休胡談，待我問他一聲，看是怎麼說話。」

問道：「悟空，有甚話當面計較，你怎麼自家煩惱？這般樣個哭包臉，是虎諕◆我也？」

行者道：「師父啊，剛才那個報信的是日值功曹，他說妖精凶狠，此處難行，果然的山高路峻，不能前進，改日再去罷。」

長老聞言，恐惶悚懼，扯住他虎皮裙子道：「徒弟呀，我們三停路已走了停半，因何說退悔之言？」

行者道：「我沒個不盡心的，但只恐魔多力弱，行勢孤單。『縱然是塊鐵，下爐能打得幾根釘？』」

長老道：「徒弟啊，你也說得是，果然一個人也難。兵書云：『寡不可敵眾。』我這裡還有八戒、沙僧，都是徒弟，憑你調度使用，或為護將幫手，協力同心，掃清山徑，領我過山，卻不都還了正果？」

那行者這一場扭捏◆，只逗出長老這幾句話來。他搵◆了淚道：「師父啊，若要過得此山，須是豬八戒依得我兩件事兒，才有三分去得；假若不依我言，替不得我手，半分兒也莫想過去。」

◆**送老**—送終，料理老人家的喪事。　**戴了個愁帽**—俗稱發愁為戴愁帽。　**虎唬**—恐嚇。
扭捏—原指行走時身體故意扭動，後來指言談舉止不爽快、不大方。
搵—擦拭、揩拭。搵音問。

八戒道：「師兄，不去就散夥罷。不要攀我。」

長老道：「徒弟，且問你師兄，看他教你做甚麼？」

呆子真個對行者說道：「哥哥，你教我做甚事？」

行者道：「第一件是看師父，第二件是去巡山。」

八戒道：「看師父是坐，巡山去是走。終不然教我坐一會又走，走一會又坐？兩處怎麼顧盼得來？」

行者道：「不是教你兩件齊幹，只是領了一件便罷。」

八戒又笑道：「這等也好計較。但不知看師父是怎樣，巡山是怎樣？你先與我講講，等我依個相應些兒的去幹罷。」

行者道：「看師父啊：師父去出恭，你伺候；師父要走路，你扶持；師父要吃齋，你化齋。若他餓了些兒，你該打；黃了些兒臉皮，你該打；瘦了些兒形骸，你該打。」

八戒慌了道：「這個難！難！難！伺候扶持，通不打緊；就是不離身馱著，也還容易；假若教我去鄉下化齋，他這西方路上，不識我是取經的和尚，只道是哪山裡走出來的一個半壯不壯的健豬，夥上許多人，叉鈀掃帚，把老豬圍倒，拿家去宰了，醃著過年，這個卻不就遭瘟◆了？」行者道：「巡山去罷。」八戒道：「巡山便怎麼樣兒？」行者道：「就入此山，打聽有多少妖怪，是甚麼山，是甚麼洞，我們好過去。」

八戒道：「這個小可◆，老豬去巡山罷。」那呆子就撒起衣裙，挺著釘鈀，雄糾糾，逕入深山；氣昂昂，奔上大路。

行者在旁，忍不住嘻嘻冷笑。長老罵道：「你這個潑猴！兄弟們全無愛憐之意，常懷嫉妒之心。你做出這樣獐智◆，巧言令色，撮弄◆他去甚麼巡山，卻又在這裡笑他。」

◆攀—牽連、牽扯。 遭瘟—遇上瘟疫神。指遭遇禍害、倒楣。 小可—平常、輕鬆。
獐智—聰明、靈變。 撮弄—教唆、唆使。

行者道：「不是笑他，我這笑中有味。你看豬八戒這一去，決不巡山，也不敢見妖怪，不知往哪裡去躲閃半會，揑出個謊來，哄我們也。」

長老道：「你怎麼就曉得他？」

行者道：「我估出他是這等，不信，等我跟他去看看，聽他一聽。一則幫副他手段降妖，二來看他可有個誠心拜佛。」

長老道：「好，好，好，你卻莫去捉弄他。」行者應諾了，徑直趕上山坡，搖身一變，變做個蟭蟟蟲◆兒。其實變得輕巧，但見他：

翅薄舞風不用力，腰尖細小如針。
穿蒲抹草過花陰，疾似流星還甚。
眼睛明映映，聲氣渺瘖瘖。
昆蟲之類惟他小，亭亭款款◆機深◆。
幾番閒日歇幽林，一身渾不見，千眼莫能尋。

嚶的一翅飛將去，趕上八戒，釘在他耳朵後面鬃根底下。那呆子只管走路，怎知道身上有人。

行有七八里路，把釘鈀撇下，掉轉頭來，望著唐僧，指手畫腳的罵道：「你罷軟的老和尚，捉掐◆的弼馬溫，面弱◆的沙和尚！他都在那裡自在，捉弄我老豬來蹡路！大家取經，都要望成正果，偏是教我來巡甚麼山！哈！哈！哈，曉得有妖怪，躲著些兒走，還不夠一半，卻教我去尋他，這等晦氣哩！我往那裡睡覺去，睡一覺回去，含含糊糊的答應他，只說是巡了山，就了其帳◆也。」

那呆子一時間僥倖，搴◆著鈀，又走。只見山凹裡一彎紅草坡，他一頭鑽得進去，使釘鈀撲個地鋪，轂轆的睡下，把腰伸了一伸，道聲：「快活！就是那弼馬溫，也不得像我這般自在！」

◆蟭蟟蟲——一種小蟲。蟭蟟音交聊。　亭亭款款——形容身材修長、緩步走動的樣子。
機深——心機深。　捉掐——促狹。缺德的意思。　面弱——臉皮嫩、臉皮薄。
了帳——完結、了結。　搴——扛舉。搴音千。

原來行者在他耳根後，句句兒聽著哩，忍不住飛將起來，又撮弄他一撮弄。又搖身一變，變做個啄木蟲兒。但見：

鐵嘴尖尖紅溜，翠翎豔豔光明。
一雙鋼爪利如釘，腹餒何妨林靜。
最愛枯槎朽爛，偏嫌老樹伶仃。
圜睛決尾性丟靈◆，辟剝之聲堪聽。

這蟲鷩◆不大不小的，上秤稱，只有二三兩重。紅銅嘴，黑鐵腳，刷剌的一翅飛下來。那八戒丟倒頭，正睡著哩，被他照嘴唇上扢揸的一下。那呆子慌得爬將起來，口裡亂嚷道：「有妖怪！有妖怪！把我戳了一槍去了，嘴上好不疼呀！」伸手摸摸，泱出血來了。他道：「蹭蹬◆啊，我又沒甚喜事，怎麼嘴上掛了紅耶？」他看著這血手，口裡絮絮叨叨的兩邊亂看，卻不見動靜。道：「無甚妖怪，怎麼戳我一槍麼？」忽抬頭往上看時，原來是個啄木蟲，在半空中飛哩。

呆子咬牙罵道：「這個亡人，弼馬溫欺負我罷了，你也來欺負我。我曉得了。他一定不認我是個人，只把我嘴當一段黑朽枯爛的樹，內中生了蟲，尋蟲兒吃的，將我啄了這一下也。等我把嘴揣在懷裡睡罷。」那呆子轂轆的依然睡倒。行者又飛來，著耳根後又啄了一下。

呆子慌得爬起來道：「這個亡人，卻打攪得我狠！想必這裡是他的窠巢，生蛋布雛，怕我占了，故此這般打攪。罷！罷！罷！不睡他了！」搴著鈀，逕出紅草坡，找路又走。可不喜壞了孫行者，笑倒個美猴王。

行者道：「這夯貨大睜著兩個眼，連自家人也認不得。」

好大聖，搖身又一變，還變做個蟭蟟蟲，釘在他耳朵後面，不離他身上。那呆子入深山，又行有四五里，只見山凹中有桌面大的四四方方三塊

◆**丟靈**──活溜、靈巧。　**蟲鷖**──指飛禽。鷖音衣。　**蹭蹬**──倒楣。蹭音層四聲。蹬音鄧。

青石頭。呆子放下鈀，對石頭唱個大喏。

行者暗笑道：「這呆子，石頭又不是人，又不會說話，又不會還禮，唱他喏怎的，可不是個瞎帳◆？」

原來那呆子把石頭當著唐僧、沙僧、行者三人，朝著他演習哩。他道：「我這回去，見了師父，若問有妖怪，就說有妖怪。他問甚麼山，我若說是泥捏的、土做的、錫打的、銅鑄的、麵蒸的、紙糊的、筆畫的，他們見說我呆哩，若講這話，一發說呆了。我只說是石頭山。他問甚麼洞，也只說是石頭洞。他問甚麼門，卻說是釘釘的鐵葉門。他問裡邊有多遠，只說入內有三層。十分再搜尋，問門上釘子多少，只說老豬心忙記不真。此間編造停當，哄那弼馬溫去。」那呆子捏合◆了，拖著鈀，逕回本路。

怎知行者在耳朵後，一一聽得明白。行者見他回來，即騰兩翅預先回去，現原身，見了師父。師父道：「悟空，你來了，悟能怎不見回？」

行者笑道：「他在那裡編謊哩，就待來也。」

長老道：「他兩個耳朵蓋著眼，愚拙之人也，他會編甚麼謊？又是你捏合甚麼鬼話賴他哩。」

行者道：「師父，你只是這等護短◈。這是有對問的話。」把他那鑽在草裡睡覺，被啄木蟲叮醒，朝石頭唱喏，編造甚麼石頭山、石頭洞、鐵葉門、有妖精的話，預先說了。

說畢，不多時，那呆子走將來。又怕忘了那謊，低著頭，口裡溫習。被行者喝了一聲道：「呆子，念甚麼哩？」

八戒掀起耳朵來看看道：「我到了地頭了？」那呆子上前跪倒。

長老攙起道：「徒弟，辛苦啊。」

八戒道：「正是。走路的人，爬山的人，第一辛苦了。」

長老道：「可有妖怪麼？」

◈**瞎帳**──渾帳、糊塗。 **捏合**──憑空編造。 **護短**──不顧是非，只是一味袒護自己人。

八戒道：「有妖怪，有妖怪，一堆妖怪哩！」

長老道：「怎麼打發你來？」

八戒說：「他叫我做豬祖宗、豬外公，安排些粉湯素食，教我吃了一頓，說道擺旗鼓送我們過山哩。」

行者道：「想是在草裡睡著了，說的是夢話。」

呆子聞言，就嚇得矮了二寸道：「爺爺呀！我睡他怎麼曉得？」

行者上前，一把揪住道：「你過來，等我問你。」

呆子又慌了，戰戰兢兢的道：「問便罷了，揪扯怎的？」

行者道：「是甚麼山？」八戒道：「是石頭山。」「甚麼洞？」

道：「是石頭洞。」「甚麼門？」

道：「是釘釘鐵葉門。」「裡邊有多遠？」道：「入內是三層。」

行者道：「你不消說了，後半截我記得真，恐師父不信，我替你說了罷。」

八戒道：「嘴臉！你又不曾去，你曉得哪些兒，要替我說？」

行者笑道：「『門上釘子有多少，只說老豬心忙記不真。』可是麼？」那呆子即慌忙跪倒。

行者道：「朝著石頭唱喏，當作我三人，對他一問一答，可是麼？又說：『等我編得謊兒停當，哄那弼馬溫去。』可是麼？」

那呆子連忙只是磕頭道：「師兄，我去巡山，你莫成跟我去聽的？」

行者罵道：「我把你個饢糠的夯貨！這般要緊的所在，教你去巡山，你卻去睡覺。不是啄木蟲叮你醒來，你還在那裡睡哩。及叮醒，又編這樣大謊，可不誤了大事？你快伸過孤拐來，打五棍記心。」

八戒慌了道：「那個哭喪棒重，擦一擦兒皮塌，挽一挽兒筋傷，若打五下，就是死了。」

行者道：「你怕打，卻怎麼扯謊？」

◈嘴臉—意指什麼態度。

八戒道：「哥哥呀，只是這一遭兒，以後再不敢了。」

行者道：「一遭便打三棍！」八戒道：「爺爺呀，半棍兒也禁不得！」

呆子沒計奈何，扯住師父道：「你替我說個方便兒。」

長老道：「悟空說你編謊，我還不信，今果如此，其實該打。但如今過山少人使喚，悟空，你且饒他，待過了山，再打罷。」

行者道：「古人云：『順父母言情，呼為大孝。』師父說不打，我就且饒你。你再去與他巡山，若再說謊誤事，我定一下也不饒你。」

那呆子只得爬起來又去。你看他奔上大路，疑心生暗鬼，步步只疑是行者變化了跟住他，故見一物，即疑是行者。

走有七八里，見一隻老虎從山坡上跑過，他也不怕，舉著釘鈀道：「師兄來聽說謊的？這遭不編了。」

又走處，那山風來得甚猛，呼的一聲，把棵枯木刮倒，滾至面前，他又跌腳搥胸的道：「哥啊，這是怎的起？一行說不敢編謊罷了，又變甚麼樹來打人？」

又走向前，只見一個白頸老鴉，當頭喳喳的連叫幾聲，他又道：「哥哥，不羞！不羞！我說不編就不編了，只管又變著老鴉怎的？你來聽麼？」原來這一番行者卻不曾跟他去，他那裡卻自驚自怪，亂疑亂猜，故無往而不疑是行者隨他身也。呆子驚疑且不題。

卻說那山叫做平頂山，那洞叫做蓮花洞。洞裡兩妖：一喚金角大王，一喚銀角大王。金角正坐，對銀角說：「兄弟，我們多少時不巡山了？」

銀角道：「有半個月了。」金角道：「兄弟，你今日與我去巡巡。」

銀角道：「今日巡山怎的？」

金角道：「你不知。近聞得東土唐朝差個御弟唐僧往西方拜佛，一行四眾，叫做孫行者、豬八戒、沙和尚，連馬五口。你看他在哪處，與我把他拿來。」

銀角道：「我們要吃人，哪裡不撈幾個。這和尚到得哪裡，讓他去罷。」

金角道：「你不曉得。我當年出天界，嘗聞得人言：唐僧乃金蟬長老臨凡，十世修行的好人，一點元陽未泄，有人吃他肉，延壽長生哩。」

銀角道：「若是吃了他肉就可以延壽長生，我們打甚麼坐，立甚麼功，煉甚麼龍與虎，配甚麼雌與雄？只該吃他去了。等我去拿他來。」

金角道：「兄弟，你有些性急，且莫忙著。你若走出門，不管好歹，但是和尚就拿將來，假如不是唐僧，卻也不當人子。我記得他的模樣，曾將他師徒畫了一個影，圖了一個形。你可拿去，但遇著和尚，以此照驗照驗。」又將某人是某名字，一一說了。銀角得了圖像，知道姓名，即出洞，點起三十名小怪，便來山上巡邏。

卻說八戒運拙◆，正行處，可可的撞見群魔，當面擋住道：「哪來的甚麼人？」呆子才抬起頭來，掀著耳朵，看見是些妖魔，他就慌了，心中暗道：「我若說是取經的和尚，他就撈了去；只是說走路的。」

小妖回報道：「大王，是走路的。」那三十名小怪，中間有認得的，有不認得的。

旁邊有聽著指點說話的道：「大王，這個和尚，像這圖中豬八戒模樣。」叫掛起影神圖來。

八戒看見，大驚道：「怪道這些時沒精神哩！原來是他把我的影神傳將來也。」小妖用槍挑著，銀角用手指道：「這騎白馬的是唐僧，這毛臉的是孫行者。」

八戒聽見道：「城隍，沒我便也罷了，豬頭三牲，清醮二十四分。」口裡嘮叨，只管許願。那怪又道：「這黑長的是沙和尚，這長嘴大耳的是豬八戒。」呆子聽見說他，慌得把個嘴揣在懷裡藏了。

那怪叫：「和尚，伸出嘴來。」

八戒道：「胎裡病◆，伸不出來。」那怪令小妖使鈎子鈎出來。八戒慌得把個嘴伸出道：「小家形罷了，這不是？你要看便就看，鈎怎的？」

◆運拙—運氣不佳。　胎裡病—先天殘疾。

那怪認得是八戒，掣出寶刀，上前就砍。這呆子舉釘鈀按住道：「我的兒，休無禮！看鈀！」那怪笑道：「這和尚是半路出家的。」八戒道：「好兒子，有些靈性。你怎麼就曉得老爺是半路出家的？」那怪道：「你會使這鈀，一定是在人家園圃中築地，把他這鈀偷將來也。」八戒道：「我的兒，你哪裡認得老爺這鈀，我不比那築地之鈀。這是：

巨齒鑄來如龍爪，滲金妝就似虎形。
若逢對敵寒風灑，但遇相持火燄生。
能替唐僧消障礙，西天路上捉妖精。
輪動煙霞遮日月，使起昏雲暗斗星。
築倒泰山老虎怕，掀翻大海老龍驚。
饒你這妖有手段，一鈀九個血窟窿。」

那怪聞言，哪裡肯讓。使七星劍，丟開解數◆，與八戒一往一來，在山中賭鬥有二十回合，不分勝負。八戒發起狠來，捨死的相迎。那怪見他捽耳朵，噴粘涎，舞釘鈀，口裡吆吆喝喝的，也盡有些悚懼，即回頭招呼小怪，一齊動手。

若是一個打一個，其實還好。他見那些小妖齊上，慌了手腳，遮架不住，敗了陣，回頭就跑。原來是道路不平，未曾細看，忽被蓏◈蘿藤絆了個踉蹌。掙起來正走，又被一個小妖睡倒在地，扳著他腳跟，撲地又跌了個狗吃屎。被一群趕上按住，抓鬃毛，揪耳朵，扯著腳，拉著尾，扛扛抬抬，擒進洞去。咦！正是：

一身魔發難消滅，萬種災生不易除。

畢竟不知豬八戒性命如何，且聽下回分解。

◈**解數**──武術的招數。　**蓏**──草本或蔓生植物所結的果實。蓏音裸。

第三三回

外道迷真性　元神助本心

卻說那怪將八戒拿進洞去，道：「哥哥啊，拿將一個來了。」

老魔喜道：「拿來我看。」

二魔道：「這不是？」

老魔道：「兄弟，錯拿了，這個和尚沒用。」

八戒就綽經◆說道：「大王，沒用的和尚，放他出去罷。不當人子◆！」

二魔道：「哥哥，不要放他。雖然沒用，也是唐僧一起的，叫做豬八戒。把他且浸在後邊淨水池中，浸退了毛衣，使鹽醃著，曬乾了，等天陰下酒。」

八戒聽言道：「蹭蹬啊！撞著個販

醃臢◈的妖怪了。」那小妖把八戒抬進去，拋在水裡不題。

卻說三藏坐在坡前，耳熱眼跳，身體不安，叫聲：「悟空，怎麼悟能這番巡山，去之久而不來？」

行者道：「師父還不曉得他的心哩。」三藏道：「他有甚心？」

行者道：「師父啊，此山若是有怪，他半步難行，一定虛張聲勢，跑將回來報我。想是無怪，路途平靜，他一直去了。」

三藏道：「假若真個去了，卻在哪裡相會？此間乃是山野空闊之處，比不得那店市城井之間。」

行者道：「師父莫慮，且請上馬。那呆子有些懶惰，斷然走的遲慢。你把馬打動些兒，我們定趕上他，一同去罷。」

◈綽經—趁此機會。　不當人子—蘇皖方言。人子，語助詞，無義。不當人子指罪過、不應該。
醃臢—將肉品以醬汁鹽液浸漬或塗抹調味料後以火燻烤，避免腐敗。

真個唐僧上馬，沙僧挑擔，行者前面引路上山。

卻說那老怪又喚二魔道：「兄弟，你既拿了八戒，斷乎就有唐僧，再去巡巡山來，切莫放過他去。」

二魔道：「就行，就行。」你看他急點起五十名小妖，上山巡邏。

正走處，只見祥雲縹緲，瑞氣盤旋。二魔道：「唐僧來了。」

眾妖道：「唐僧在哪裡？」

二魔道：「好人頭上祥雲照頂，惡人頭上黑氣沖天。那唐僧原是金蟬長老臨凡，十世修行的好人，所以有這祥雲縹緲。」眾怪都不看見。

二魔用手指道：「那不是？」

那三藏就在馬上打了一個寒噤；又一指，又打個寒噤。一連指了三指，他就一連打了三個寒噤。心神不寧道：「徒弟啊，我怎麼打寒噤麼？」

沙僧道：「打寒噤想是傷食◆病發了。」

行者道：「胡說，師父是走著這深山峻嶺，必然小心虛驚。莫怕，莫怕，等老孫把棒打一路與你壓壓驚。」

好行者，理開棒，在馬前丟幾個解數，上三下四，左五右六，盡按那六韜三略，使起神通。那長老在馬上觀之，真個是寰中少有，世上全無。剖開路一直前行，險些兒不諕倒那怪物。他在山頂上看見，魂飛魄喪，忽失聲道：「幾年間聞說孫行者，今日才知話不虛傳果是真。」

眾怪上前道：「大王，怎麼長他人之志氣，滅自己之威風？你誇誰哩？」

二魔道：「孫行者神通廣大，那唐僧吃他不成。」

眾怪道：「大王，你沒手段，等我們著幾個去報大大王，教點起本洞大小兵來，擺開陣勢，合力齊心，怕他走了哪裡去？」

二魔道：「你們不曾見他那條鐵棒，有萬夫不當之勇。我洞中不過有四五百兵，怎禁得他那一棒？」

◆**傷食**——中醫上指因暴飲暴食或吃生冷食物，所引起的急性消化不良病症。

眾妖道：「這等說，唐僧吃不成，卻不把豬八戒錯拿了？如今送還他罷。」二魔道：「拿便也不曾錯拿，送便也不好輕送。唐僧終是要吃，只是眼下還尚不能。」

眾妖道：「這般說，還過幾年麼？」

二魔道：「也不消幾年。我看見那唐僧只可善圖，不可惡取。若要倚勢拿他，聞也不得一聞。只可以善去感他，賺得他心與我心相合，卻就善中取計，可以圖之。」

眾妖道：「大王如定計拿他，可用我等？」

二魔道：「你們都各回本寨，但不許報與大王知道；若是驚動了他，必然走了風汛，敗了我計策。我自有個神通變化，可以拿他。」眾妖散去。

他獨跳下山來，在那道路之旁，搖身一變，變做個年老的道者。真個是怎生打扮？但見他：

星冠晃亮，鶴髮蓬鬆。羽衣圍繡帶，雲履綴黃棕。

神清目朗如仙客，體健身輕似壽翁。
說甚麼青牛道士◆，也強如素券先生◆。
妝成假像如真像，揑作虛情似實情。

他在那大路旁，裝做個跌折腿的道士，腳上血淋津◆，口裡哼哼的，只叫：「救人！救人！」卻說這三藏仗著孫大聖與沙僧，歡喜前來。正行處，只聽得叫：「師父救人！」

三藏聞得，道：「善哉！善哉！這曠野山中，四下裡更無村舍，是甚麼人叫？想必是虎豹狼蟲諕倒的。」

這長老兜回駿馬，叫道：「那有難者是甚人？可出來。」這怪從草科裡爬出，對長老馬前，乒乓的只情磕頭。三藏在馬上見他是個道者，卻又年紀高大，甚不過意。連忙下馬攙道：「請起，請起。」

◆青牛道士—漢方士封君達的別號。 素券先生—指和尚。 淋津—流滴的樣子。

那怪道：「疼！疼！疼！」丟了手看處，只見他腳上流血。

三藏驚問道：「先生啊，你從哪裡來？因甚傷了尊足？」

那怪巧語花言，虛情假意道：「師父啊，此山西去，有一座清幽觀宇，我是那觀裡的道士。」

三藏道：「你不在本觀中侍奉香火，演習經法，為何在此閒行？」

那魔道：「因前日山南裡施主家邀道眾禳星散福來晚，我師徒二人一路而行。行至深衢◆，忽遇著一隻斑斕猛虎，將我徒弟啣去。貧道戰兢兢的奔走，一跤跌在亂石坡上，傷了腿足，不知回路。今日大有天緣，得遇師父。萬望師父大發慈悲，救我一命。若得到觀中，就是典身賣命，一定重謝深恩。」

三藏聞言，認為真實，道：「先生啊，你我都是一命之人，我是僧，你是道，衣冠雖別，修行之理則同。我不救你啊，就不是出家之輩。救便救你，你卻走不得路哩。」

那怪道：「立也立不起來，怎生走路？」

三藏道：「也罷，也罷。我還走得路，將馬讓與你騎一程，到你上宮，還我馬去罷。」

那怪道：「師父，感蒙厚情，只是腿胯跌傷，不能騎馬。」

三藏道：「正是。」

叫沙和尚：「你把行李捎在我馬上，你馱他一程罷。」

沙僧道：「我馱他。」

那怪急回頭，抹◈了他一眼，道：「師父啊，我被那猛虎諕怕了，見這晦氣色臉的師父，愈加驚怕，不敢要他馱。」

三藏叫道：「悟空，你馱罷。」行者連聲答應道：「我馱！我馱！」

那妖就認定了行者，順順的要他馱，再不言語。沙僧笑道：「這個沒眼色的老道。我馱著不好，顛倒要他馱。他若看不見師父時，三尖石上，把筋都摜斷了你的哩！」

◈深衢——岔路處。　抹——這裡指盯、瞟。

行者聽了，口中笑道：「你這個潑魔，怎麼敢來惹我？你也問問老孫是幾年的人兒？你這般鬼話兒，只好瞞唐僧，又好來瞞我？我認得你是這山中的怪物，想是要吃我師父哩。我師父又非是等閒之輩，是你吃的？你要吃他，也須是分多一半與老孫是。」

那魔聞得行者口中念誦，道：「師父，我是好人家兒孫，做了道士。今日不幸，遇著虎狼之厄，我不是妖怪。」

行者道：「你既怕虎狼，怎麼不念北斗經？」

三藏正然上馬，聞得此言，罵道：「這個潑猴！『救人一命，勝造七級浮屠。』你馱他馱兒便罷了，且講甚麼『北斗經』、『南斗經』。」

行者聞言道：「這廝造化哩！我那師父是個慈悲好善之人，又有些外好裡枒槎◆。我待不馱你，他就怪我。馱便馱，須要與你講開：若是大小便，先和我說；若在脊梁上淋下來，臊氣不堪，且汙了我的衣服，沒人漿洗。」

那怪道：「我這般一把子年紀，豈不知你的話說？」

行者才拉將起來，背在身上，同長老、沙僧，奔大路西行。那山上高低不平之處，行者留心慢走，讓唐僧前去。

行不上三五里路，師父與沙僧下了山凹之中，行者卻望不見，心中埋怨道：「師父偌大年紀，再不曉得事體◈。這等遠路，就是空身子也還嫌手重，恨不得捽了，卻又教我馱著這個妖怪！莫說他是妖怪，就是好人，這們年紀，也死得著了。摜殺他罷，馱他怎的？」

這大聖正算計要摜，原來那怪就知道了，且會遣山。就使一個「移山倒海」的法術，就在行者背上捻訣，念動真言，把一座須彌山遣在空中，劈頭來壓行者。

這大聖慌得把頭偏一偏，壓在左肩背上，笑道：「我的兒，你使甚麼重

◈外好裡枒槎——形容人外面看去不錯，內裡卻很難纏。這裡有對外人好、對自己人苛刻之意。枒槎音牙查，紛錯歧出的樣子。

事體——事情的體統。

身法來壓老孫哩？這個倒也不怕，只是正擔好挑，偏擔兒難挨。」

那魔道：「一座山壓他不住。」卻又念咒語，把一座峨嵋山遣在空中來壓。行者又把頭偏一偏，壓在右肩背上。看他挑著兩座大山，飛星來趕師父。

那魔頭看見，就嚇得渾身是汗，遍體生津◆道：「他卻會擔山。」又整性情，把真言念動，將一座泰山遣在空中，劈頭壓住行者。那大聖力軟筋麻，遭逢他這泰山下頂之法，只壓得三尸神◆咋，七竅噴紅。

好妖魔，使神通壓倒行者，卻疾駕長風，去趕唐三藏，就於雲端裡伸下手來，馬上撾◆人。慌得個沙僧丟了行李，掣出降妖杖，當頭擋住。那妖魔舉一口七星劍，對面來迎。這一場好殺：

七星劍，降妖杖，萬映金光如閃亮。
這個圜眼凶如黑殺神，那個鐵臉真是捲簾將。
那怪山前大顯能，一心要捉唐三藏。

這個努力保真僧，一心寧死不肯放。
他兩個噴雲噯霧照天宮，播土揚塵遮斗象。
殺得那一輪紅日淡無光，大地乾坤昏蕩蕩。
來往相持八九回，不期戰敗沙和尚。

那魔十分凶猛，使口寶劍，流星的解數滾來，把個沙僧戰得軟弱難搪，回頭要走。早被他逼住寶杖，掄開大手，撾住沙僧，挾在左脅下；將右手去馬上拿了三藏，腳尖兒鉤著行李，張開口咬著馬鬃；使起攝法，把他們一陣風，都拿到蓮花洞裡，厲聲高叫道：「哥哥！這和尚都拿來了！」

老魔聞言，大喜道：「拿來我看。」二魔道：「這不是？」

老魔道：「賢弟呀，又錯拿來了也。」二魔道：「你說拿唐僧的。」

◆遍體生津—全身上下流汗。　三尸神—道家稱人體內的三種害蟲。　撾—抓住。撾音抓。

老魔道：「是便就是唐僧，只是還不曾拿住那有手段的孫行者。須是要拿住他，才好吃唐僧哩！若不曾拿得他，切莫動他的人。那猴王神通廣大，變化多般，我們若吃了他師父，他肯甘心？來那門前吵鬧，莫想能得安生。」

二魔笑道：「哥啊，你也忒會抬舉人。若依你誇奬他，天上少有，地下全無；自我觀之，也只如此，沒甚手段。」

老魔道：「你拿住了？」

二魔道：「他已被我遣三座大山壓在山下，寸步不能舉移。所以才把唐僧、沙和尚連馬、行李，都攝將來也。」

那老魔聞言，滿心歡喜道：「造化！造化！拿住這廝，唐僧才是我們口裡的食哩。」

叫小妖：「快安排酒來，且與你二大王奉一個得功的杯兒。」

二魔道：「哥哥，且不要吃酒，叫小的們把豬八戒撈上水來吊起。」

遂把八戒吊在東廊，沙僧吊在西邊，唐僧吊在中間，白馬送在槽上，行李收將進去。

老魔笑道：「賢弟好手段！兩次捉了三個和尚。但孫行者雖是有山壓住，也須要作個法，怎麼拿他來湊蒸，才好哩。」

二魔道：「兄長請坐。若要拿孫行者，不消我們動身，只教兩個小妖，拿兩件寶貝，把他裝將來罷。」

老魔道：「拿甚麼寶貝去？」

二魔道：「拿我的紫金紅葫蘆，你的羊脂玉淨瓶。」

老魔將寶貝取出道：「差哪兩個去？」

二魔道：「差精細鬼、伶俐蟲二人去。」

吩咐道：「你兩個拿著這寶貝，逕至高山絕頂，將底兒朝天，口兒朝地，叫一聲：『孫行者！』他若應了，就已裝在裡面，隨即貼上『太上老君急急如律令奉敕』的帖兒，他就一時三刻化為膿了。」二小妖叩頭，將寶貝領出去拿行者不題。

卻說那大聖被魔使法壓住在山根之下，遇苦思三藏，逢災念聖僧。厲聲叫道：「師父啊！想當時你到兩界山，揭了壓帖，老孫脫了大難，秉教沙門。感菩薩賜與法旨，我和你同住同修，同緣同相，同見同知。乍◆想到了此處，遭逢魔障，又被他遣山壓了。可憐！可憐！你死該當，只難為沙僧、八戒與那小龍化馬一場。這正是：樹大招風風撼樹，人為名高名喪人！」嘆罷，那珠淚如雨。

早驚了山神、土地與五方揭諦神眾，會金頭揭諦道：「這山是誰的？」土地道：「是我們的。」「你山下壓的是誰？」土地道：「不知是誰。」揭諦道：「你等原來不知。這壓的是五百年前大鬧天宮的齊天大聖孫悟空行者，如今皈依正果，跟唐僧做了徒弟。你怎麼把山借與妖魔壓他？你們是死了，他若有一日脫身出來，他肯饒你？就是從輕，土地也問個擺站◆，山神也問個充軍，我們也領個大不應是。」

那山神、土地才怕道：「委實不知，不知。只聽得那魔頭念起遣山咒法，我們就把山移將來了。誰曉得是孫大聖？」

揭諦道：「你且休怕。律上有云：『不知者，不坐。』我與你計較，放他出來，不要教他動手打你們。」

土地道：「就沒理了，既放出來又打？」

揭諦道：「你不知。他有一條如意金箍棒，十分利害：打著的就死，挽著的就傷；磕一磕兒筋斷，擦一擦兒皮塌哩！」

那土地、山神心中恐懼，與五方揭諦商議了，卻來到三山門外叫道：「大聖，山神、土地、五方揭諦來見。」

好行者，他虎瘦雄心還在，自然的氣象昂昂，聲音朗朗道：「見我怎的？」

土地道：「告大聖得知。遣開山，請大聖出來，赦小神不恭之罪。」

◆乍─怎、哪。　**擺站**─在驛站中當驛卒或苦差。是古代的一種刑罰。

行者道：「遣開山，不打你。」喝聲：「起去！」就如官府發放一般，那眾神念動真言咒語，把山仍遣歸本位，放起行者。

行者跳將起來，抖抖土，束束裙，耳後掣出棒來，叫山神、土地：「都伸過孤拐來，每人先打兩下，與老孫散散悶！」

眾神大驚道：「剛才大聖已吩咐，恕我等之罪，怎麼出來就變了言語要打？」行者道：「好土地，好山神，你倒不怕老孫，卻怕妖怪？」

土地道：「那魔神通廣大，法術高強，念動真言咒語，拘喚我等在他洞裡，一日一個輪流當值◆哩。」

行者聽見「當值」二字，卻也心驚。仰面朝天，高聲大叫道：「蒼天，蒼天！自那混沌初分，天開地闢，花果山生了我，我也曾遍訪明師，傳授長生祕訣。想我那隨風變化，伏虎降龍，大鬧天宮，名稱大聖，更不曾把山神、土地欺心使喚。今日這個妖魔無狀，怎敢把山神、土地喚為奴僕，替他輪流當值？天啊！既生老孫，怎麼又生此輩？」

那大聖正感嘆間，又見那山凹裡霞光焰焰而來。

行者道：「山神、土地，你既在這洞中當值，那放光的是甚物件？」

土地道：「那是妖魔的寶貝放光，想是有妖精拿寶貝來降你。」

行者道：「這個卻好耍子兒啊！我且問你，他這洞中有甚人與他相往？」

土地道：「他愛的是燒丹煉藥，喜的是全真道人。」

行者道：「怪道他變個老道士，把我師父騙去了。既這等，你都且記打，回去罷。等老孫自家拿他。」

那眾神俱騰空而散。這大聖搖身一變，變做個老真人。你道他怎生打扮：

頭挽雙髽髻◆，身穿百衲衣。手敲漁鼓簡◆，腰繫呂公絛。

斜倚大路下，專候小魔妖。頃刻妖來到，猴王暗放刁。

◆**當值**—值班。　**髽髻**—將頭髮梳攏盤結於頭頂所成的髻。髽音抓。

漁鼓簡—樂器名。截竹為筒，一端蒙以魚皮，以右手拍之，另以二竹片對敲以和之。為江湖唱道情者常用的伴奏樂器。

不多時，那兩個小妖到了。行者將金箍棒伸開，那妖不曾防備，絆著腳，撲地一跌。爬起來，才看見行者，口裡嚷道：「儂懶！儂懶！若不是我大王敬重你這行人，就和你比較起來。」

行者陪笑道：「比較甚麼？道人見道人，都是一家人。」

那怪道：「你怎麼睡在這裡，絆我一跌？」

行者道：「小道童見我這老道人，要跌一跌兒做見面錢。」

那妖道：「我大王見面錢只要幾兩銀子，你怎麼跌一跌兒做見面錢？你別是一鄉風，決不是我這裡道士。」

行者道：「我當真不是，我是蓬萊山來的。」

那妖道：「蓬萊山是海島神仙境界。」

行者道：「我不是神仙，誰是神仙？」

那妖卻回嗔作喜，上前道：「老神仙，老神仙！我等肉眼凡胎，不能識認，言語衝撞，莫怪！莫怪！」

行者道：「我不怪你。常言道：『仙體不踏凡地。』你怎知之？我今日到你山上，要度一個成仙了道的好人。哪個肯跟我去？」精細鬼道：「師父，我跟你去。」伶俐蟲道：「師父，我跟你去。」

行者明知故問道：「你二位從哪裡來的？」那怪道：「自蓮花洞來的。」「要往哪裡去？」那怪道：「奉我大王教命，拿孫行者去的。」行者道：「拿哪個？」那怪又道：「拿孫行者。」孫行者道：「可是跟唐僧取經的那個孫行者麼？」那妖道：「正是，正是。你也認得他？」行者道：「那猴子有些無禮。我認得他，我也有些惱他。我與你同拿他去，就當與你助功。」那怪道：「師父，不須你助功。我二大王有些法術，遣了三座大山，把他壓在山下，寸步難移，教我兩個拿寶貝來裝他的。」行者道：「是甚寶貝？」

精細鬼道：「我的是紅葫蘆，他的是玉淨瓶。」

行者道：「怎麼樣裝他？」

小妖道：「把這寶貝的底兒朝天，口兒朝地，叫他一聲，他若應了，就裝在裡面；貼上一張『太上老君急急如律令奉敕』的帖子，他就一時三刻，化為膿了。」

行者見說，心中暗驚道：「利害，利害！當時日值功曹報信，說有五件寶貝，這是兩件了。不知那三件又是甚麼東西？」

行者笑道：「二位，你把寶貝借我看看。」那小妖那知甚麼訣竅，就於袖中取出兩件寶貝，雙手遞與行者。

行者見了，心中暗喜道：「好東西！好東西！我若把尾子一抉，颼的跳起走了，只當是送老孫。」

忽又思道：「不好！不好！搶便搶去，只是壞了老孫的名頭。這叫做白日搶奪了。」

復遞與他去道：「你還不曾見我的寶貝哩。」

那怪道：「師父有甚寶貝？也借與我凡人看看壓災。」

好行者，伸下手，把尾上毫毛拔了一根，捻一捻，叫：「變！」即變做一個一尺七寸長的大紫金紅葫蘆，自腰裡拿將出來道：「你看我的葫蘆麼？」

那伶俐蟲接在手，看了道：「師父，你這葫蘆長大，有樣範◆，好看，卻只是不中用◆。」行者道：「怎的不中用？」

那怪道：「我這兩件寶貝，每一個可裝千人哩！」

行者道：「你這裝人的，何足稀罕？我這葫蘆，連天都裝在裡面哩！」

那怪道：「就可以裝天？」行者道：「當真的裝天。」

那怪道：「只怕是謊，就裝與我們看看才信；不然，決不信你。」

行者道：「天若惱著我，一月之間，常裝他七八遭，不惱著我，就半年也不裝他一次。」

◆樣範——樣式、模範。　不中用——不合用。

伶俐蟲道：「哥啊，裝天的寶貝，與他換了罷。」

精細鬼道：「他裝天的，怎肯與我裝人的相換？」

伶俐蟲道：「若不肯啊，貼他這個淨瓶也罷。」

行者心中暗喜道：「葫蘆換葫蘆，餘外貼淨瓶：一件換兩件，其實甚相應。」即上前扯住那伶俐蟲道：「裝天可換麼？」

那怪道：「但裝天就換，不換我是你的兒子。」

行者道：「也罷，也罷，我裝與你們看看。」

好大聖，低頭捻訣，念個咒語，叫那日遊神、夜遊神、五方揭諦神：「即去與我奏上玉帝，說老孫皈依正果，保唐僧去西天取經，路阻高山，師逢苦厄。妖魔那寶，吾欲誘他換之。萬千拜上，將天借與老孫裝閉半個時辰，以助成功，若道半聲不肯，即上靈霄殿，動起刀兵！」

那日遊神逕至南天門裡，靈霄殿下，啟奏玉帝，備言前事。

玉帝道：「這潑猴頭，出言無狀。前者觀音來說放了他，保護唐僧，朕這裡又差五方揭諦、四值功曹，輪流護持。如今又借天裝，天可裝乎？」才說裝不得，那班中閃出哪吒三太子，奏道：「萬歲，天也裝得。」玉帝道：「天怎樣裝？」哪吒道：「自混沌初分，以輕清為天，重濁為地。天是一團清氣而扶托瑤天宮闕，以理論之，其實難裝；但只孫行者保唐僧西去取經，誠所謂泰山之福緣，海深之善慶，今日當助他成功。」玉帝道：「卿有何助？」哪吒道：「請降旨意，往北天門問真武借皂雕旗，在南天門上一展，把那日月星辰閉了。對面不見人，捉白不見黑，哄那怪道，只說裝了天，以助行者成功。」玉帝聞言：「依卿所奏。」那太子奉旨，前來北天門，見真武，備言前事。那祖師隨將旗付太子。

早有遊神急降大聖耳邊道：「哪吒太子來助功了。」行者仰面觀之，只見祥雲繚繞，果是有神。卻回頭對小妖道：「裝天罷。」

小妖道：「要裝就裝，只管阿綿花屎◆怎的？」

行者道：「我方才運神念咒來。」那小妖都睜著眼，看他怎麼樣裝天。

這行者將一個假葫蘆兒拋將上去。你想，這是一根毫毛變的，能有多重？被那山頂上風吹去，飄飄蕩蕩，足有半個時辰，方才落下。只見那南天門上，哪吒太子把皂旗撥喇喇展開，把日月星辰俱遮閉了。真是乾坤墨染就，宇宙靛裝成。

二小妖大驚道：「才說話時，只好向午◆，卻怎麼就黃昏了？」

行者道：「天既裝了，不辨時候，怎不黃昏？」「如何又這等樣黑？」

行者道：「日月星辰都裝在裡面，外卻無光，怎麼不黑？」

小妖道：「師父，你在哪廂說話哩？」

行者道：「我在你面前不是？」

小妖伸手摸著道：「只見說話，更不見面目。師父，此間是甚麼去處？」

行者又哄他道：「不要動腳，此間乃是渤海岸上，若塌了腳，落下去啊，七八日還不得到底哩。」

小妖大驚道：「罷！罷！罷！放了天罷，我們曉得是這樣裝了。若弄一會子，落下海去，不得歸家。」

好行者，見他認了真實，又念咒語，驚動太子，把旗捲起，卻早見日光正午。

小妖笑道：「妙啊！妙啊！這樣好寶貝，若不換啊，誠為不是養家的兒子。」那精細鬼交了葫蘆，伶俐蟲拿出淨瓶，一齊兒遞與行者。行者卻將假葫蘆兒遞與小妖換了。既換了寶貝，卻又幹事找絕◆：臍下拔一根毫毛，吹口仙氣，變做一個銅錢。叫道：「小童，你拿這個錢去買張紙來。」

小妖道：「何用？」

行者道：「我與你寫個合同文書。你將這兩件裝人的寶貝換了我一件裝

◆阿綿花屎──阿同「屙」。指拖延、磨時間。　向午──接近中午。　找絕──乾淨俐落，聰明機智。

天的寶貝，恐人心不平，向後去日久年深，有甚反悔不便，故寫此各執為照。」

小妖道：「此間又無筆墨，寫甚文書？我與你賭個咒罷。」

行者道：「怎麼樣賭？」

小妖道：「我兩件裝人之寶，貼換你一件裝天之寶，若有反悔，一年四季遭瘟。」

行者笑道：「我是決不反悔；如有反悔，也照你四季遭瘟。」

說了誓，將身一縱，把尾子趫了一趫，跳在南天門前，謝了哪吒太子麾旗相助之功。太子回宮繳旨，將旗送還真武不題。這行者佇立霄漢之間，觀看那個小妖。

畢竟不知怎生區處，且聽下回分解。

第三四回

魔王巧算困心猿
大聖騰挪騙寶貝

卻說那兩個小妖將假葫蘆拿在手中，爭看一會，忽抬頭不見了行者。伶俐蟲道：「哥啊，神仙也會打誑語。他說換了寶貝，度我等成仙，怎麼不辭就去了？」

精細鬼道：「我們相應便宜的多哩，他敢去得成？拿過葫蘆來，等我裝裝天，也試演試演看。」真個把葫蘆往上一拋，撲地就落將下來。

慌得個伶俐蟲道：「怎麼不裝！不裝！莫是孫行者假變神仙，將假葫蘆換了我們的真的去耶？」

精細鬼道：「不要胡說，孫行者是那三座山壓住了，怎生得出？拿過來，等我念他那幾句咒兒裝了看。」

這怪也把葫蘆兒望空丟起，口中念道：「若有半聲不肯，就上靈霄殿上，動起刀兵。」

念不了，撲地又落將下來。兩妖道：「不裝！不裝！一定是個假的！」

正嚷處，孫大聖在半空裡聽得明白，看得真實，恐怕他弄得時辰多了，緊要處走了風汛，將身一抖，把那變葫蘆的毫毛收上身來，弄得那兩個妖四手皆空。

精細鬼道：「兄弟，拿葫蘆來。」

伶俐蟲道：「你拿著的。」「天呀！怎麼不見了？」都去地下亂摸，草裡胡尋，吞◆袖子，揣腰間，哪裡得有？

二妖嚇得呆呆掙掙道：「怎的好？怎的好？當時大王將寶貝付與我們，

◆吞—借作「褪」，使穿着的衣服部分地脱離身體。此指把手縮進袖管裡。

教拿孫行者。今行者既不曾拿得，連寶貝都不見了，我們怎敢去回話？這一頓直直的打死了也！怎的好！怎的好！」伶俐蟲道：「我們走了罷。」精細鬼道：「往那裡走麼？」伶俐蟲道：「不管哪裡走罷。若回去說沒寶貝，斷然是送命了。」精細鬼道：「不要走，還回去。二大王平日看你甚好，我推一句兒在你身上。他若肯將就，留得性命；說不過，就打死，還在此間。莫弄得兩頭不著。去來！去來！」那怪商議了，轉步回山。

行者在半空中見他回去，又搖身一變，變做蒼蠅兒，飛下去，跟著小妖。你道他既變了蒼蠅，那寶貝卻放在何處？如丟在路上，藏在草裡，被人看見拿去，卻不是勞而無功？他還帶在身上。帶在身上啊，蒼蠅不過豆粒大小，如何容得？

原來他那寶貝，與他金箍棒相同，叫做如意佛寶，隨身變化，可以大，可以小，故身上亦可容得。

他嘤的一聲飛下去，跟定那怪。不一時，到了洞裡。只見那兩個魔頭坐在那裡飲酒，小妖朝上跪下。行者就釘在那門櫃上，側耳聽著。

小妖道：「大王。」二老魔即停杯道：「你們來了？」

小妖道：「來了。」又問：「拿著孫行者否？」

小妖叩頭，不敢聲言。老魔又問，又不敢應，只是叩頭。問之再三，小妖俯伏在地：「赦小的萬千死罪！赦小的萬千死罪！我等執著寶貝，走到半山之中，忽遇著蓬萊山一個神仙。

「他問我們哪裡去，我們答道：『拿孫行者去。』那神仙聽見說孫行者，他也惱他，要與我們幫功。是我們不曾叫他幫功，卻將拿寶貝裝人的情由，與他說了。那神仙也有個葫蘆，善能裝天。我們也是妄想之心，養家之意：他的裝天，我的裝人，與他換了罷。原說葫蘆換葫蘆，伶俐蟲又貼他個淨瓶。誰想他仙家之物，近不得凡人之手。正試演處，就連人都不見

◆**直直的**——真正，確實。 **去來**——來，語尾助詞，無義。去來指去的意思。

了。萬望饒小的們死罪！」

老魔聽說，暴躁如雷道：「罷了！罷了！這就是孫行者假裝神仙騙哄去了！那猴頭神通廣大，處處人熟，不知那個毛神放他出來，騙去寶貝！」

二魔道：「兄長息怒。叵耐那猴頭著然無禮，既有手段，便走了也罷，怎麼又騙寶貝？我若沒本事拿他，永不在西方路上為怪！」

老魔道：「怎生拿他？」

二魔道：「我們有五件寶貝，去了兩件，還有三件，務要拿住他。」

老魔道：「還有哪三件？」

二魔道：「還有七星劍與芭蕉扇在我身邊，那一條幌金繩，在壓龍山壓龍洞老母親那裡收著哩。如今差兩個小妖去請母親來吃唐僧肉，就教她帶幌金繩來拿孫行者。」

老魔道：「差哪個去？」

二魔道：「不差這樣廢物去。」將精細鬼、伶俐蟲一聲喝起。

二人道：「造化！造化！打也不曾打，罵也不曾罵，卻就饒了。」

二魔道：「叫那常隨的伴當巴山虎、倚海龍來。」

二人跪下，二魔吩咐道：「你卻要小心。」

俱應道：「小心。」

「卻要仔細。」俱應道：「仔細。」又問道：「你認得老奶奶家麼？」

又俱應道：「認得。」「你既認得，你快早走動，到老奶奶處，多多拜上，說請吃唐僧肉哩；就著帶幌金繩來，要拿孫行者。」

二怪領命疾走。怎知那行者在旁，一一聽得明白。他展開翅，飛將去，趕上巴山虎，釘在他身上。行經二三里，就要打殺他兩個。又思道：「打死他，有何難事？但他奶奶身邊有那幌金繩，又不知住在何處，等我且問他一問再打。」好行者，嚶的一聲，躲離小妖，讓他先行有百十步。

◆叵耐——可惡、可恨。

卻又搖身一變，也變做個小妖兒，戴一頂狐皮帽子，將虎皮裙子倒插上來勒住，趕上道：「走路的，等我一等。」

那倚海龍回頭問道：「是哪裡來的？」

行者道：「好哥啊，連自家人也認不得？」小妖道：「我家沒有你。」

行者道：「怎麼沒我？你再認認我。」

小妖道：「面生，面生，不曾相會。」

行者道：「正是。你們不曾會著我，我是外班的。」

小妖道：「外班長官，是不曾會。你往哪裡去？」

行者道：「大王說差你二位請老奶奶來吃唐僧肉，教她就帶幌金繩來，拿孫行者。恐你二位走得緩，有些貪頑，誤了正事，又差我來催你們快去。」

小妖見說著海底眼◆，更不疑惑，把行者果認做一家人。急急忙忙，往前飛跑，一氣又跑有八九里。

行者道：「忒走快了些。我們離家有多少路了？」小怪道：「有十五六里了。」行者道：「還有多遠？」倚海龍用手指道：「烏林子裡就是。」行者抬頭見一帶黑林不遠，料得那老怪只在林子裡外。卻立定步，讓那小怪前走。即取出鐵棒，走上前，著腳後一刮。可憐忒不禁打，就把兩個小妖刮◆做一團肉餅。卻拖著腳，藏在路旁深草科裡。

即便拔下一根毫毛，吹口仙氣，叫：「變！」變做個巴山虎，自身卻變做個倚海龍。假裝做兩個小妖，逕往那壓龍洞請老奶奶。這叫做七十二變神通大，指物騰挪手段高。

三五步，跳到林子裡。正找尋處，只見有兩扇石門，半開半掩，不敢擅入。只得洋叫◆一聲：「開門！開門！」

◆海底眼——底細。　刮——削去。　洋叫——大聲喊叫。

早驚動那把門的一個女怪，將那半扇兒開了，道：「你是哪裡來的？」行者道：「我是平頂山蓮花洞裡差來請老奶奶的。」女怪道：「進去。」到了二層門下，閃著頭，往裡觀看，又見那正當中坐著一個老媽媽兒。你道她怎生模樣？但見：

雪鬢蓬鬆，星光晃亮。
臉皮紅潤皺紋多，牙齒稀疏神氣壯。
貌似花殘霜裡色，形如松老雨餘顏。
頭纏白練攢絲帕，耳墜黃金嵌寶環。

孫大聖見了，不敢進去，只在二門外仵◆著臉，脫脫的◆哭起來，你道他哭怎的，莫成是怕她？就怕也便不哭，況先哄了她的寶貝，又打死她的小妖，卻為何而哭？他當時曾下九鼎油鍋，就煠◆了七八日，也不曾有一點淚兒。

只為想起唐僧取經的苦惱，他就淚出痛腸，放眼便哭。心卻想道：「老孫既顯手段，變做小妖，來請這老怪，沒有個直直的站了說話之理，一定見她磕頭才是。

「我為人做了一場好漢，只拜了三個人：西天拜佛祖；南海拜觀音；兩界山師父救了我，我拜了他四拜。為他使碎六葉連肝肺，用盡三毛七孔心。一卷經能值幾何？今日卻教我去拜此怪。若不跪拜，必定走了風汛。苦啊！算來只為師父受困，故使我受辱於人。」

到此際也沒及奈何，撞將進去，朝上跪下道：「奶奶磕頭。」那怪道：「我兒，起來。」行者暗道：「好！好！好！叫得結實◆！」老怪問道：「你是哪裡來的？」行者道：「平頂山蓮花洞，蒙二位大王有令，差來請奶奶去吃唐僧肉，教

◆**件**—用手遮蓋住。　**脫脫的**—緩緩的。　**結實**—紮實。
煠—一種烹飪方法。將食物置入熱湯或熱油中，待沸即出。煠音炸。

帶幌金繩，要拿孫行者哩。」

老怪大喜道：「好孝順的兒子！」就去叫抬出轎來。

行者道：「我的兒啊，妖精也抬轎？」後壁廂即有兩個女怪抬出一頂香籐轎，放在門外，掛上青絹緯幔。老怪起身出洞，坐在轎裡。後有幾個小女妖捧著減妝◆，端著鏡架，提著手巾，托著香盒，跟隨左右。

那老怪道：「妳們來怎的？我往自家兒子去處，愁那裡沒人服侍，要妳們去獻勤塌嘴◆？都回去，關了門看家。」那幾個小妖果俱回去，只有兩個抬轎的。老怪問道：「那差來的叫做甚麼名字？」

行者連忙答應道：「他叫做巴山虎，我叫做倚海龍。」

老怪道：「你兩個前走，與我開路。」

行者暗想道：「可是晦氣，經倒不曾取得，且來替她做皂隸。」卻又不敢抵強，只得向前引路，大四聲喝起。

行了五六里遠近，他就坐在石崖上，等候那抬轎的到了，行者道：「略歇歇如何？壓得肩頭疼啊。」小怪那知甚麼訣竅，就把轎子歇下。

行者在轎後，胸脯上拔下一根毫毛，變做一個大燒餅，抱著啃。轎夫道：「長官，你吃的是甚麼？」

行者道：「不好說。這遠的路，來請奶奶，沒些兒賞賜，肚裡飢了，原帶來的乾糧，等我吃些兒再走。」

轎夫道：「把些兒我們吃吃。」

行者笑道：「來麼，都是一家人，怎麼計較？」

那小妖不知好歹，圍住行者，分其乾糧。被行者掣出棒，著頭一磨：一個搪著的，打得稀爛；一個擦著的，不死還哼。那老怪聽得人哼，轎子裡伸出頭來看時，被行者跳到轎前，劈頭一棍，打了個窟窿，腦漿迸流，鮮血直冒。拖出轎來看處，原是個九尾狐狸。

行者笑道：「造孽畜，叫甚麼老奶奶！妳叫老奶奶，就該稱老孫做上太

◆減妝——古代婦女裝梳頭化妝用具的匣子。 塌嘴——多嘴。

祖公公是！」

好猴王，把她那幌金繩搜出來，籠在袖裡，歡喜道：「那潑魔縱有手段，已此三件兒寶貝姓孫了！」

卻又拔兩根毫毛變做個巴山虎、倚海龍，又拔兩根變做兩個抬轎的；他卻變做老奶奶模樣，坐在轎裡。將轎子抬起，逕回本路。

不多時，到了蓮花洞口，那毫毛變的小妖俱在前道：「開門！開門！」內有把門的小妖開了門道：「巴山虎、倚海龍來了？」

毫毛道：「來了。」「你們請的奶奶呢？」

毫毛用手指道：「那轎內的不是？」

小妖道：「你且住，等我進去先報。」報道：「大王，奶奶來耶。」兩個魔頭聞說，即命排香案來接。

行者聽得，暗喜道：「造化，也輪到我為人了。我先變小妖，去請老怪，磕了他一個頭；這番來，我變老怪，是他母親，定行四拜之禮，雖不怎的，好道也賺他兩個頭兒！」

好大聖，下了轎子，抖抖衣服，把那四根毫毛收在身上。那把門的小妖把空轎抬入門裡。他卻隨後徐行，那般嬌嬌啻啻◆，扭扭捏捏，就像那老怪的行動，逕自進去。又只見大小群妖，都來跪接。鼓樂簫韶，一派響亮；博山爐裡，靄靄香煙。他到正廳中，南面坐下。兩個魔頭，雙膝跪倒，朝上叩頭，叫道：「母親，孩兒拜揖。」

行者道：「我兒起來。」

卻說豬八戒吊在梁上，哈哈的笑了一聲。沙僧道：「二哥，好啊，吊出笑來也。」八戒道：「兄弟，我笑中有故。」沙僧道：「甚故？」

◆嬌嬌啻啻——嬌嬌滴滴。啻音赤。

八戒道：「我們只怕是奶奶來了，就要蒸吃。原來不是奶奶，是舊話來了。」沙僧道：「甚麼舊話？」八戒笑道：「弼馬溫來了。」

沙僧道：「你怎麼認得是他？」

八戒道：「彎倒腰，叫『我兒起來』，那後面就掬起猴尾巴子。我比你吊得高，所以看得明也。」

沙僧道：「且不要言語，聽他說甚麼話。」八戒道：「正是，正是。」

那孫大聖坐在中間，問道：「我兒，請我來有何事幹？」

魔頭道：「母親啊，連日兒等少禮，不曾孝順得。今早愚兄弟拿得東土唐僧，不敢擅吃，請母親來獻獻生，好蒸與母親吃了延壽。」

行者道：「我兒，唐僧的肉，我倒不吃；聽見有個豬八戒的耳朵甚好，可割將下來，整治整治我下酒。」

那八戒聽見慌了道：「遭瘟的，你來為割我耳朵的，我喊出來不好聽啊！」

噫！只為呆子一句通情話，走了猴王變化的風。那裡有幾個巡山的小怪，把門的眾妖，都撞將進來，報道：「大王，禍事了！孫行者打殺奶奶，他裝來耶！」

魔頭聞此言，那容分說，掣七星寶劍，望行者劈面砍來。好大聖，將身一晃，只見滿洞紅光，預先走了。似這般手段，著實好耍子。正是那聚則成形，散則成氣。

諕得個老魔頭魂飛魄散，眾群精噬指◆搖頭。老魔道：「兄弟，把唐僧與沙僧、八戒、白馬、行李都送還那孫行者，閉了是非之門罷。」

二魔道：「哥哥，你說哪裡話？我不知費了多少辛勤，施這計策，將那和尚都攝將來。如今似你這等怕懼孫行者的詭譎，就俱送去還他，真所謂畏刀避劍之人，豈大丈夫之所為也？你且請坐勿懼。我聞你說孫行者神通廣大，我雖與他相會一場，卻不曾與他比試。取披掛來，等我尋他交戰三

◆噬指——咬手指頭。形容畏懼的神態。

合。假若他三戰勝我不過，唐僧還是我們之食；如三戰我不能勝他，那時再送唐僧與他未遲。」

老魔道：「賢弟說得是。」教取披掛。

眾妖抬出披掛，二魔結束齊整，執寶劍，出門外，叫聲：「孫行者，你往哪裡走了？」此時大聖已在雲端裡，聞得叫他名字，急回頭觀看，原來是那二魔。

你看他怎生打扮：

頭戴鳳盔欺臘雪，身披戰甲晃鑌鐵。
腰間帶是蟒龍筋，粉皮靴靿梅花褶。
顏如灌口活真君，貌比巨靈無二別。
七星寶劍手中擎，怒氣沖霄威烈烈。

二魔高叫道：「孫行者，快還我寶貝與我母親來，我饒你唐僧取經去！」

大聖忍不住罵道：「這潑怪物，錯認了你孫外公。趕早兒送還我師父、師弟、白馬、行囊，仍打發我些盤纏，往西走路；若牙縫裡道半個『不』字，就自家搓根繩兒去罷，也免得你外公動手！」

二魔聞言，急縱雲，跳在空中，掄寶劍來刺；行者掣鐵棒劈面相迎。他兩個在半空中，這場好殺：

棋逢對手，將遇良才。棋逢對手難藏興，將遇良才可用功。
那兩員神將相交，好便似南山虎鬥，北海龍爭。
龍爭處，鱗甲生輝；虎鬥時，爪牙亂落。
爪牙亂落撒銀鉤，鱗甲生輝支鐵葉。
這一個翻翻覆覆，有千般解數；那一個來來往往，無半點放閒。
金箍棒，離頂門只隔三分；七星劍，向心窩惟爭一蹴◆。
那個威風逼得斗牛寒，這個怒氣勝如雷電險。

◆蹴——伸開手指量物的長短。這裡形容距離很短。

他兩個戰了有三十回合，不分勝負。

行者暗喜道：「這潑怪倒也架得住老孫的鐵棒。我已得了他三件寶貝，卻這般苦苦的與他廝殺，可不誤了我的工夫？不若拿葫蘆或淨瓶裝他去，多少是好？」

又想道：「不好！不好！常言道：『物隨主便。』倘若我叫他不答應，卻又不誤了事業？且使幌金繩扣頭罷。」

好大聖，一隻手使棒，架住他的寶劍；一隻手把那繩執起，刷喇的扣了魔頭。

原來那魔頭有個緊繩咒，有個鬆繩咒。若扣住別人，就念緊繩咒，莫能得脫；若扣住自家人，就念鬆繩咒，不得傷身。

他認得是自家的寶貝，即念鬆繩咒，把繩鬆動，便脫出來，反望行者拋將去，卻早扣住了大聖。大聖正要使「瘦身法」，想要脫身，卻被那魔念動緊繩咒，緊緊扣住，怎能得脫？

褪至頸項之下，原是一個金圈子套住。那怪將繩一扯，扯將下來，照光頭上砍了七八寶劍。行者頭皮兒也不曾紅了一紅。

那魔道：「這猴子，你這等頭硬，我不砍你；且帶你回去，再打你。將我那兩件寶貝趁早還我！」

行者道：「我拿你甚麼寶貝，你問我要？」那魔頭將身上細細搜檢，卻將那葫蘆、淨瓶都搜出來。又把繩子牽著，帶至洞裡道：「兄長，拿將來了。」

老魔道：「拿了誰來？」二魔道：「孫行者。你來看！你來看！」

老魔一見，認得是行者，滿面喜笑道：「是他！是他！把他長長的繩兒拴在柱科◆上耍子。」真個把行者拴住，兩個魔頭卻進後面堂裡飲酒。

那大聖在柱根下爬蹉◆，忽驚動八戒。

◆柱科——屋柱。　爬蹉——來回爬動摩擦。

那呆子吊在梁上，哈哈的笑道：「哥哥啊，耳朵吃不成了！」

行者道：「呆子，可吊得自在麼？我如今就出去，管情救了你們。」

八戒道：「不羞！不羞！本身難脫，還想救人。罷！罷！罷！師徒們都在一處死了，好到陰司裡問路。」

行者道：「不要胡說！你看我出去。」八戒道：「我看你怎麼出去？」

那大聖口裡與八戒說話，眼裡卻抹著那兩個妖怪。見他在裡邊吃酒，有幾個小妖拿盤拿盞，執壺釃酒，不住的兩頭亂跑，關防的略鬆了些兒。他見面前無人，就弄神通：順出棒來，吹口仙氣，叫：「變！」即變做一個純鋼的銼兒；扳過那頸項的圈子，三五銼，銼做兩段。扳開銼口，脫將出來。拔了一根毫毛，叫變做一個假身，拴在那裡。真身卻晃一晃，變做個小妖，立在旁邊。

八戒又在梁上喊道：「不好了！不好了！拴的是假貨，吊的是正身！」

老魔停杯便問：「那豬八戒吆喝的是甚麼？」

行者已變做小妖，上前道：「豬八戒攛道◆孫行者教變化走了罷，他不肯走，在那裡吆喝哩。」

二魔道：「還說豬八戒老實，原來這等不老實！該打二十多嘴棍！」

這行者就去拿條棍來打。

八戒道：「你打輕些兒；若重了些兒，我又喊起，我認得你。」

行者道：「老孫變化，也只為你們，你怎麼倒走了風息◆？這一洞裡妖精，都認不得，怎的偏你認得？」

八戒道：「你雖變了頭臉，還不曾變得屁股，那屁股上兩塊紅不是？我因此認得是你。」行者隨往後面，演到廚中，鍋底上摸了一把，將兩臀擦黑，行至前邊。八戒看見，又笑道：「那個猴子去哪裡混了這一會，弄做個黑屁股來了。」

行者仍站在跟前，要偷他寶貝。真個甚有見識：走上廳，對那怪扯個腿

◆攛道──慫恿、調唆。　風息──風聲、消息。

子道：「大王，你看那孫行者拴在柱上，左右爬蹉，磨壞那根金繩，得一根粗壯些的繩子換將下來才好。」

老魔道：「說得是。」即將腰間的獅蠻帶解下，遞與行者。

行者接了帶，把假裝的行者拴住。換下那條繩子，一窩兒窩兒籠在袖內。又拔一根毫毛，吹口仙氣，變做一根假幌金繩，雙手送與那怪。那怪只因貪酒，哪曾細看，就便收下。這個是大聖騰挪弄本事，毫毛又換幌金繩。

得了這件寶貝，急轉身跳出門外，現了原身，高叫：「妖怪！」

那把門的小妖問道：「你是甚人，在此呼喝？」

行者道：「你快早進去報與你那潑魔，說者行孫來了。」

那小妖如言報告，老魔大驚道：「拿住孫行者，又怎麼有個者行孫？」

二魔道：「哥哥，怕他怎的？寶貝都在我手裡，等我拿那葫蘆出去，把他裝將來。」老魔道：「兄弟仔細。」

二魔拿了葫蘆，走出山門，忽看見與孫行者模樣一般，只是略矮些兒。

問道：「你是哪裡來的？」

行者道：「我是孫行者的兄弟，聞說你拿了我家兄，卻來與你尋事的。」

二魔道：「是我拿了，鎖在洞中。你今既來，必要索戰。我也不與你交兵，我且叫你一聲，你敢應我麼？」

行者道：「可怕你叫上千聲，我就答應你萬聲！」

那魔執了寶貝，跳在空中，把底兒朝天，口兒朝地，叫聲：「者行孫。」

行者卻不敢答應，心中暗想道：「若是應了，就裝進去哩。」

那魔道：「你怎麼不應我？」

行者道：「我有些耳閉◆，不曾聽見。你高叫。」

那怪物又叫聲：「者行孫。」

行者在底下掐著指頭算了一算，道：「我真名字叫做孫行者，起的鬼名字叫做者行孫。真名字可以裝得，鬼名字好道裝不得。」卻就忍不住應了

◆耳閉——因聽覺障礙而聽不到聲音。

他一聲。颼的被他吸進葫蘆去，貼上帖兒。原來那寶貝，哪管甚麼名字真假，但綽個應的氣兒，就裝了去也。

大聖到他葫蘆裡，渾然烏黑。把頭往上一頂，哪裡頂得動，且是塞得甚緊，卻才心中焦躁道：「當時我在山上遇著那兩個小妖，他曾告訴我說：不拘葫蘆、淨瓶，把人裝在裡面，只消一時三刻，就化為膿了，敢莫化了我麼？」

一條心又想著道：「沒事，化不得我！我老孫五百年前大鬧天宮，被太上老君放在八卦爐中煉了四十九日，煉成個金子心肝，銀子肺腑，銅頭鐵背，火眼金睛，哪裡一時三刻就化得我？且跟他進去，看他怎的。」

二魔拿入裡面道：「哥哥，拿來了。」老魔道：「拿了誰？」

二魔道：「者行孫是我裝在葫蘆裡也。」

老魔歡喜道：「賢弟，請坐。不要動，只等搖得響再揭帖兒。」

行者聽得道：「我這般一個身子，怎麼便搖得響？只除化成稀汁，才搖得響是。等我撒泡溺罷，他若搖得響時，一定揭帖起蓋，我乘空走他娘罷。」又思道：「不好！不好！溺雖可響，只是汙了這直裰。等他搖時，我但聚些唾津漱口，稀漓呼喇◈的，哄他揭開，老孫再走罷。」

大聖作了準備，那怪貪酒不搖。大聖作個法，意思只是哄他來搖，忽然叫道：「天呀！孤拐都化了。」那魔也不搖。

大聖又叫道：「娘啊！連腰截骨都化了！」

老魔道：「化至腰時，都化盡矣，揭起帖兒看看。」

那大聖聞言，就拔了一根毫毛，叫：「變！」變做個半截的身子，在葫蘆底上。真身卻變做個蟭蟟蟲兒，釘在那葫蘆口邊。

只見那二魔揭起帖子看時，大聖早已飛出。打個滾，又變做個倚海龍。

◈稀漓呼喇——象聲詞。液體在容器內的振盪聲。

倚海龍卻是原去請老奶奶的那個小妖，他變了，站在旁邊。

那老魔扳著葫蘆口張了一張，見是個半截身子動耽，他也不認真假，慌忙叫：「兄弟，蓋上！蓋上！還不曾化得了哩。」二魔依舊貼上。

大聖在旁暗笑道：「不知老孫已在此矣！」

那老魔拿了壺，滿滿的斟了一杯酒，近前雙手遞與二魔道：「賢弟，我與你遞個鍾兒。」

二魔道：「兄長，我們已吃了這半會酒，又遞甚鍾？」

老魔道：「你拿住唐僧、八戒、沙僧猶可，又索了孫行者，裝了者行孫，如此功勞，該與你多遞幾鍾。」

二魔見哥哥恭敬，怎敢不接，但一隻手托著葫蘆，一隻手不敢去接，卻把葫蘆遞與倚海龍，雙手去接杯。不知那倚海龍是孫行者變的。你看他端葫蘆，殷勤奉侍。二魔接酒吃了，也要回奉一杯。

老魔道：「不消回酒，我這裡陪你一杯罷。」兩人只管謙遜。

行者頂著葫蘆，眼不轉睛，看他兩個左右傳杯，全無計較，他就把個葫蘆揌◆入衣袖。拔根毫毛，變個假葫蘆，一樣無二，捧在手中。那魔遞了一會酒，也不看真假，一把接過寶貝。各上席，安然坐下，依然飲酒。孫大聖撤身走過，得了寶貝，心中暗喜道：「饒這魔頭有手段，畢竟葫蘆還姓孫！」

畢竟不知向後怎樣施為，方得救師滅怪，且聽下回分解。

◆揌—同「塞」。

第三五回

外道施威欺正性　心猿獲寶伏邪魔

本性圓明道自通，翻身跳出網羅中。
修成變化非容易，煉就長生豈俗同？
清濁幾番隨運轉，闢開數劫任西東。
逍遙萬億年無計，一點神光永注空。

此詩暗合孫大聖的道妙。他自得了那魔真寶，籠在袖中，喜道：「潑魔苦苦用心拿我，誠所謂水中撈月；老孫若要擒你，就好似火上弄冰。」

藏著葫蘆，密密的溜出門外，現了本相，厲聲高叫道：「精怪開門！」旁有小妖道：「你又是甚人，敢來吆喝？」

行者道：「快報與你那老潑魔，吾乃行者孫來也。」

那小妖急入裡報道：「大王，門外有個甚麼行者孫來了。」老魔大驚道：「賢弟，不好了，惹動他一窩風◈了。幌金繩現拴著孫行者，葫蘆裡現裝著者行孫，怎麼又有個甚麼行者孫？想是他幾個兄弟都來了。」

二魔道：「兄長放心。我這葫蘆裝下一千人哩。我才裝了者行孫一個，又怕那甚麼行者孫？等我出去看看，一發裝來。」

老魔道：「兄弟仔細。」

你看那二魔拿著個假葫蘆，還像前番，雄糾糾，氣昂昂，走出門高呼道：「你是哪裡人氏，敢在此間吆喝？」

◈一窩風──形容人眾聲雜，一擁而進。也作「一窩蜂」。

行者道：「你認不得我：

家居花果山，祖貫水簾洞。只為鬧天宮，多時罷爭競。
如今幸脫災，棄道從僧用。秉教上雷音，求經歸覺正。
相逢野潑魔，卻把神通弄。還我大唐僧，上西參佛聖。
兩家罷戰爭，各守平安境。休惹老孫焦，傷殘老性命。」

那魔道：「你且過來，我不與你相打，但我叫你一聲，你敢應麼？」行者笑道：「你叫我，我就應了；我若叫你，你可應麼？」那魔道：「我叫你，是我有個寶貝葫蘆，可以裝人；你叫我，卻有何物？」行者道：「我也有個葫蘆兒。」那魔道：「既有，拿出來我看。」行者就於袖中取出葫蘆道：「潑魔，你看。」晃一晃，復藏在袖中，恐他來搶。

那魔見了，大驚道：「他葫蘆是哪裡來的？怎麼就與我的一般？縱是一根藤上結的，也有個大小不同，偏正不一，卻怎麼一般無二？」他便正色叫道：「行者孫，你那葫蘆是哪裡來的？」行者委的不知來歷，接過口來，就問他一句道：「你那葫蘆是哪裡來的？」

那魔不知是個見識，只道是句老實言語，就將根本從頭說出道：「我這葫蘆是混沌初分，天開地闢，有一位太上老祖，解化女媧之名，煉石補天，普救閻浮世界◆。補到乾宮缺地，見一座崑崙山腳下，有一縷仙藤，上結著這個紫金紅葫蘆，卻便是老君留下到如今。」

大聖聞言，就綽了他口氣道：「我的葫蘆，也是那裡來的。」

魔頭道：「怎見得？」

大聖道：「自清濁初開，天不滿西北，地不滿東南，太上道祖解化女媧，補完天缺，行至崑崙山下，有根仙藤，藤結有兩個葫蘆。我得一個是雄的，

◆閻浮世界──泛指人間世界。

你那個卻是雌的。」

那怪道：「莫說雌雄，但只裝得人的，就是好寶貝。」

大聖道：「你也說得是，我就讓你先裝。」

那怪甚喜，急縱身跳將起去，到空中，執著葫蘆，叫一聲：「行者孫。」大聖聽得，卻就不歇氣◆，連應了八九聲，只是不能裝去。那魔墜將下來，跌腳搥胸道：「天哪！只說世情不改變哩！這樣個寶貝，也怕老公，雌見了雄，就不敢裝了！」

行者笑道：「你且收起，輪到老孫該叫你哩。」急縱觔斗，跳起去，將葫蘆底兒朝天，口兒朝地，照定妖魔，叫聲：「銀角大王。」

那怪不敢閉口，只得應了一聲。倏的◆裝在裡面，被行者貼上「太上老君急急如律令奉敕」的帖子。

心中暗喜道：「我的兒，你今日也來試試新了。」

他就按落雲頭，拿著葫蘆，心心念念，只是要救師父，又往蓮花洞口而來。那山上都是些窪踏不平之路，況他又是個圈盤腿◆，拐呀拐的走著，搖得那葫蘆裡漷漷索索，響聲不絕。你道他怎麼便有響聲？原來孫大聖是熬煉過的身體，急切化他不得；那怪雖也能騰雲駕霧，不過是些法術，大端是凡胎未脫，到於寶貝裡就化了。

行者還不當他就化了，笑道：「我兒子啊，不知是撒尿耶，不知是漱口哩？這是老孫幹過的買賣。不等到七八日，化成稀汁，我也不揭蓋來看。忙怎的？有甚要緊？想著我出來的容易，就該千年不看才好。」

他拿著葫蘆，說著話，不覺的到了洞口，把那葫蘆搖搖，一發響了。他道：「這個像發課◆的筒子響，倒好發課。等老孫發一課，看師父甚麼時才得出門。」

◆**歇氣**—稍事休息。　**倏的**—極快地，忽然。
圈盤腿—即羅圈腿。向外彎曲的畸形腿。　**發課**—卜卦、占算。

你看他手裡不住的搖，口裡不住的念道：「周易文王、孔子聖人、桃花女先生、鬼谷子先生。」

那洞裡小妖看見道：「大王，禍事了，行者孫把二大王爺爺裝在葫蘆裡發課哩。」

那老魔聞得此言，諕得魂飛魄散，骨軟筋麻，撲地跌倒在地，放聲大哭道：「賢弟呀！我和你私離上界，轉托塵凡，指望同享榮華，永為山洞之主。怎知為這和尚，傷了你的性命，斷吾手足之情。」滿洞群妖，一齊痛哭。

豬八戒吊在梁上，聽得他一家子齊哭，忍不住叫道：「妖精，你且莫哭，等老豬講與你聽。先來的孫行者，次來的者行孫，後來的行者孫，返復三字，都是我師兄一人。他有七十二變化，騰挪進來，盜了寶貝，裝了令弟。令弟已是死了，不必這等扛喪。快些兒刷淨鍋灶，辦些香蕈、蘑菇、茶芽、竹筍、豆腐、麵筋、木耳、蔬菜，請我師徒們下來，與你令弟念卷《受生經》。」

那老魔聞言，心中大怒道：「只說豬八戒老實，原來甚不老實！他倒作笑話兒打覷我。」叫：「小妖，且休舉哀，把豬八戒解下來，蒸得稀爛，等我吃飽了，再去拿孫行者報仇。」

沙僧埋怨八戒道：「好麼，我說教你莫多話，多話的要先蒸吃哩。」那呆子也盡有幾分悚懼。

旁有一小妖道：「大王，豬八戒不好蒸。」

八戒道：「阿彌陀佛！是哪位哥哥積陰德的？果是不好蒸。」

又有一個妖道：「將他皮剝了，就好蒸。」

八戒慌了道：「好蒸！好蒸！皮骨雖然粗糙，湯滾就爛，㯐戶！㯐戶！」

◆**桃花女先生**—民間傳說，殷朝周公因替人算命，每次都被桃花女破解，後來兩人鬥法，周公給他兒子娶了桃花女。這故事叫做「桃花女破法嫁周公」。

扛喪—辦理喪事。 **打覷**—取笑、開玩笑。 **舉哀**—辦理喪事。

㯐戶—指在圈裡餵養的。較之野外放養的，皮肉嫩一些，故說「湯滾就爛」。㯐音倦。

正嚷處，只見前門外一個小妖報道：「行者孫又罵上門來了！」那老魔又大驚道：「這廝輕我無人！」叫：「小的們，且把豬八戒照舊吊起，查一查還有幾件寶貝。」管家的小妖道：「洞中還有三件寶貝哩。」老魔問：「是哪三件？」管家的道：「還有七星劍、芭蕉扇與淨瓶。」老魔道：「那瓶子不中用：原是叫人，人應了就裝得，轉把個口訣兒教了那孫行者，倒把自家兄弟裝去了。不用他，放在家裡。快將劍與扇子拿來。」那管家的即將兩件寶貝獻與老魔。

老魔將芭蕉扇插在後項衣領，把七星劍提在手中，又點起大小群妖有三百多名，都教一個個拈槍弄棒，理索掄刀。這老魔卻頂盔貫甲，罩一領赤焰焰的絲袍。群妖擺出陣去，要拿孫大聖。

那孫大聖早已知二魔化在葫蘆裡面，卻將他緊緊拴扣停當，撒在腰間，手持著金箍棒，準備廝殺。只見那老妖紅旗招展，跳出門來。卻怎生打扮：

頭上盔纓光焰焰，腰間帶束彩霞鮮。
身穿鎧甲龍鱗砌，上罩紅袍烈火燃。
圓眼睜開光掣電，鋼鬚飄起亂飛煙。
七星寶劍輕提手，芭蕉扇子半遮肩。
行似流雲離海岳，聲如霹靂震山川。
威風凜凜欺天將，怒率群妖出洞前。

那老魔急令小妖擺開陣勢，罵道：「你這猴子，十分無禮！害我兄弟，傷我手足，著然可恨！」

行者罵道：「你這討死的怪物！你一個妖精的性命捨不得，似我師父、師弟、連馬四個生靈，平白的吊在洞裡，我心何忍？情理何甘？快快的送將出來還我，多多貼些盤費，喜喜歡歡打發老孫起身，還饒了你這個老妖的狗命！」那怪哪容分說，舉寶劍劈頭就砍；這大聖使鐵棒舉手相迎。這一場在洞門外好殺。咦！

金箍棒與七星劍，對撞霞光如閃電。
悠悠冷氣逼人寒，蕩蕩昏雲遮嶺堰。
那個皆因手足情，些兒不放善；這個只為取經僧，毫釐不容緩。
兩家各恨一般仇，二處每懷生怒怨。
只殺得天昏地暗鬼神驚，日淡煙濃龍虎戰。
這個咬牙剉玉釘，那個怒目飛金焰。
一來一往逞英雄，不住翻騰棒與劍。

這老魔與大聖戰經二十回合，不分勝負。他把那劍梢一指，叫聲：「小妖齊來！」那三百餘精一齊擁上，把行者圍在垓心。好大聖，公然無懼，使一條棒，左衝右撞，後抵前遮。那小妖都有手段，越打越上，一似綿絮纏身，摟腰扯腿，莫肯退後。大聖慌了，即使個身外身法，將左脅下毫毛拔了一把，嚼碎噴去，喝聲叫：「變！」一根根都變做行者。

你看他長的使棒，短的掄拳，再小的沒處下手，抱著孤拐啃筋，把那小妖都打得星落雲散，齊聲喊道：「大王啊，事不諧矣，難矣乎哉！滿地盈山，皆是孫行者了！」被這身外法把群妖打退，只撇得老魔圍困中間，趕得東奔西走，出路無門。

那魔慌了，將左手擎著寶劍，右手伸於項後，取出芭蕉扇子，望東南丙丁火，正對離宮，唿喇的一扇子搧將下來只見那就地上，火光焰焰。原來這般寶貝，平白地搧出火來。那怪物著實無情，一連搧了七八扇子，熯天熾地◆，烈火飛騰。好火：

那火不是天上火，不是爐中火，也不是山頭火，

◆**盤費**—旅費。　**垓心**—圍困戰場之中。
熯天熾地—把天和地都烘燙了。形容火勢凶猛，熱氣逼人。熯因汗。

也不是灶底火，乃是五行中自然取出的一點靈光火。
這扇也不是凡間常有之物，也不是人工造就之物，
乃是自開闢混沌以來產成的真寶之物。
用此扇，搧此火，煌煌燁燁，就如電掣紅綃；
灼灼輝輝，卻似霞飛絳綺。
更無一縷青煙，盡是滿山赤焰。
只燒得嶺上松翻成火樹，崖前柏變做燈籠。
那窩中走獸貪性命，西撞東奔；
這林內飛禽惜羽毛，高飛遠舉。
這場神火飄空燎，只燒得石爛溪乾遍地紅。

大聖見此惡火，卻也心驚膽戰，道聲：「不好了，我本身可處，毫毛不濟，一落這火中，豈不真如燎毛之易？」將身一抖，遂將毫毛收上身來。只將一根變做假身子，避火逃災。他的真身，捻著避火訣，縱觔斗，跳

將起去，脫離了大火之中，逕奔他蓮花洞裡，想著要救師父。急到門前，把雲頭按落，又見那洞門外有百十個小妖，都破頭折腳，肉綻皮開。原來都是他分身法打傷了的，都在這裡聲聲喚喚，忍疼而立。

大聖見了，按不住惡性凶頑，掄起鐵棒，一路打將進去。可憐把那苦煉人身的功果◆息，依然是塊舊皮毛。

那大聖打絕了小妖，撞入洞裡，要解師父。又見那內面有火光焰焰，諕得他手慌腳忙道：「罷了！罷了！這火從後門口燒起來，老孫卻難救師父也！」正悚懼處，仔細看時，呀！原來不是火光，卻是一道金光。他正了性，往裡視之，乃羊脂玉淨瓶放光，卻自心中歡喜道：「好寶貝耶！這瓶子曾是那小妖拿在山上放光，老孫得了，不想那怪又復搜去。今

◆功果——以前為善為惡，致今日遭到好壞結果的報應。

日藏在這裡，原來也放光。」

你看他竊了這瓶子，喜喜歡歡，且不救師父，急抽身往洞外而走。才出門，只見那妖魔提著寶劍，拿著扇子，從南而來。孫大聖迴避不及，被那老魔舉劍劈頭就砍。大聖急縱觔斗雲跳將起去，無影無蹤的逃了不題。

卻說那怪到得門口，但見屍橫滿地，就是他手下的群精。慌得仰天長嘆，止不住放聲大哭道：「苦哉！痛哉！」有詩為證。詩曰：

可恨猿乖馬劣頑，靈胎轉托降塵凡。
只因錯念離天闕，致使忘形落此山。
鴻雁失群情切切，妖兵絕族淚潺潺。
何時孽滿開愆鎖，返本還原上御關？

那老魔慚惶不已，一步一聲，哭入洞內。只見那什物家火俱在，只落得靜悄悄，沒個人形；悲切切，愈加悽慘。獨自個坐在洞中，塌伏在那石案之上，將寶劍斜倚案邊，把扇子插於肩後，昏昏默默睡著了，這正是：

人逢喜事精神爽，悶上心來瞌睡多。

話說孫大聖撥轉觔斗雲，佇立山前，想著要救師父，把那淨瓶兒牢扣腰間，逕來洞口打探。見那門開兩扇，靜悄悄的不聞消耗◆。隨即輕輕移步，潛入裡邊。只見那魔斜倚石案，呼呼睡著。芭蕉扇褪出肩衣，半蓋著腦後，七星劍還斜倚案邊。卻被他輕輕的走上前拔了扇子，急回頭，呼的一聲，跑將出去。原來這扇柄兒刮著那怪的頭髮，早驚醒他。抬頭看時，是孫行者偷了，急慌忙執劍來趕。那大聖早已跳出門前，將扇子撒在腰間，雙手掄開鐵棒，與那魔抵敵。這一場好殺：

惱壞潑妖王，怒髮沖冠志。恨不過撾來囫圇吞，難解心頭氣。

◆愆鎖──罪鎖。愆音千，過失、罪過。　消耗──音信。

惡口罵猢猻：「你老大將人戲，傷我若干生，還來偷寶貝。這場決不容，定見存亡計。」

大聖喝妖魔：「你好不知趣，徒弟要與老孫爭，累卵焉能擊石碎？」寶劍來，鐵棒去，兩家更不留仁義。一翻二覆賭輸贏，三轉四回施武藝。蓋為取經僧，靈山參佛位。致令金火不相投，五行撥亂傷和氣；揚威耀武顯神通，走石飛沙弄本事。交鋒漸漸日將晡，魔頭力怯先迴避。

那老魔與大聖戰經三、四十合，天將晚矣，抵敵不住，敗下陣來；逕往西南上，投奔壓龍洞去不題。

這大聖才按落雲頭，闖入蓮花洞裡，解下唐僧與八戒、沙和尚來。他三人脫得災危，謝了行者，卻問：「妖魔哪裡去了？」

行者道：「二魔已裝在葫蘆裡，想是這會子已化了。大魔才然一陣戰敗，往西南壓龍山去訖。概洞小妖，被老孫分身法打死一半；還有些敗殘回的，又被老孫殺絕。方才得入此處，解放你們。」

唐僧謝之不盡道：「徒弟啊，多虧你受了勞苦。」

行者笑道：「誠然勞苦。你們還只是吊著受疼，我老孫再不曾住腳，比急遞鋪◆的鋪兵還甚，反覆裡外，奔波無已。因是偷了他的寶貝，方能平退妖魔。」

豬八戒道：「師兄，你把那葫蘆兒拿出來與我們看看。只怕那二魔已化了也。」

大聖先將淨瓶解下，又將金繩與扇子取出，然後把葫蘆兒拿在手道：「莫看，莫看。他先曾裝了老孫，被老孫漱口，哄得他揭開蓋子，老孫方得走了。我等切莫揭蓋，只怕他也會弄喧◆走了。」

師徒們喜喜歡歡，將他那洞中的米麵菜蔬尋出，燒刷了鍋灶，安排些素

◆急遞鋪—驛站。 弄喧—玩把戲、弄玄虛。

齋吃了。飽餐一頓，安寢洞中，一夜無詞，早又天曉。

卻說那老魔逕投壓龍山，會聚了大小女怪，備言打殺母親，裝了兄弟，絕滅妖兵，偷騙寶貝之事。

眾女怪一齊大哭，哀痛多時道：「妳等且休悽慘。我身邊還有這口七星劍，欲會汝等女兵，都去壓龍山後，會借外家親戚，斷要拿住那孫行者報仇。」

說不了，有門外小妖報道：「大王，山後老舅爺率領若干兵卒來也。」老魔聞言，急換了縞素孝服，躬身迎接。原來那老舅爺是他母親之弟，名喚狐阿七大王。因聞得哨山的妖兵報道，他姐姐被孫行者打死，假變姐形，盜了外甥寶貝，連日在平頂山拒敵，他即率本洞妖兵二百餘名，特來助陣，故此先攏姐家問信。

才進門，見老魔掛了孝服，二人大哭。哭久，老魔拜下，備言前事。那阿七大怒，即命老魔換了孝服，提了寶劍，盡點女妖，合同一處，縱風雲，逕投東北而來。

這大聖卻教沙僧整頓早齋，吃了走路。忽聽得風聲，走出門看，乃是一夥妖兵，自西南上來。

行者大驚，急抽身，忙呼八戒道：「兄弟，妖精又請救兵來也！」

三藏聞言，驚恐失色道：「徒弟，似此如何？」

行者笑道：「放心！放心！把他這寶貝都拿來與我。」

大聖將葫蘆、淨瓶繫在腰間，金繩籠於袖內，芭蕉扇插在肩後，雙手掄著鐵棒。教沙僧保守師父，穩坐洞中；著八戒執釘鈀，同出洞外迎敵。

那怪物擺開陣勢，只見當頭的是阿七大王。他生的玉面長髯，鋼眉刀耳；頭戴金煉盔，身穿鎖子甲，手執方天戟。

高聲罵道：「我把你個大膽的潑猴！怎敢這等欺人？偷了寶貝，傷了眷族，殺了妖兵，又敢久占洞府！趕早兒一個個引頸受死，雪我姐家之仇！」

行者罵道：「你這夥作死的毛團，不識你孫外公的手段！不要走，領吾一棒！」那怪物側身躲過，使方天戟劈面相迎。

兩個在山頭上一來一往，戰經三四回合，那怪力軟，敗陣回走。行者趕來，卻被老魔接住。又鬥了三合，只見那狐阿七復轉來攻。這壁廂八戒見了，急掣九齒鈀擋住。一個抵一個，戰經多時，不分勝敗，那老魔喝了一聲，眾妖兵一齊圍上。

卻說那三藏坐在蓮花洞裡，聽得喊聲振地，便叫：「沙和尚，你出去看你師兄勝負如何？」

沙僧果舉降妖杖出來，喝一聲，撞將出去，打退群妖。阿七見事勢不利，回頭就走；被八戒趕上，照背後一鈀，就築得九點鮮紅往外冒，可憐一靈真性赴前程。急拖來剝了衣服看處，原來也是個狐狸精。

那老魔見傷了他老舅，丟了行者，提起寶劍，就劈八戒；八戒使鈀架住。正賭鬥間，沙僧撞近前來，舉杖便打。那妖抵敵不住，縱風雲，往南逃走。八戒、沙僧緊緊趕來。

大聖見了，急縱雲跳在空中，解下淨瓶，罩定老魔，叫聲：「金角大王。」那怪只道是自家敗殘的小妖呼叫，就回頭應了一聲。颼的裝將進去，被行者貼上「太上老君急急如律令奉敕」的帖子。只見那七星劍墜落塵埃，也歸了行者。

八戒迎著道：「哥哥，寶劍你得了，精怪何在？」行者笑道：「了了！已裝在我這瓶兒裡也。」沙僧聽說，與八戒十分歡喜。

當時通掃淨諸邪，回至洞裡，與三藏報喜道：「山已淨，妖已無矣，請師父上馬走路。」三藏喜不自勝。

師徒們吃了早齋，收拾了行李、馬匹，奔西找路。正行處，猛見路旁閃出一個瞽者◆，走上前，扯住三藏馬道：「和尚，哪裡去？還我寶貝來！」

◆瞽者──盲人。瞽音股。

八戒大驚道：「罷了！這是老妖來討寶貝了！」

行者仔細觀看，原來是太上李老君，慌得近前施禮道：「老官兒，哪裡去？」

那老祖急升玉局寶座，在九霄空裡佇立，叫：「孫行者，還我寶貝！」

大聖起到空中道：「甚麼寶貝？」

老君道：「葫蘆是我盛丹的，淨瓶是我盛水的，寶劍是我煉魔的，扇子是我搧火的，繩子是我一根勒袍的帶。那兩個怪：一個是我看金爐的童子，一個是我看銀爐的童子。只因他偷了我的寶貝，走下界來，正無覓處，卻是你今拿住，得了功績。」

大聖道：「你這老官兒，著實無禮。縱放家屬為邪，該問個鈐束◆不嚴的罪名。」

老君道：「不干我事，不可錯怪了人。此乃海上菩薩問我借了三次，送他在此，托化妖魔，試你師徒可有真心往西去也。」

大聖聞言，心中作念◆道：「這菩薩也老大憊懶。當時解脫老孫，教保唐僧西去取經，我說路途艱澀難行，他曾許我到急難處，親來相救；如今反使精邪掯害。語言不的◆，該他一世無夫！若不是老官兒親來，我決不與他。既是你這等說，拿去罷。」

那老君收得五件寶貝，揭開葫蘆與淨瓶蓋口，倒出兩股仙氣。用手一指，仍化為金、銀二童子，相隨左右。只見那霞光萬道，咦！縹緲同歸兜率院，逍遙直上大羅天。

畢竟不知此後又有甚事，孫大聖怎生保護唐僧，幾時得到西天，且聽下回分解。

◆鈐束——管束、約束。鈐音前。　作念——咒罵。　不的——不實在。的音迪。

第三六回

心猿正處諸緣伏　劈破傍門見月明

卻說孫行者按落雲頭，對師父備言菩薩借童子，老君收去寶貝之事。三藏稱謝不已，死心塌地辦虔誠，捨命投西，攀鞍上馬，豬八戒挑著行李，沙和尚攏著馬頭，孫行者執了鐵棒，剖開路，逕下高山前進。說不盡那水宿風餐，披霜冒露。

師徒們行罷多時，前又一山阻路。三藏在那馬上高叫：「徒弟啊，你看那裡山勢崔巍，須是要仔細提防，恐又有魔障侵身也。」

行者道：「師父休要胡思亂想，只要定性存神，自然無事。」

三藏道：「徒弟呀，西天怎麼這等難行？我記得離了長安城，在路上春盡夏來，秋殘冬至，有四五個年頭，怎麼還不能得到！」

行者聞言，呵呵笑道：「早哩！早哩！還不曾出大門哩。」

八戒道：「哥哥不要扯謊。人間就有這般大門！」

行者道：「兄弟，我們還在堂屋裡轉哩。」

沙僧笑道：「師兄，少說大話嚇我。哪裡就有這般大堂屋，卻也沒處買這般大過梁◈啊。」

行者道：「兄弟，若依老孫看時，把這青天為屋瓦，日月作窗欞，四山五岳為梁柱，天地猶如一敞廳。」

八戒聽說道：「罷了！罷了！我們只當轉些時回去罷。」

行者道：「不必亂談，只管跟著老孫走路。」

好大聖，橫擔了鐵棒，領定了唐僧，剖開山路，一直前進。那師父在馬

◈過梁——屋梁、梁柱。

上遙觀，好一座山景。真個是：

山頂嵯峨摩斗柄，樹梢彷彿接雲霄。
青煙堆裡，時聞得谷口猿啼；亂翠陰中，每聽得松間鶴唳。
嘯風山魅立溪間，戲弄樵夫；成器狐狸坐崖畔，驚張獵戶。
好山！看那八面崔巍，四圍險峻。
古怪喬松盤翠蓋，枯摧老樹掛藤蘿。
泉水飛流，寒氣透人毛髮冷；巔峰屹岦，清風射眼夢魂驚。
時聽大蟲哮吼，每聞山鳥時鳴。
麂鹿成群穿荊棘，往來跳躍；獐犯結黨尋野食，前後奔跑。
佇立草坡，一望並無客旅；行來深凹，四邊俱有豺狼。
應非佛祖修行處，盡是飛禽走獸場。

那師父戰戰兢兢，進此深山，心中悽慘，兜住馬，叫聲：「悟空啊！我
自從益智登山盟，王不留行送出城。

路上相逢三棱子，途中催趲馬兜鈴。
尋坡轉澗求荊芥，邁嶺登山拜茯苓。
防己一身如竹瀝，茴香何日拜朝廷◆？」

孫大聖聞言，呵呵冷笑道：「師父不必罣念，少要心焦，且自放心前進，還你個『功到自然成』也。」師徒們玩著山景，信步行時，早不覺紅輪西墜。正是：

十里長亭無客走，九重天上現星辰。
八河船隻皆收港，七千州縣盡關門。
六宮五府回官宰，四海三江罷釣綸。
兩座樓頭鐘鼓響，一輪明月滿乾坤。

◆茴香何日拜朝廷──這是一首用藥名集成的詩。益智、王不留行、三棱子、馬兜鈴、荊芥、茯苓、防己、竹瀝、茴香等，都是藥名。

那長老在馬上遙觀，只見那山凹裡有樓臺疊疊，殿閣重重。三藏道：「徒弟，此時天色已晚，幸得那壁廂有樓閣不遠，想必是庵觀寺院，我們都到那裡借宿一宵，明日再行罷。」行者道：「師父說得是。不要忙，等我且看好歹如何。」那大聖跳在空中，仔細觀看，果然是座山門。但見：

八字磚牆泥紅粉，兩邊門上釘金釘。
疊疊樓臺藏嶺畔，層層宮闕隱山中。
萬佛閣對如來殿，朝陽樓應大雄門。
七層塔屯雲宿霧，三尊佛神現光榮。
文殊臺對伽藍舍，彌勒殿靠大慈廳。
看山樓外青光舞，步虛閣上紫雲生。
松關竹院依依綠，方丈禪堂處處清。
雅雅幽幽供樂事，川川道道喜迴迎。
參禪處有禪僧講，演樂房多樂器鳴。

妙高臺上曇花墜，說法壇前貝葉生。
正是那林遮三寶地，山擁梵王宮◆。
半壁燈煙光閃灼，一行香靄霧朦朧。

孫大聖按下雲頭，報與三藏道：「師父，果然是一座寺院，卻好借宿，我們去來。」這長老放開馬，一直前來，逕到了山門之外。

行者道：「師父，這一座是甚麼寺？」

三藏道：「我的馬蹄才然停住，腳尖還未出鐙，就問我是甚麼寺，好沒分曉！」

行者道：「你老人家自幼為僧，須曾講過儒書，方才去演經法，文理皆通，然後受唐王的恩宥。門上有那般大字，如何不認得？」

長老罵道：「潑猢猻！說話無知！我才面西催馬，被那太陽影射，奈何

◆梵王宮—原為佛教稱大梵天王的宮殿，後衍為佛寺的通稱。

門雖有字，又被塵垢朦朧，所以未曾看見。」

行者聞言，把腰兒躬一躬，長了二丈餘高，用手展去灰塵，道：「師父，請看。」上有五個大字，乃是「敕建寶林寺」。

行者收了法身，道：「師父，這寺裡誰進去借宿？」

三藏道：「我進去。你們的嘴臉醜陋，言語粗疏，性剛氣傲，倘或衝撞了本處僧人，不容借宿，反為不美。」

行者道：「既如此，請師父進去，不必多言。」

那長老卻丟了錫杖，解下斗篷，整衣合掌，逕入山門。只見兩邊紅漆欄杆裡面，高坐著一對金剛，裝塑的威儀惡醜：

一個鐵面鋼鬚似活容，一個燥眉環眼若玲瓏。
左邊的拳頭骨突如生鐵，右邊的手掌崚嶒◈賽赤銅。
金甲連環光燦爛，明盔繡帶映飄風。
西方真個多供佛，石鼎中間香火紅。

三藏見了，點頭長嘆道：「我那東土，若有人也將泥胎塑這等大菩薩，燒香供養啊，我弟子也不往西天去矣。」正嘆息處，又到了二層山門之內。見有四大天王之像，乃是持國、多聞、增長、廣目，按東北西南風調雨順之意。進了二層門裡，又見有喬松四樹，一樹樹翠蓋蓬蓬，卻如傘狀。忽抬頭，乃是大雄寶殿。那長老合掌皈依，舒身下拜。拜罷起來，轉過佛臺，到於後門之下。又見有倒座觀音普度南海之像。那壁上都是良工巧匠裝塑的那些蝦、魚、蟹、鱉，出頭露尾，跳海水波潮耍子。長老又點頭三五度，感嘆萬千聲道：「可憐啊！鱗甲眾生都拜佛，為人何不肯修行？」

正讚嘆間，又見三門裡走出一個道人。那道人忽見三藏相貌稀奇，丰姿非俗，急趨步上前施禮道：「師父哪裡來的？」

◆**崚嶒**——形容山勢高低不平。這裡借喻手掌的凹凸像山一樣。崚嶒音稜層。

三藏道：「弟子是東土大唐駕下差來，上西天拜佛求經的。今到寶方，天色將晚，告借一宿。」

那道人道：「師父莫怪，我做不得主，我是這裡掃地撞鐘打勤勞的道人。裡面還有個管家的老師父哩，待我進去稟他一聲。他若留你，我就出來奉請；若不留你，我卻不敢羈遲。」三藏道：「累及你了。」

那道人急到方丈報道：「老爺，外面有個人來了。」那僧官即起身，換了衣服，按一按毘盧帽，披上袈裟，急開門迎接，問道人：「哪裡人來？」

道人用手指定道：「那正殿後邊不是一個人？」那三藏光著一個頭，穿一領二十五條達摩衣，足下登一雙拖泥帶水的達公鞋，斜倚在那後門首。

僧官見了，大怒道：「道人少打！你豈不知我是僧官，但只有城上來的士夫降香，我方出來迎接。這等個和尚，你怎麼多虛少實，報我接他！看他那嘴臉，不是個誠實的，多是雲遊方上僧，今日天晚，想是要來借宿。我們方丈中，豈容他打攪！教他往前廊下蹲罷了，報我怎麼！」抽身轉去。

長老聞言，滿眼垂淚道：「可憐，可憐！這才是人離鄉賤。我弟子從小兒出家，做了和尚，又不曾拜懺吃葷生歹意，看經懷怒壞禪心；又不曾丟瓦拋磚傷佛殿，阿羅臉上剝真金。噫！可憐啊！不知是哪世裡觸傷天地，教我今生常遇不良人。和尚，你不留我們宿便罷了，怎麼又說這等�話，教我們在前道廊下去蹲？此話不與行者說還好，若說了，那猴子進來，一頓鐵棒，把孤拐都打斷你的！」

長老道：「也罷，也罷。常言道：『人將禮樂為先。』我且進去問他一聲，

◈**寶方**—和尚、僧侶的寺院。　**道人**—寺院裡的侍役。　**羈遲**—因事無法脫身，以致延誤行程。
僧官—掌管僧人、寺廟的官吏。　**達公鞋**—法鞋，和尚所穿的鞋。
達摩衣—法衣、袈裟。達摩，禪宗東土六祖中第一祖，就是菩提達摩。
降香—古代天子為祈禱晴雨而焚香祭神。　**雲遊**—行跡無定，任意遨遊。多指僧、道、尼等的遊歷。

看意下如何？」

那師父踏腳跡，跟他進方丈門裡。只見那僧官脫了衣服，氣呼呼的坐在那裡，不知是念經，又不知是與人家寫法事，見那桌案上有些紙劄◆堆積。唐僧不敢深入，就立於天井裡，躬身高叫道：「老院主，弟子問訊了！」那和尚就有些不耐煩他進裡邊來的意思，半答不答的還了個禮，道：「你是哪裡來的？」

三藏道：「弟子乃東土大唐駕下差來，上西天拜活佛求經的。經過寶方，天晚，求借一宿，明日不犯天光就行了。萬望老院主方便方便。」

那僧官才欠起身來道：「你是那唐三藏麼？」

三藏道：「不敢，弟子便是。」

僧官道：「你既往西天取經，怎麼路也不會走？」

三藏道：「弟子更不曾走貴處的路。」

他道：「正西去，只有四五里遠近，有一座三十里店，店上有賣飯的人家，方便好宿。我這裡不便，不好留你們遠來的僧。」

三藏合掌道：「院主，古人有云：『庵觀寺院，都是我方上人的館驛，見山門就有三升米分。』你怎麼不留我，卻是何情？」

僧官怒聲叫道：「你這遊方的和尚，便是有些油嘴油舌的說話！」

三藏道：「何為油嘴油舌？」

僧官道：「古人云：『老虎進了城，家家都閉門。雖然不咬人，日前壞了名。』」三藏道：「怎麼『日前壞了名』？」

他道：「向年有幾眾行腳僧，來於山門口坐下。是我見他寒薄，一個個衣破鞋無，光頭赤腳，我嘆他那般襤褸，即忙請入方丈，延之上坐，款待了齋飯，又將故衣各借一件與他，就留他住了幾日。怎知他貪圖自在衣食，更不思量起身，就住了七八個年頭。住便也罷，又幹出許多不公的事來。」

三藏道：「有甚麼不公的事？」僧官道：「你聽我說：

◈紙劄──以竹片為支架，外糊以紙；或紙製的冥器。

閒時沿牆拋瓦，悶來壁上扳釘。
冷天向火折窗櫺，夏日拖門攔徑。
幡布扯為腳帶，牙香偷換蔓菁。
常將琉璃把油傾，奪碗奪鍋賭勝。」

三藏聽言，心中暗道：「可憐啊！我弟子可是那等樣沒脊骨◆的和尚？」欲待要哭，又恐那寺裡的老和尚笑他，但暗暗扯衣揩淚，忍氣吞聲，急走出去，見了三個徒弟。

那行者見師父面上含怒，向前問：「師父，寺裡和尚打你來？」

唐僧道：「不曾打。」

八戒說：「一定打來。不是，怎麼還有些哭包聲？」

那行者道：「罵你來？」唐僧道：「也不曾罵。」

行者道：「既不曾打，又不曾罵，你這般苦惱怎麼？好道是思鄉哩？」

唐僧道：「徒弟，他這裡不方便。」行者笑道：「這裡想是道士？」

唐僧怒道：「觀裡才有道士，寺裡只是和尚。」

行者道：「你不濟事。但是和尚，即與我們一般。常言道：『既在佛會下，都是有緣人。』你且坐，等我進去看看。」

好行者，按一按頂上金箍，束一束腰間裙子，執著鐵棒，逕到大雄寶殿上，指著那三尊佛像道：「你本是泥塑金裝假像，內裡豈無感應？我老孫保領大唐聖僧往西天拜佛求取真經，今晚特來此處投宿，趁早與我報名；假若不留我等，就一頓棍打碎金身，教你還現本相泥土。」

這大聖正在前邊發狠，搗叉子◆亂說，只見一個燒晚香的道人點了幾枝香，來佛前爐裡插。被行者咄的一聲，諕了一跌；爬起來看見臉，又是一跌；嚇得滾滾蹡蹡◆，跑入方丈裡，報道：「老爺！外面有個和尚來了！」

◆**沒脊骨**—不正經、沒規矩。 **搗叉子**—叉子，意同岔子。搗叉子指挑釁惹事。

滾滾蹡蹡—連滾帶爬，跌跌撞撞的樣子。

那僧官道：「你這夥道人都少打！一行說教他往前廊下去蹲，又報甚麼？再說打二十！」

道人說：「老爺，這個和尚比那個和尚不同：生得惡躁，沒脊骨。」

僧官道：「怎的模樣？」

道人道：「是個圓眼睛，查耳朵，滿面毛，雷公嘴。手執一根棍子，咬牙根根的，要尋人打哩。」

僧官道：「等我出去看。」

他即開門，只見行者撞進來了。真個生得醜陋：七高八低孤拐臉，兩隻黃眼睛，一個磕額頭，獠牙往外生。就像屬螃蟹的，肉在裡面，骨在外面。那老和尚慌得把方丈門關了。行者趕上，撲地打破門扇，道：「趕早將乾淨房子打掃一千間，老孫睡覺！」

僧官躲在房裡，對道人說：「怪他生得醜麼？原來是說大話，折作的這般嘴臉。我這裡連方丈、佛殿、鐘鼓樓、兩廊，共總也不上三百間，他卻要一千間睡覺。卻打哪裡來?」

道人說:「師父,我也是嚇破膽的人了,憑你怎麼答應他罷。」

那僧官戰索索◆的高叫道:「那借宿的長老,我這小荒山不方便,不敢奉留,往別處去宿罷。」

行者將棍子變得盆來粗細,直壁壁的豎在天井裡,道:「和尚,不方便,你就搬出去!」

僧官道:「我們從小兒住的寺,師公傳與師父,師父傳與我輩,我輩要遠繼兒孫。他不知是哪裡勾當,冒冒失失的,教我們搬哩。」

道人說:「老爺,十分不尷尬,搬出去也罷。扛子打進門來了。」

僧官道:「你莫胡說!我們老少眾人四五百名和尚,往哪裡搬?搬出去,卻也沒處住。」

◆惡躁—討人厭。　戰索索—因恐懼而顫抖不止。

行者聽見道：「和尚，沒處搬，便著一個出來打樣棍。」

老和尚叫道人：「你出去與我打個樣棍來。」

那道人慌了道：「爺爺呀！那等個大扛子，教我去打樣棍？」

老和尚道：「『養軍千日，用軍一朝。』你怎麼不出去？」

道人說：「那扛子莫說打來，若倒下來，壓也壓個肉泥！」

老和尚道：「也莫要說壓，只道豎在天井裡，夜晚間走路，不記得啊，一頭也撞個大窟窿！」

道人說：「師父，你曉得這般重，卻教我出去打甚麼樣棍？」他自家裡面轉鬧起來。

行者聽見道：「是也禁不得。假若就一棍打殺一個，我師父又怪我行凶了。且等我另尋一個甚麼打與你看看。」忽抬頭，只見方丈門外有一個石獅子，卻就舉起棍來，乒乓一下，打得粉亂麻碎。

那和尚在窗眼兒裡看見，就唬得骨軟筋麻，慌忙往床下拱；道人就往鍋門◆裡鑽，口中不住叫：「爺爺，棍重！棍重！禁不得！方便，方便！」

行者道：「和尚，我不打你。我問你：這寺裡有多少和尚？」

僧官戰索索的道：「前後是二百八十五房頭，共有五百個有度牒的和尚。」

行者道：「你快去把那五百個和尚都點得齊齊整整，穿了長衣服出去，把我那唐朝的師父接進來，就不打你了。」

僧官道：「爺爺，若是不打，便抬也抬進來。」行者道：「趁早去！」

僧官叫道人：「你莫說嚇破了膽，就是嚇破了心，便也去與我叫這些人來，接唐僧老爺爺來。」

那道人沒奈何，捨了性命，不敢撞門，從後邊狗洞裡鑽將出去，逕到正殿上，東邊打鼓，西邊撞鐘。鐘鼓一齊響處，驚動了兩廊大小僧眾，上殿

◆打樣棍—用棍子打一下，做示範動作，表示厲害的程度。
鍋門—舊時烹飪的灶前方有一開口，用以添加柴火。

問道：「這早還不晚哩，撞鐘打鼓做甚？」

道人說：「快換衣服，隨老師父排班，出山門外，迎接唐朝來的老爺。」

那眾和尚真個齊齊整整，擺班出門迎接。有的披了袈裟；有的著了褊衫◈；無的穿著個一口鐘直裰；十分窮的，沒有長衣服，就把腰裙接起兩條披在身上。

行者看見道：「和尚，你穿的是甚麼衣服？」

和尚見他醜惡，道：「爺爺，不要打，等我說。這是我們城中化的布，此間沒有裁縫，是自家做的個一裹窮◈。」

行者聞言暗笑，押著眾僧，出山門外跪下。

那僧官磕頭高叫道：「唐老爺，請方丈裡坐。」

八戒看見道：「師父老大不濟事，你進去時，淚汪汪，嘴上掛得油瓶◈。師兄怎麼就有此獐智，教他們磕頭來接？」

三藏道：「你這個呆子，好不曉禮。常言道：『鬼也怕惡人哩。』」

唐僧見他們磕頭禮拜，甚是不過意，上前叫：「列位請起。」

眾僧叩頭道：「老爺若和你徒弟說聲方便，不動扛子，就跪一個月也罷。」

唐僧叫：「悟空，莫要打他。」

行者道：「不曾打；若打，這會已打斷了根矣。」

那些和尚卻才起身，牽馬的牽馬，挑擔的挑擔，抬著唐僧，馱著八戒，挽著沙僧，一齊都進山門裡去，卻到後面方丈中，依敘坐下。

眾僧卻又禮拜。三藏道：「院主請起，再不必行禮，作踐貧僧。我和你都是佛門弟子。」

僧官道：「老爺是上國欽差，小和尚有失迎接。今到荒山，奈何俗眼不識

◆**徧衫**—僧尼的一種服裝，斜披在左肩上。　**一裹窮**—指最簡陋的衣服。
嘴上掛得油瓶—喻指嘴唇噘得老高，很生氣的樣子。

尊儀，與老爺邂逅相逢。動問老爺：一路上是吃素？是吃葷？我們好去辦飯。」

三藏道：「吃素。」僧官道：「徒弟，這個爺爺好的吃葷。」

行者道：「我們也吃素，都是胎裡素。」

那和尚道：「爺爺呀！這等凶漢也吃素？」

有一個膽量大的和尚，近前又問：「老爺既然吃素，煮多少米的飯方夠吃？」八戒道：「小家子和尚，問甚麼！一家煮上一石米。」那和尚都慌了，便去刷洗鍋灶，各房中安排茶飯。高掌明燈，調開桌椅，管待唐僧。

師徒們都吃罷了晚齋，眾僧收拾了家火。

三藏稱謝道：「老院主，打攪寶山了。」

僧官道：「不敢，不敢。怠慢，怠慢。」

三藏道：「我師徒卻在哪裡安歇？」

僧官道：「老爺不要忙，小和尚自有區處。」

叫：「道人，那壁廂有幾個人聽使令的？」道人說：「師父，有。」僧官吩咐道：「你們著兩個去安排草料，與唐老爺餵馬；著幾個去前面把那三間禪堂，打掃乾淨鋪設床帳，快請老爺安歇。」

那些道人聽命，各各整頓齊備，卻來請唐老爺安寢。他師徒們牽馬挑擔，出方丈，逕至禪堂門首看處，只見那裡面燈火光明，兩梢間◈鋪著四張籐屜床。行者見了，喚那辦草料的道人，將草料抬來，放在禪堂裡面，拴下白馬，教道人都出去。三藏坐在中間。燈下，兩班兒立五百個和尚，都伺候著，不敢側離。

三藏欠身道：「列位請回，貧僧好自在安寢也。」眾僧決不敢退。僧官上前，吩咐大眾：「服侍老爺安置了再回。」三藏道：「即此就是安置了，都就請回。」眾人卻才敢散去訖。

◈梢間——廳房兩端，較小而相通的房間。

唐僧舉步出門小解，只見明月當天，叫：「徒弟。」行者、八戒、沙僧都出來侍立。因感這月清光皎潔，玉宇深沉，真是一輪高照，大地分明。對月懷歸，口占一首古風長篇。詩云：

皓魄當空寶鏡懸，山河搖影十分全。
瓊樓玉宇清光滿，冰鑑銀盤爽氣旋。
萬里此時同皎潔，一年今夜最明鮮。
渾如霜餅離滄海，卻似冰輪掛碧天。
別館寒窗孤客悶，山村野店老翁眠。
乍臨漢苑驚秋鬢，才到秦樓促晚奩。
庾亮有詩傳晉史◈，袁宏不寐泛江船◈。
光浮杯面寒無力，清映庭中健有仙。
處處窗軒吟白雪，家家院宇弄冰弦。
今宵靜玩來山寺，何日相同返故園？

行者聞言，近前答曰：「師父啊，你只知月色光華，心懷故里，更不知月中之意，乃先天法象之規繩◆也。月至三十日，陽魂之金散盡，陰魄之水盈輪，故純黑而無光，乃曰『晦』。此時與日相交，在晦朔兩日之間，感陽光而有孕。至初三日一陽現，初八日二陽生，魄中魂半，其平如繩，故曰『上弦』。至今十五日，三陽備足，是以團圓，故曰『望』。至十六日一陰生，二十二日二陰生，此時魂中魄半，其平如繩，故曰『下弦』。至三十日三陰備足，亦當『晦』。此乃先天採煉之意。我等若能溫養二八◆，九九成功，那時節，見佛容易，返故田亦易也。詩曰：『前弦之後後弦前，藥味平平氣象全。採得歸來爐裡煉，志心功果即西天。』」

◆**庾亮有詩傳晉史**—庾亮，字元規。晉成帝時，作過中書令。傳說他在武昌坐鎮時，曾於秋夜和一些人登南樓賞月作詩。此處引用的就是這個故事。

袁宏不寐泛江船—袁宏，字彥伯。晉代文學家。小時家貧，替人運租米維持生活。一次，謝尚在安徽當塗縣牛渚山下采石磯泛舟賞月，聽見鄰船袁宏正在讀他所作的《詠史詩》。此處所引用的就是這個故事。

規繩—規矩準繩。比喻標準、法度。

溫養二八—通過修行往生西方極樂之門。二八，佛教稱十六觀或十六觀門。

那長老聽說，一時解悟，明徹真言。滿心歡喜，稱謝了悟空。沙僧在旁笑道：「師兄此言雖當，只說的是弦前屬陽，弦後屬陰，陰中陽半，得水之金；更不道：『水火相攙各有緣，全憑土母配如然。三家同會無爭競，水在長江月在天。』」

長老聞得，亦開茅塞。正是：理明一竅通千竅，說破無生即是仙。

八戒上前扯住長老道：「師父，莫聽亂講，誤了睡覺。這月啊：缺之不久又團圓，似我生來不十全。吃飯嫌我肚子大，拿碗又說有粘涎。他都伶俐修來福，我自痴愚積下緣。我說你取經還滿三塗業，擺尾搖頭直上天。」

三藏道：「也罷，徒弟們走路辛苦，先去睡下。等我把這卷經來念一念。」

行者道：「師父差了。你自幼出家，做了和尚，小時的經文，哪本不熟？卻又領了唐王旨意，上西天見佛，求取大乘真典。如今功未完成，佛未得見，經未曾取，你念的是哪卷經兒？」

三藏道：「我自出長安，朝朝跋涉，日日奔波，小時的經文恐怕生了。幸今夜得閒，等我溫習溫習。」

行者道：「既這等說，我們先去睡也。」

他三人各往一張籐床上睡下。長老掩上禪堂門，高剔銀釭◆，鋪開經本，默默看念。正是那：樓頭初鼓人煙靜，野浦漁舟火滅時。

畢竟不知那長老怎麼樣離寺，且聽下回分解。

◆**三塗**—又作三途。即火塗、刀塗、血塗，義同三惡道之地獄、餓鬼、畜生，乃因身口意諸惡業所引生之處。

銀釭—銀白色的燈盞、燭台。

第三七回
鬼王夜謁唐三藏　悟空神化引嬰兒

卻說三藏坐於寶林寺禪堂中燈下，念一會《梁皇水懺》，看一會《孔雀真經》，只坐到三更時候，卻才把經本包在囊裡。正欲起身去睡，只聽得門外撲刺刺一聲響亮，淅零零刮陣狂風。

那長老恐吹滅了燈，慌忙將褊衫袖子遮住。又見那燈或明或暗，便覺有些心驚膽戰。此時又困倦上來，伏在經案上盹睡。雖是合眼朦朧，卻還心中明白。

耳內嚶嚶，聽著那窗外陰風颯颯。

好風！真個那：

淅淅瀟瀟，飄飄蕩蕩。

淅淅瀟瀟飛落葉，飄飄蕩蕩捲浮雲。

滿天星斗皆昏昧，遍地塵沙盡灑紛。一陣家猛，一陣家純。
純時松竹敲清韻，猛處江湖波浪渾；
刮得那山鳥難棲聲哽哽，海魚不定跳噴噴；
東西館閣門窗脫，前後廊房神鬼瞋；
佛殿花瓶吹墮地，琉璃搖落慧燈昏；
香爐攲倒香灰迸，燭架歪斜燭焰煙。
幢幡寶蓋都搖折，鐘鼓樓臺撼動根。

那長老昏夢中聽著風聲一時過處，又聞得禪堂外隱隱的叫一聲：「師父！」忽抬頭夢中觀看，門外站著一條漢子，渾身上下水淋淋的，眼中垂淚，口裡不住的只叫「師父」。

三藏欠身道：「你莫是魍魎妖魅、神怪邪魔，至夜深時，來此戲我？我

◈經案——放置經書的書桌。

卻不是那貪欲貪嗔之類。我本是個光明正大之僧，奉東土大唐旨意，上西天拜佛求經者。我手下有三個徒弟，都是降龍伏虎之英豪，掃怪除魔之壯士。他若見了你，碎屍粉骨，化作微塵。此是我大慈悲之意，方便之心。你趁早兒潛身遠遁，莫上我的禪門來。」

那人倚定禪堂道：「師父，我不是妖魔鬼怪，亦不是魍魎邪神。」

三藏道：「你既不是此類，卻深夜來此何為？」

那人道：「師父，你舍眼◆看我一看。」長老果仔細定睛看處，呀！只見他：

頭戴一頂沖天冠，腰束一條碧玉帶，身穿一領飛龍舞鳳赭黃袍，

足踏一雙雲頭繡口無憂履，手執一柄列斗羅星白玉珪。

面如東岳長生帝，形似文昌開化君。

三藏見了，大驚失色，急躬身厲聲高叫道：「是哪一朝陛下？請坐。」

用手忙攙，撲了個空虛。回身坐定，再看處，還是那個人。

長老便問：「陛下，你是哪裡皇帝？何邦帝王？想必是國土不寧，讒臣欺虐，半夜逃生至此。有何話說，說與我聽。」這人才淚滴腮邊談舊事，愁攢眉上訴前因。道：「師父啊，我家住在正西，離此只有四十里遠近。那廂有座城池，便是興基之處。」三藏道：「叫做甚麼地名？」那人道：「不瞞師父說，便是朕當時創立家邦，改號烏雞國。」三藏道：「陛下這等驚慌，卻因甚事至此？」那人道：「師父啊，我這裡五年前，天年乾旱，草子不生，民皆飢死，甚是傷情。」三藏聞言，點頭嘆道：「陛下啊，古人云：『國正天心順。』想必是你不慈恤萬民，既遭荒歉◆，怎麼就躲離城郭？且去開了倉庫，賑濟黎民，悔過前非，重興今善，放赦了那枉法冤人，自然天心和合，雨順風調。」

◆**舍眼**—睜眼、抬眼。　**荒歉**—因災荒而收成減少。

那人道：「我國中倉廩空虛，錢糧盡絕。文武兩班停俸祿，寡人膳食亦無葷。仿效禹王治水，與萬民同受甘苦，沐浴齋戒，晝夜焚香祈禱。如此三年，只乾得河枯井涸。正都在危急之處，忽然終南山來了一個全真，能呼風喚雨，點石成金。先見我文武多官，後來見朕，當即請他登壇祈禱，果然有應，只見令牌響處，頃刻間大雨滂沱。寡人只望三尺雨足矣，他說久旱不能潤澤，又多下了二寸。朕見他如此尚義，就與他八拜為交，以兄弟稱之。」

三藏道：「此陛下萬千之喜也。」那人道：「喜自何來？」

三藏道：「那全真既有這等本事，若要雨時，就教他下雨；若要金時，就教他點金。還有哪些不足，卻離了城闕來此？」

那人道：「朕與他同寢食者，只得二年。又遇著陽春天氣，紅杏夭桃，開花綻蕊。家家士女，處處王孫，俱去遊春賞玩。那時節，文武歸衙，嬪妃轉院。朕與那全真攜手緩步，至御花園裡，忽行到八角琉璃井邊，不知他抛下些甚麼物件，井中有萬道金光，哄朕到井邊看甚麼寶貝。他陡起凶心，撲通的把寡人推下井內，將石板蓋住井口，擁上泥土，移一株芭蕉栽在上面。可憐我啊，已死去三年，是一個落井傷生的冤屈之鬼也！」

唐僧見說是鬼，諕得筋力酥軟，毛骨悚然。沒奈何，只得將言又問他道：「陛下，你說的這話，全不在理。既死三年，那文武多官、三宮皇后，遇三朝見駕殿上，怎麼就不尋你？」那人道：「師父啊，說起他的本事，果然世間罕有。自從害了朕，他當時在花園內搖身一變，就變做朕的模樣，更無差別。現今占了我的江山，暗侵了我的國土。他把我兩班文武、四百朝官、三宮皇后、六院嬪妃，盡屬了他矣。」

三藏道：「陛下，你忒也懦。」那人道：「何懦？」三藏道：「陛下，那怪倒有些神通，變做你的模樣，侵占你的乾坤，文武不能識，后妃不能曉，只有你死的明白；你何不在陰司閻王處具告，把你的屈情申訴申訴？」

那人道：「他的神通廣大，官吏情熟。都城隍常與他會酒，海龍王盡與他有親，東岳齊天是他的好朋友，十代閻羅是他的異兄弟。因此這般，我也無門投告。」

三藏道：「陛下，你陰司裡既沒本事告他，卻來我陽世間作甚？」

那人道：「師父啊，我這一點冤魂，怎敢上你的門來？山門前有那護法諸天、六丁六甲、五方揭諦、四值功曹、一十八位護教伽藍，緊隨鞍馬。卻才被夜遊神一陣神風，把我送將進來。他說我三年水災該滿，著我來拜謁師父。他說你手下有一個大徒弟，是齊天大聖，極能斬怪降魔。今來志心拜懇，千乞到我國中，拿住妖魔，辨明邪正。朕當結草銜環◈，報酬師父恩也。」

三藏道：「陛下，你此來是請我徒弟與你去除卻那妖怪麼？」

那人道：「正是，正是。」

三藏道：「我徒弟幹別的事不濟，但說降妖捉怪，正合他宜。陛下啊，雖是著他拿怪，但恐理上難行。」

那人道：「怎麼難行？」

三藏道：「那怪既神通廣大，變得與你相同；滿朝文武，一個個言和心順；三宮妃嬪，一個個意合情投；我徒弟縱有手段，決不敢輕動干戈。倘被多官拿住，說我們欺邦滅國，問一款大逆之罪，困陷城中，卻不是畫虎刻鵠◈也？」

那人道：「我朝中還有人哩。」

三藏道：「卻好！卻好！想必是一代親王侍長，發付何處鎮守去了？」

◈結草銜環——比喻生前受恩死後圖報。結草，指魏顆救父妾，而獲老人結草禦敵的故事。銜環，指楊寶救一隻黃雀，後得黃衣童子以四枚白環相報的故事。

畫虎刻鵠——《東觀漢記．馬援傳》：「與兄子嚴敦書曰：『學龍伯高不就，猶為謹飭之士，所謂刻鵠不成尚類鶩者。效杜季良而不成，陷為天下輕薄子，所謂畫虎不成反類狗也。』」比喻好事做不成，反變了壞事。

那人道：「不是。我本宮有個太子，是我親生的儲君。」

三藏道：「那太子想必被妖魔貶了？」

那人道：「不曾。他只在金鑾殿上，五鳳樓中，或與學士講書，或共全真登位。自此三年，禁太子不入皇宮，不能夠與娘娘相見。」

三藏道：「此是何故？」那人道：「此是妖怪使下的計策。只恐他母子相見，閒中論出長短，怕走了消息。故此兩不會面，他得永住常存也。」

三藏道：「你的災屯◆，想應天付，卻與我相類。當時我父曾被水賊傷生；我母被水賊欺占，經三個月，分娩了我。我在水中逃了性命，幸金山寺恩師救養成人。記得我幼年無父母，此間那太子失雙親，慚惶不已！」

又問道：「你縱有太子在朝，我怎的與他相見？」

那人道：「如何不得見？」

三藏道：「他被妖魔拘轄，連一個生身之母尚不得見，我一個和尚，欲見何由？」

那人道：「他明早出朝來也。」三藏問：「出朝作甚？」

那人道：「明日早朝，領三千人馬，架鷹犬，出城採獵，師父斷得與他相見。見時肯將我的言語說與他，他便信了。」

三藏道：「他本是肉眼凡胎，被妖魔哄在殿上，那一日不叫他幾聲父王？他怎肯信我的言語？」

那人道：「既恐他不信，我留下一件表記◆與你罷。」

三藏問：「是何物件？」

那人把手中執的金廂白玉珪放下道：「此物可以為記。」

三藏道：「此物何如？」

那人道：「全真自從變做我的模樣，只是少變了這件寶貝。他到宮中，說那求雨的全真拐了此珪去了。自此三年，還沒此物。我太子若看見，他睹物思人，此仇必報。」

◆災屯──災難，禍患。屯音諄。　表記──紀念品、信物。

三藏道：「也罷，等我留下，著徒弟與你處置。卻在哪裡等麼？」

那人道：「我也不敢等。我這去，還央求夜遊神，再使一陣神風，把我送進皇宮內院，托一夢與我那正宮皇后，教他母子們合意，你師徒們同心。」

三藏點頭應承道：「你去罷。」

那冤魂叩頭拜別，舉步相送，不知怎麼蹋了腳，跌了一個觔斗，把三藏驚醒，卻原來是南柯一夢。

慌得對著那盞昏燈，連忙叫：「徒弟！徒弟！」

八戒醒來道：「甚麼『土地土地』？當時我做好漢，專一吃人度日，受用腥羶，其實快活；偏你出家，教我們保護你跑路！原說只做和尚，如今拿做奴才，日間挑包袱、牽馬，夜間提尿瓶、務腳◆！這早晚不睡，又叫徒弟作甚？」

三藏道：「徒弟，我剛才伏在案上打盹，做了一個怪夢。」

行者跳將起來道：「師父，夢從想中來。你未曾上山，先怕怪物；又愁雷音路遠，不能得到；思念長安，不知何日回程，所以心多夢多。似老孫一點真心，專要西方見佛，更無一個夢兒到我。」

三藏道：「徒弟，我這一夢，不是思鄉之夢。才然合眼，見一陣狂風過處，禪房門外有一朝皇帝，自言是烏雞國王。渾身水濕，滿眼垂淚。」這等這等，如此如此，將那夢中話一一的說與行者。

行者笑道：「不消說了，他來托夢與你，分明是照顧老孫一場生意。必然是個妖怪在那裡篡位謀國，等我與他辨個真假。想那妖魔，棍到處，立業成功。」

三藏道：「徒弟，他說那怪神通廣大哩。」

行者道：「怕他甚麼廣大？早知老孫到，教他即走無方！」

三藏道：「我又記得留下一件寶貝做表記。」

八戒答道：「師父莫要胡纏，做個夢便罷了，怎麼只管當真？」

◆務腳——睡在人腳部以身體使人腳溫暖。也作「焐腳」。

沙僧道：「『莫信直中直，須防仁不仁。』我們打起火，開了門，看看如何便是。」

行者果然開門，一齊看處，只見星月光中，階簷上，真個放著一柄金廂白玉珪。八戒近前拿起道：「哥哥，這是甚麼東西？」

行者道：「這是國王手中執的寶貝，名喚玉珪。師父啊，既有此物，想此事是真。明日拿妖，全都在老孫身上。只是要你三樁兒造化低哩！」

八戒道：「好！好！好！做個夢罷了，又告訴他，他哪些兒不會作弄人哩？就教你三樁兒造化低。」

三藏回入裡面道：「是哪三樁？」

行者道：「明日要你頂缸、受氣、遭瘟。」

八戒笑道：「一樁兒也是難的，三樁兒卻怎麼耽得？」

唐僧是個聰明的長老，便問：「徒弟啊，此三事如何講？」

行者道：「也不消講，等我先與你二件物。」

好大聖，拔了一根毫毛，吹口仙氣，叫聲：「變！」變做一個紅金漆匣兒，把白玉珪放在內盛著，道：「師父，你將此物捧在手中，到天曉時，穿上錦襴袈裟，去正殿坐著念經，等我去看看他那城池。端的是個妖怪，就打殺他，也在此間立個功績；假若不是，且休撞禍◆。」

三藏道：「正是，正是。」

行者道：「那太子不出城便罷，若真個應夢出城來，我定引他來見你。」

三藏道：「見了我如何迎答？」

行者道：「來到時，我先報知。你把那匣蓋兒扯開些，等我變做二寸長的一個小和尚，鑽在匣兒裡，你連我捧在手中。那太子進了寺來，必然拜佛。你盡他怎的下拜，只是不睬他。他見你不動身，一定教拿你。你憑他拿下去，打也由他，綁也由他，殺也由他。」

三藏道：「呀！他的軍令大，真個殺了我，怎麼好？」

◆撞禍——闖禍、惹禍。

行者道：「沒事，有我哩，若到那緊關處，我自然護你。他若問時，你說是東土欽差上西天拜佛取經進寶的和尚。他道：『有甚寶貝？』你卻把錦襴袈裟對他說一遍，說道：『此是三等寶貝。還有頭一等、第二等的好物哩。』但問處，就說這匣內有一件寶貝，上知五百年，下知五百年，中知五百年，共一千五百年過去未來之事，俱盡曉得。卻把老孫放出來。我將那夢中話告訴那太子。他若肯信，就去拿了那妖魔，一則與他父王報仇，二來我們立個名節；他若不信，再將白玉珪拿與他看。只恐他年幼，還不認得哩。」

三藏聞言，大喜道：「徒弟啊，此計絕妙！但說這寶貝，一個叫做錦襴袈裟，一個叫做白玉珪；你變的寶貝卻叫做甚名？」

行者道：「就叫做立帝貨罷。」三藏依言，記在心上。師徒們一夜哪曾得睡，盼到天明，恨不得點頭喚出扶桑日，噴氣吹散滿天星。

不多時，東方發白。行者又吩咐了八戒、沙僧，教他兩個：「不可攪擾僧人，出來亂走。待我成功之後，共汝等同行。」

才別了唐僧，打了唿哨，一觔斗，跳在空中。睜火眼平西看處，果見有一座城池。你道怎麼就看見了？當時說那城池離寺只有四十里，故此憑高就望見了。行者近前仔細看處，又見那怪霧愁雲漠漠，妖風怨氣紛紛。行者在空中讚嘆道：「若是真王登寶座，自有祥光五色雲。只因妖怪侵龍位，騰騰黑氣鎖金門。」

行者正然感嘆，忽聽得炮聲響亮，又只見東門開處，閃出一路人馬，真個是採獵之軍，果然勢勇。但見：

曉出禁城東，分圍淺草中。彩旗開映日，白馬驟迎風。
鼉鼓鼕鼕擂，標槍對對衝。架鷹軍猛烈，牽犬將驍雄。
火炮連天振，粘竿映日紅。人人支弩箭，個個挎雕弓。
張網山坡下，鋪繩小徑中。一聲驚霹靂，千騎擁貔熊。
狡兔身難保，乖獐智亦窮。狐狸該命盡，麋鹿喪當中。

山雉難飛脫，野雞怎避凶。他都揀占山場擒猛獸，摧殘林木射飛蟲。

那些人出得城來，散步東郊。不多時，有二十里向高田地，又只見中軍營裡，有小小的一個將軍：頂著盔，貫著甲，裹肚花◈，十八札◈，手執青鋒寶劍，坐下黃驃馬，腰帶滿弦弓。真個是：

隱隱君王像，昂昂帝主容。規模非小輩，行動顯真龍。

行者在空暗喜道：「不須說，那個就是皇帝的太子了。等我戲他一戲。」好大聖，按落雲頭，撞入軍中太子馬前，搖身一變，變做一個白兔兒，只在太子馬前亂跑。太子看見，正合歡心，拈起箭，拽滿弓，一箭正中了那兔兒。原來是那大聖故意教他中了，卻眼乖手疾，一把接住那箭頭，把箭翎花落在前邊，丟開腳步跑了。

那太子見箭中了玉兔，兜開馬，獨自爭先來趕。不知馬行得快，行者如風；馬行得遲，行者慢走：只在他面前不遠。看他一程一程，將太子哄到寶林寺山門之下，行者現了本身。不見兔兒，只見一枝箭插在門檻上。逕撞進去，見唐僧道：「師父，來了！來了！」卻又一變，變做二寸長的小和尚兒，鑽在紅匣之內。

卻說那太子趕到山門前，不見了玉兔，只見門檻上插著一枝雕翎箭。太子大驚失色道：「怪哉！怪哉！分明我箭中了玉兔，玉兔怎麼不見，只見箭在此間？想是年多日久，成了精魅也。」拔了箭，抬頭看處，山門上有五個大字，寫著「敕建寶林寺」。太子道：「我知之矣。向年間曾記得我父王在金鑾殿上，差官齎些金帛，與這和尚修理佛殿佛像，不期今日到此。正是：因過道院逢僧話，又得浮生半日閒◆。我且進去走走。」

◆肚花—宋元時男子長衣外包裹腰肚的繡袍肚。
札—武士冑甲上由皮革或金屬製成的甲葉。
因過道院逢僧話，又得浮生半日閒—這是唐朝詩人李涉《題鶴林寺僧舍》詩的後兩句。

那太子跳下馬來，正要進去，只見那保駕的官將與三千人馬趕上，簇簇擁擁，都入山門裡面。慌得那本寺眾僧，都來叩頭拜接，接入正殿中間，參拜佛像。

卻才舉目觀瞻，又欲遊廊玩景，忽見正當中坐著一個和尚，太子大怒道：「這個和尚無禮！我今半朝鑾駕進山，雖無旨意知會，不當遠接，此時軍馬臨門，也該起身，怎麼還坐著不動？」教：「拿下來！」說聲「拿」字，兩邊校尉一齊下手，把唐僧抓將下來，急理繩索便捆。

行者在匣裡默默的念咒，教道：「護法諸天、六丁六甲，我今設法降妖，這太子不能知識，將繩要捆我師父，汝等即早護持；若真捆了，汝等都該有罪。」

那大聖暗中吩咐，誰敢不遵，卻將三藏護持定了，那些人摸也摸不著他光頭，好似一壁牆擋住，難攏其身。

那太子道：「你是哪方來的，使這般隱身法欺我？」

三藏上前施禮道：「貧僧無隱身法，乃是東土唐僧，上雷音寺拜佛求經進寶的和尚。」

太子道：「你那東土雖是中原，其窮無比，有甚寶貝，你說來我聽。」

三藏道：「我身上穿的這袈裟，是第三樣寶貝。還有第一等、第二等更好的物哩。」

太子道：「你那衣服，半邊苫身，半邊露臂，能值多少物，敢稱寶貝？」

三藏道：「這袈裟雖不全體，有詩幾句。

詩曰：

佛衣偏袒不須論，內隱真如脫世塵。

萬線千針成正果，九珠八寶合元神。

仙娥聖女恭修製，遺賜禪僧靜垢身。

見駕不迎猶自可，你的父冤未報枉為人。」

◈半朝鑾駕——古時皇帝出巡，擺列全部執事。皇子只用皇帝執事的一半，所以叫半朝鑾駕。

太子聞言，心中大怒道：「這潑和尚胡說！你那半片衣，憑著你口能舌便，誇好誇強。我的父冤從何未報？你說來我聽。」

三藏進前一步，合掌問道：「殿下，為人生在天地之間，能有幾恩？」

太子道：「有四恩。」三藏道：「哪四恩？」

太子道：「感天地蓋載之恩，日月照臨之恩，國王水土之恩，父母養育之恩。」三藏笑曰：「殿下言之有失。人只有天地蓋載，日月照臨，國王水土，哪得個父母養育來？」

太子怒道：「和尚是那遊手遊食削髮逆君之徒！人不得父母養育，身從何來？」

三藏道：「殿下，貧僧不知；但只這紅匣內有一件寶貝，叫做立帝貨，他上知五百年，中知五百年，下知五百年，共知一千五百年過去未來之事，便知無父母養育之恩，令貧僧在此久等多時矣。」

太子聞說，教：「拿來我看。」三藏扯開匣蓋兒，那行者跳將出來，兩邊亂走。太子道：「這星星小人兒，能知甚事？」行者聞言嫌小，卻就使個神通，把腰伸一伸，就長了有三尺四五寸。

眾軍士吃驚道：「若是這般快長，不消幾日，就撐破天也。」

行者長到原身，就不長了。太子才問道：「立帝貨，這老和尚說你能知未來過去吉凶，你卻有龜作卜？有蓍作筮？憑書句斷人禍福？」

行者道：「我一毫不用，只是全憑三寸舌，萬事盡皆知。」

太子道：「這廝又是胡說。自古以來，《周易》之書，極其玄妙，斷盡天下吉凶，使人知所趨避，故龜所以卜，蓍所以筮。聽汝之言，憑據何理？妄言禍福，煽惑人心。」

行者道：「殿下且莫忙，等我說與你聽。你本是烏雞國王的太子。你那裡五年前，年程荒旱，萬民遭苦，你家皇帝共臣子秉心祈禱。正無點雨之時，終南山來了一個道士，他善呼風喚雨，點石為金。君王忒也愛小◆，就與他拜為兄弟。這樁事有麼？」

太子道：「有！有！有！你再說說。」

行者道：「後三年不見全真，稱孤的卻是誰？」

太子道：「果是有個全真，父王與他拜為兄弟，食則同食，寢則同寢。三年前在御花園裡玩景，被他一陣神風，把父王手中金廂白玉珪攝回終南山去了。至今父王還思慕他。因不見他，遂無心賞玩，把花園緊閉了，已三年矣。做皇帝的，非我父王而何？」

行者聞言，哂笑不絕。太子再問不答，只是哂笑。

太子怒道：「這廝當言不言，如何這等哂笑？」

行者又道：「還有許多話哩！奈何左右人眾，不是說處。」

太子見他言語有因，將袍袖一展，教軍士且退。那駕上官將急傳令，將三千人馬都出門外住紮。此時殿上無人，太子坐在上面，長老立在前邊，左手旁立著行者。本寺諸僧皆退。行者才正色上前道：「殿下，化風去的是你生身之父母，現坐位的，是那祈雨之全真。」

太子道：「胡說！胡說！我父自全真去後，風調雨順，國泰民安。照依你說，就不是我父王了。還是我年孺，容得你；若我父王聽見你這番話，拿了去，碎屍萬段。」把行者咄的喝下來。

行者對唐僧道：「何如？我說他不信。果然！果然！如今卻拿那寶貝進與他，倒換關文，往西方去罷。」三藏即將紅匣子遞與行者。行者接過來，將身一抖，那匣兒卒不見了。原是他毫毛變的，被他收上身去。卻將白玉珪雙手捧上，獻與太子。

太子見了道：「好和尚！好和尚！你五年前本是個全真，來騙了我家的寶貝，如今又裝做和尚來進獻。」叫：「拿了！」一聲傳令，把長老諕得慌忙指著行者道：「你這弼馬溫，專撞空頭禍◆，帶累我哩！」行者近前一齊攔住道：「休嚷，莫走了風！我不叫做立帝貨，還有真名

◆愛小──喜歡貪小利、占便宜。 哂笑──嘻笑、譏笑。 空頭禍──平白無故的災禍。

哩。」太子怒道：「你上來！我問你個真名字，好送法司定罪！」

行者道：「我是那長老的大徒弟，名喚悟空孫行者。因與我師父上西天取經，昨宵到此覓宿。我師父夜讀經卷，至三更時分，得一夢。夢見你父王道，他被那全真欺害，推在御花園八角琉璃井內，全真變做他的模樣。滿朝官不能知。你年幼亦無分曉，禁你入宮，關了花園，大端◆怕漏了消息。你父王今夜特來請我降魔。我恐不是妖邪，自空中看了，果然是個妖精。正要動手拿他，不期你出城打獵。你箭中的玉兔，就是老孫。老孫把你引到寺裡，見師父，訴此衷腸，句句是實。你既然認得白玉珪，怎麼不念鞠養◆恩情，替親報仇？」

那太子聞言，心中慘慼◆，暗自傷愁道：「若不信此言語，他卻有三分兒真實；若信了，怎奈殿上現是我父王？」這才是進退兩難心問口，三思忍耐口問心。行者見他疑惑不定，又上前道：「殿下不必心疑，請殿下駕回本國，問你國母娘娘一聲，看他夫妻恩愛之情，比三年前如何。只此一問，便知真假矣。」

那太子回心道：「正是。且待我問我母親去來。」他跳起身，籠了白玉珪就走。

行者扯住道：「你這些人馬都回，卻不走漏消息，我難成功？但要你單人獨馬進城，不可揚名賣弄。莫入正陽門，須從後宰門進去。到宮中見你母親，切休高聲大氣，須是悄語低言。恐那怪神通廣大，一時走了消息，你娘兒們性命俱難保也。」太子謹遵教命。

出山門吩咐將官：「穩在此紮營，不得移動。我有一事，待我去了就來，一同進城。」看他：指揮號令屯軍士，上馬如飛即轉城。

這一去，不知見了娘娘，有何話說，且聽下回分解。

◆**大端**—大抵、大概。**鞠養**—養育。**慼**—憂傷、悲傷。慼音七。

第三八回

嬰兒問母知邪正
金木參玄見假真

逢君只說受生因，便作如來會上人。
一念靜觀塵世佛，十方同看降威神。
欲知今日真明主，須問當年嫡母身。
別有世間曾未見，一行一步一花新。

卻說那烏雞國王太子自別大聖，不多時，回至城中。果然不奔朝門，不敢報傳宣詔，逕至後宰門首，見幾個太監在那裡把守。見太子來，不敢阻滯，讓他進去了。好太子，夾一夾馬，撞入裡面，忽至錦香亭下。只見那正宮娘娘坐在錦香亭上，兩邊有數十個嬪妃掌扇，那娘娘倚雕欄兒流淚哩。

你道她流淚怎的？原來她四更時也做了一夢，記得一半，含糊了一半，沉沉思想。

這太子下馬，跪於亭下，叫：「母親。」

那娘娘強整歡容，叫聲：「孩兒，喜呀！喜呀！這二三年在前殿與你父王開講，不得相見，我甚思量。今日如何得暇來看我一面？誠萬千之喜！誠萬千之喜！孩兒，你怎麼聲音悲慘？你父王年紀高邁，有一日龍歸碧海，鳳返丹霄，你就傳了帝位，還有甚麼不悅？」

太子叩頭道：「母親，我問妳：即位登龍是哪個？稱孤道寡◆果何人？」

娘娘聞言道：「這孩兒發風了？做皇帝的是你父王，你問怎的？」

太子叩頭道：「萬望母親赦子無罪，敢問；不赦，不敢問。」

娘娘道：「子母家有何罪？赦你，赦你，快快說來。」

◆**稱孤道寡**—孤、寡，古時帝王的自稱。稱孤道寡比喻自稱為王，獨霸一方。

太子道：「母親，我問妳三年前夫妻宮裡之事，與後三年恩愛同否如何？」

娘娘見說，魂飄魄散，急下亭抱起，緊摟在懷，眼中滴淚道：「孩兒，我與你久不相見，怎麼今日來宮問此？」

太子發怒道：「母親有話早說；不說時，且誤了大事。」

娘娘才喝退左右，淚眼低聲道：「這樁事，孩兒不問，我到九泉之下，也不得明白。既問時，聽我說：三載之前溫又暖，三年之後冷如冰。枕邊切切將言問，他說老邁身衰事不興。」

太子聞言，撒手脫身，攀鞍上馬。那娘娘一把扯住道：「孩兒，你有甚事，話不終就走？」

太子跪在面前道：「母親，不敢說。今日早朝，蒙欽差架鷹逐犬，出城打獵。偶遇東土駕下來的個取經聖僧，有大徒弟乃孫行者，極善降妖。原來我父王死在御花園八角琉璃井內，這全真假變父王，侵了龍位。今夜三更，父王托夢，請他到城捉怪。孩兒不敢盡信，特來問母。母親才說出這等言語，必然是個妖精。」

那娘娘道：「兒啊，外人之言，你怎麼就信為實？」

太子道：「兒還不敢認實，父王遺下表記與他了。」

娘娘問是何物，太子袖中取出那金廂白玉珪，遞與娘娘。那娘娘認得是當時國王之寶，止不住淚如泉湧。叫聲：「主公，你怎麼死去三年，不來見我，卻先見聖僧，後見太子？」

太子道：「母親，這話是怎的說？」

娘娘道：「兒啊，我四更時分，也做了一夢，夢見你父王水淋淋的站在我跟前，親說他死了，鬼魂兒拜請了唐僧，降假皇帝，救他前身。記便記得是這等言語，只是一半兒不得分明。正在這裡狐疑，怎知今日你又來說這話，又將寶貝拿出。我且收下，你且去請那聖僧急急為之。果然掃蕩妖氛，辨明邪正，庶報你父王養育之恩也。」

太子急忙上馬，出後宰門，躲離城池。真個是噙淚叩頭辭國母，含悲頓首覆唐僧。不多時，出了城門，逕至寶林寺山門前下馬。眾軍士接著太子，又見紅輪將墜。

太子傳令：「不許軍士亂動。」他又獨自個入了山門，整束衣冠，拜請行者。

只見那猴王從正殿搖搖擺擺走來，那太子雙膝跪下道：「師父，我來了。」行者上前攙住道：「請起。你到城中，可曾問誰麼？」

太子道：「問母親來。」將前言盡說了一遍。

行者微微笑道：「若是那般冷啊，想是個甚麼冰冷的東西變的。不打緊！不打緊！等我老孫與你掃蕩。卻只是今日晚了，不好行事。你先回去，待明早我來。」

太子跪地叩拜道：「師父，我只在此，伺候到明日，同師父一路去罷。」

行者道：「不好！不好！若是與你一同入城，那怪物生疑，不說是我撞著你，卻說是你請老孫，卻不惹他反怪你也？」

太子道：「我如今進城，他也怪我。」行者道：「怪你怎麼？」太子道：「我自早朝蒙差，帶領若干人馬鷹犬出城，今一日更無一件野物，怎麼見駕？若問我個不才之罪，監陷羑里◆，你明日進城，卻將何倚？況那班部中，更沒個相知人也。」行者道：「這甚打緊？你肯早說時，卻不尋下些等你？」

好大聖，你看他就在太子面前，顯個手段，將身一縱，跳在雲端裡。捻著訣，念一聲「唵嚂淨法界」的真言，拘得那山神、土地在半空中施禮道：「大聖，呼喚小神，有何使令？」行者道：「老孫保護唐僧到此，欲拿邪魔，奈何那太子打獵無物，不敢回朝。問汝等討個人情，快將獐犯鹿兔、走獸飛禽，各尋些來，打發他回去。」山神、土地聞言，敢不承命，又問各要幾何。

◆羑里—地名。在今河南省湯陰縣北，為商紂囚禁周文王的地方。也作「牖里」。羑音有。

大聖道：「不拘多少，取些來便罷。」那各神即著本處陰兵，刮一陣聚獸陰風，捉了些野雞山雉、角鹿肥獐、狐獾狢兔、虎豹狼蟲，共有百千餘隻，獻與行者。

行者道：「老孫不要，你可把他都捻就◆了筋，單擺在那四十里路上兩旁，教那些人不放鷹犬，拿回城去，算了汝等之功。」眾神依言，收了陰風，擺在左右。

行者才按雲頭，對太子道：「殿下請回，路上已有物了，你自收去。」

太子見他在半空中弄此神通，如何不信，只得叩頭拜別。出山門傳了令，教軍士們回城。只見那路旁果有無限的野物，軍士們不放鷹犬，一個個俱著手擒捉喝采，俱道是千歲殿下的洪福，怎知是老孫的神功。你聽凱歌聲唱，一擁回城。

這行者保護了三藏。那本寺中的和尚見他們與太子這樣綢繆◆，怎不恭敬？卻又安排齋供，管待了唐僧，依然還歇在禪堂裡。將近有一更時分，行者心中有事，急睡不著。他一轂轆爬起來，到唐僧床前，叫：「師父。」此時長老還未睡哩，他曉得行者會失驚打怪的，推睡不應。

行者摸著他的光頭，亂搖道：「師父怎睡著了？」唐僧怒道：「這個頑皮，這早晚還不睡，吆喝甚麼？」行者道：「師父，有一樁事兒，和你計較計較。」長老道：「甚麼事？」行者道：「我日間與那太子誇口，說我的手段比山還高，比海還深，拿那妖精如探囊取物一般，伸了手去就拿將轉來。卻也睡不著，想起來，有些難哩。」

唐僧道：「你說難，便就不拿了罷。」

行者道：「拿是還要拿，只是理上不順。」

唐僧道：「這猴頭亂說。妖精奪了人君位，怎麼叫做理上不順？」

◆就──抽。綢繆──親密。

行者道：「你老人家只知念經拜佛，打坐參禪，那曾見那蕭何的律法？常言道：『拿賊拿贓。』那怪物做了三年皇帝，又不曾走了馬腳，漏了風聲。他與三宮妃后同眠，又和兩班文武共樂，我老孫就有本事拿住他，也不好定個罪名。」

唐僧道：「怎麼不好定罪？」

行者道：「他就是個沒嘴的葫蘆，也與你滾上幾滾。他敢道：『我是烏雞國王，有甚逆天之事，你來拿我？』將甚執照與他折辯？」

唐僧道：「憑你怎生裁處？」

行者笑道：「老孫的計已成了。只是干礙著你老人家，有些兒護短。」

唐僧道：「我怎麼護短？」

行者道：「八戒生得夯，你有些兒偏向他。」

唐僧道：「我怎麼向他？」

行者道：「你若不向他啊，且如今把膽放大些，與沙僧只在這裡。待老孫與八戒趁此時先入那烏雞國城中，尋著御花園，打開琉璃井，把那皇帝屍首撈將上來，包在我們包袱裡。明日進城，且不管甚麼倒換文牒，見了那怪，掣棍來就打。他但有言語，就將骨櫬◆與他看，說：『你殺的是這個人。』卻教太子上來哭父，皇后出來認夫，文武多官見主，我老孫與兄弟們動手。這才是有對頭的官事好打。」

唐僧聞言，暗喜道：「只怕八戒不肯去。」

行者笑道：「如何？我說你護短。你怎麼就知他不肯去？你只像我叫你時不答應，半個時辰便了。我這去，但憑三寸不爛之舌，莫說是豬八戒，就是豬九戒，也有本事教他跟著我走。」

唐僧道：「也罷，隨你去叫他。」

行者離了師父，逕到八戒床邊，叫：「八戒，八戒。」那呆子是走路辛苦

◆**執照**—憑證、證據。　**骨櫬**—死人埋藏後經過腐爛剩下來的骨頭。這裡指屍體。

的人，丟倒頭，只情打呼，哪裡叫得醒。

行者揪著耳朵，抓著鬃，把他一拉，拉起來，叫聲：「八戒。」那呆子還打棱掙。

行者又叫一聲，呆子道：「睡了罷，莫頑！明日要走路哩！」

行者道：「不是頑，有一樁買賣，我和你做去。」

八戒道：「甚麼買賣？」行者道：「你可曾聽得那太子說麼？」

八戒道：「我不曾見面，不曾聽見說甚麼。」

行者說：「那太子告訴我說，那妖精有件寶貝，萬夫不當之勇。我們明日進城，不免與他爭敵，倘那怪執了寶貝，降倒我們，卻不反成不美？我想著打人不過，不如先下手。我和你去偷他的來，卻不是好？」

八戒道：「哥哥，你哄我去做賊哩。這個買賣，我也去得，果是曉得實實的幫寸◆，我也與你講個明白：偷了寶貝，降了妖精，我卻不奈煩甚麼小家罕氣的分寶貝，我就要了。」

行者道：「你要作甚？」

八戒道：「我不如你們乖巧能言，人面前化得出齋來。老豬身子又夯，言語又粗，不能念經，若到那無濟無生處，可好換齋吃麼。」

行者道：「老孫只要圖名，哪裡圖甚寶貝？就與你便了。」那呆子聽見說都與他，他就滿心歡喜，一轂轆爬將起來，套上衣服，就和行者走路。這正是清酒紅人面，黃金動道心。

兩個密密的開了門，躲離三藏，縱祥光，逕奔那城。不多時到了，按落雲頭，只聽得樓頭方二鼓矣。

行者道：「兄弟，二更時分了。」

八戒道：「正好！正好！人都在頭覺裡正濃睡也。」二人不奔正陽門，逕到後宰門首，只聽得梆鈴聲響。

行者道：「兄弟，前後門皆緊急，如何得入？」

◆幫寸──幫助。

八戒道：「哪見做賊的從門裡走麼？瞞牆跳過便罷。」行者依言，將身一縱，跳上裡羅城牆。八戒也跳上去。二人潛入裡面，找著門路，逕尋那御花園。

正行時，只見有一座三簷白簇的門樓，上有三個亮灼灼的大字，映著那星月光輝，乃是「御花園」。行者近前看了，有幾重封皮，公然將鎖門鏽住了，即命八戒動手。那呆子掣鐵鈀，盡力一築，把門築得粉碎。行者先舉步踐◆入，忍不住跳將起來，大呼小叫。唬得八戒上前扯住道：「哥呀，害殺我也。哪見做賊的這般吆喝？驚醒了人，把我們拿住，發到官司，就不該死罪，也要解回原籍充軍。」行者道：「兄弟啊，你說我發急為何？你看這：

彩畫雕欄狼狽，寶妝亭閣攲歪。
莎汀蓼岸盡塵埋，芍藥荼蘼俱敗。
茉莉玫瑰香暗，牡丹百合空開。

芙蓉木槿草垓垓◆，異卉奇葩壅壞。
巧石山峰俱倒，池塘水涸魚衰。
青松紫竹似乾柴，滿路茸茸蒿艾。
丹桂碧桃枝損，海榴棠棣根歪。
橋頭曲徑有蒼苔，冷落花園境界。」

八戒道：「且嘆他做甚？快幹我們的買賣去來！」行者雖然感慨，卻留心想起唐僧的夢來，說芭蕉樹下方是井。正行走，果見一株芭蕉，生得茂盛，比眾花木不同。真是：

一種靈苗秀，天生體性空。枝枝抽片紙，葉葉捲芳叢。
翠縷千條細，丹心一點紅。淒涼愁夜雨，憔悴怯秋風。
長養元丁力，栽培造化工。緘書成妙用，揮灑有奇功。

◆跐——踏、踹。 垓垓——形容雜草叢生的樣子。

鳳翎寧得似，鸞尾迥相同。薄露瀼瀼滴，輕煙淡淡籠。
青陰遮戶牖，碧影上簾櫳。不許棲鴻雁，何堪繫玉驄。
霜天形槁悴，月夜色朦朧。僅可消炎暑，猶宜避日烘。
愧無桃李色，冷落粉牆東。

行者道：「八戒，動手麼！寶貝在芭蕉樹下埋著哩。」那呆子雙手舉鈀，築倒了芭蕉。然後用嘴一拱，拱了有三四尺深，見一塊石板蓋著。呆子歡喜道：「哥呀，造化了！果有寶貝！是一片石板蓋著哩！不知是罈兒盛著，是櫃兒裝著哩！」行者道：「你掀起來看看。」那呆子果又一嘴，拱開看處，又見霞光灼灼，白氣明明。八戒笑道：「造化！造化！寶貝放光哩！」又近前細看時，呀！原來是星月之光，映得那井中水亮。

八戒道：「哥呀，你但幹事，便要留根。」行者道：「我怎留根？」

八戒道：「這是一眼井，你在寺裡早說是井中有寶貝，我卻帶將兩條捆包袱的繩來，怎麼作個法兒，把老豬放下去。如今空手，這裡面東西，怎麼得下去上來耶？」

行者道：「你下去麼？」八戒道：「正是要下去，只是沒繩索。」

行者笑道：「你脫了衣服，我與你個手段。」

八戒道：「有甚麼好衣服？解了這直裰子就是了。」

好大聖，把金箍棒拿出來，兩頭一扯，叫：「長！」足有七八丈長。教：「八戒，你抱著一頭兒，把你放下井去。」

八戒道：「哥呀，放便放下去，若到水邊，就住了罷。」

行者道：「我曉得。」那呆子抱著鐵棒，被行者輕輕提將起來，將他放下去，不多時，放至水邊。

八戒道：「到水了。」行者聽見他說，卻將棒往下一按。

那呆子撲通的一個沒頭蹲◆，丟了鐵棒，便就負水，口裡哺哺的嚷道：「這天殺的，我說到水莫放，他卻就把我一按！」

行者掣上棒來，笑道：「兄弟，可有寶貝麼？」八戒道：「見甚麼寶貝，只是一井水！」行者道：「寶貝沉在水底下哩，你下去摸一摸來。」呆子真個深知水性，卻就打個猛子，淬將下去。呀！那井底深得緊！他卻著實又一淬，忽睜眼見有一座牌樓，上有「水晶宮」三個字。八戒大驚道：「罷了！罷了！錯走了路了，蹡下海來也。海內有個水晶宮，井裡如何有之？」原來八戒不知此是井龍王的水晶宮。

八戒正敘話處，早有一個巡水的夜叉開了門，看見他的模樣，急抽身進去報道：「大王，禍事了！井上落一個長嘴大耳的和尚來了！赤淋淋的，衣服全無，還不死，逼法說話哩。」

那井龍王忽聞此言，心中大驚道：「這是天蓬元帥來也。昨夜夜遊神奉上敕旨，來取烏雞國王魂靈去拜見唐僧，請齊天大聖降妖。這怕是齊天大聖、天蓬元帥來了，卻不可怠慢他，快接他去也。」

那龍王整衣冠，領眾水族，出門來厲聲高叫道：「天蓬元帥，請裡面坐。」八戒卻才歡喜道：「原來是個故知◆。」那呆子不管好歹，逕入水晶宮裡。其實不知上下，赤淋淋的，就坐在上面。

龍王道：「元帥，近聞你得了性命，皈依釋教◆，保唐僧西天取經，如何得到此處？」八戒道：「正為此說。我師兄孫悟空多多拜上，著我來問你取甚麼寶貝哩。」

龍王道：「可憐，我這裡怎麼得個寶貝？比不得那江、河、淮、濟的龍王，飛騰變化，便有寶貝。我久困於此，日月且不能長見，寶貝果何自而來也？」

八戒道：「不要推辭，有便拿出來罷。」

龍王道：「有便有一件寶貝，只是拿不出來，就元帥親自來看看，何如？」

八戒道：「妙！妙！妙！須是看看來也。」

◆**沒頭蹲**—從頭至腳都沒入水中。沒音末。　**猛子**—以頭倒入水中的泅水法。
故知—舊識的朋友。　**釋教**—佛教。

那龍王前走，這呆子隨後。轉過了水晶宮殿，只見廊廡下，橫躺著一個六尺長軀。

龍王用手指定道：「元帥，那廂就是寶貝了。」

八戒上前看了，呀！原來是個死皇帝，戴著沖天冠，穿著赭黃袍，踏著無憂履，繫著藍田帶，直挺挺睡在那廂。

八戒笑道：「難！難！難！算不得寶貝！想老豬在山為怪時，時常將此物當飯，且莫說見的多少，吃也吃夠無數，哪裡叫做甚麼寶貝？」

龍王道：「元帥原來不知。他本是烏雞國王的屍首，自到井中，我與他定顏珠定住，不曾得壞。你若肯馱他出去，見了齊天大聖，假有起死回生之意啊，莫說寶貝，憑你要甚麼東西都有。」

八戒道：「既這等說，我與你馱出去，只說把多少燒埋錢與我？」

龍王道：「其實無錢。」八戒道：「你好白使人？果然沒錢，不馱！」

龍王道：「不馱，請行。」八戒就走。

龍王差兩個有力量的夜叉，把屍抬將出去，送到水晶宮門外，丟在那廂，摘了辟水珠，就有水響。

八戒急回頭看，不見水晶宮門，一把摸著那皇帝的屍首，慌得他腳軟筋麻，攛出水面，扳著井牆，叫道：「師兄，伸下棒來救我一救。」

行者道：「可有寶貝麼？」

八戒道：「哪裡有，只是水底下有一個井龍王，教我馱死人，我不曾馱，他就把我送出門來，就不見那水晶宮了，只摸著那個屍首。諕得我手軟筋麻，掙搓不動了。哥呀，好歹救我救兒！」

行者道：「那個就是寶貝，如何不馱上來？」

八戒道：「知他死了多少時了，我馱他怎的？」

行者道：「你不馱，我回去耶。」八戒道：「你回哪裡去？」

行者道：「我回寺中，同師父睡覺去。」八戒道：「我就不去了？」

◆燒埋錢——辦理安葬死者所須的花費。

行者道：「你爬得上來，便帶你去；爬不上來，便罷。」

八戒慌了：「怎生爬得動！你想，城牆也難上，這井肚子大，口兒小，壁陡的圈牆，又是幾年不曾打水的井，團團都長的是苔痕，好不滑也，教我怎爬？哥哥，不要失了兄弟們和氣，等我馱上來罷。」

行者道：「正是，快快馱上來，我同你回去睡覺。」

那呆子又一個猛子，淬將下去，摸著屍首，拽過來，背在身上，攛出水面，扶井牆道：「哥哥，馱上來了。」

那行者睜睛看處，真個的背在身上，卻才把金箍棒伸下井底。那呆子著了惱的人，張開口，咬著鐵棒，被行者輕輕的提將出來。

八戒將屍放下，撈過衣服穿了。行者看時，那皇帝容顏依舊，似生時未改分毫。行者道：「兄弟啊，這人死了三年，怎麼還容顏不壞？」

八戒道：「你不知之。這井龍王對我說，他使了定顏珠定住了，屍首未曾壞得。」

行者道：「造化！造化！一則是他的冤仇未報，二來該我們成功。兄弟快把他馱了去。」

八戒道：「馱往哪裡去？」行者道：「馱了去見師父。」

八戒口中作念道：「怎的起！怎的起！好好睡覺的人，被這猢猻花言巧語，哄我教做甚麼買賣，如今卻幹這等事，教我馱死人。馱著他，腌臢臭水淋將下來，汙了衣服，沒人與我漿洗。上面有幾個補丁◆，天陰發潮，如何穿麼？」

行者道：「你只管馱了去，到寺裡，我與你換衣服。」

八戒道：「不羞！連你穿的也沒有，又替我換？」

行者道：「這般弄嘴，便不馱罷？」八戒道：「不馱。」

行者道：「便伸過孤拐來，打二十棒！」

八戒慌了道：「哥哥，那棒子重，若是打上二十，我與這皇帝一般了。」

◆著了惱——生氣、發怒。　補丁——破損衣物上補綴的地方。

行者道：「怕打時，趁早兒馱著走路！」八戒果然怕打，沒好氣，把屍首拽將過來，背在身上，拽步出園就走。

好大聖，捻著訣，念聲咒語，往巽地上吸一口氣，吹將去，就是一陣狂風，把八戒撮出皇宮內院，躲離了城池，息了風頭，二人落地，徐徐卻走將來。

那呆子心中暗惱，算計要報恨行者，道：「這猴子捉弄我，我到寺裡也捉弄他捉弄，攛唆師父，只說他醫得活；醫不活，教師父念緊箍兒咒，把這猴子的腦漿勒出來，方趁我心！」

走著路，再再尋思道：「不好！不好！若教他醫人，卻是容易；他去閻王家討將魂靈兒來，就醫活了。只說不許赴陰司，陽世間就能醫活，這法兒才好。」

說不了，卻到了山門前，徑直進去，將屍首丟在那禪堂門前。道：「師父，起來看邪。」那唐僧睡不著，正與沙僧講行者哄了八戒去久不回之事。忽聽得他來叫了一聲，唐僧連忙起身道：「徒弟，看甚麼？」

八戒道：「行者的外公，教老豬馱將來了。」

行者道：「你這饢糠的呆子，我哪裡有甚麼外公？」

八戒道：「哥，不是你外公，卻教老豬馱他來怎麼？也不知費了多少力了！」

那唐僧與沙僧開門看處，那皇帝容顏未改，似活的一般。長老忽然慘悽道：「陛下，你不知哪世裡冤家，今生遇著他，暗喪其身，拋妻別子，致令文武不知，多官不曉。可憐你妻子昏蒙，誰曾見焚香獻茶？」忽失聲淚如雨下。

八戒笑道：「師父，他死了可干你事？又不是你家父祖，哭他怎的？」

◆報恨—報仇雪恨。

三藏道：「徒弟啊，出家人慈悲為本，方便為門。你怎的這等心硬？」

八戒道：「不是心硬，師兄和我說來，他能醫得活；若醫不活，我也不馱他來了。」

那長老原來是一頭水◈的，被那呆子搖動了，他就叫：「悟空，若果有手段醫活這個皇帝，正是『救人一命，勝造七級浮屠』。我等也強似靈山拜佛。」

行者道：「師父，你怎麼信這呆子亂談？人若死了，或三七五七，盡七七日，受滿了陽間罪過，就轉生去了。如今已死三年，如何救得？」

三藏聞其言道：「也罷了。」

八戒苦恨不息，道：「師父，你莫被他瞞了，他有些夾腦風◈。你只念念那話兒，管他還你一個活人。」

真個唐僧就念緊箍兒咒，勒得那猴子眼脹頭疼。

畢竟不知怎生醫救，且聽下回分解。

◆一頭水——沒有主見，像水一樣，哪頭重就向哪頭倒。

夾腦風——呆子、痴漢、精神不正常。

第三九回

一粒金丹天上得
三年故主世間生

話說那孫大聖頭痛難禁，哀告道：「師父莫念！莫念！等我醫罷！」

長老問：「怎麼醫？」

行者道：「只除過陰司，查勘哪個閻王家有他魂靈，請將來救他。」

八戒道：「師父莫信他。他原說不用過陰司，陽世間就能醫活，方見手段哩。」那長老信邪風，又念緊箍兒咒。

慌得行者滿口招承◆道：「陽世間醫罷！陽世間醫罷！」

八戒道：「莫要住，只管念！只管念！」

行者罵道：「你這呆孽畜，攛道◆師

父咒我哩。」

八戒笑得打跌道：「哥耶！哥耶！你只曉得捉弄我，不曉得我也捉弄你捉弄！」

行者道：「師父莫念！莫念！待老孫陽世間醫罷。」

三藏道：「陽世間怎麼醫？」

行者道：「我如今一觔斗雲，撞入南天門裡，不進斗牛宮，不入靈霄殿，逕到那三十三天之上，離恨天宮兜率院內，見太上老君，把他九轉還魂丹求得一粒來，管取救活他也。」

三藏聞言，大喜道：「就去快來。」

行者道：「如今有三更時候罷了，投到回來，好天明了。只是這個人睡在這裡，冷淡冷淡，不像個模樣。須得舉哀人◆看著他哭，便才好哩。」

◆招承——承認罪狀。　攛道——慫恿、唆使。　舉哀人——指辦喪事時請來高聲號哭的人。

八戒道：「不消講，這猴子一定是要我哭哩。」

行者道：「怕你不哭！你若不哭，我也醫不成。」

八戒道：「哥哥，你自去，我自哭罷了。」

行者道：「哭有幾樣：若乾著口喊，謂之嚎；扭搜◈出些眼淚兒來，謂之啕；又要哭得有眼淚，又要哭得有心腸，才算著嚎啕痛哭哩。」

八戒道：「我且哭個樣子你看看。」

他不知哪裡扯個紙條，撚作一個紙撚兒，往鼻孔裡通了兩通，打了幾個涕噴，你看他眼淚汪汪，粘涎答答的，哭將起來。口裡不住的絮絮叨叨，數黃道黑◈，真個像死了人的一般。哭到那傷情之處，唐長老也淚滴心酸。

行者笑道：「正是那樣哀痛，再不許住聲。你這呆子哄得我去了，你就不哭。我還聽哩，若是這等哭便罷，若略住住聲兒，定打二十個孤拐。」

八戒笑道：「你去！你去！我這一哭動頭，有兩日哭哩！」沙僧見他數落，便去尋幾枝香來燒獻。

行者笑道：「好！好！好，一家兒都有些敬意，老孫才好用功。」

好大聖，此時有半夜時分，別了他師徒三眾，縱觔斗雲，只入南天門裡。果然也不謁靈霄寶殿，不上那斗牛天宮，一路雲光，逕來到三十三天離恨天兜率宮中。才入門，只見那太上老君正坐在那丹房中，與眾仙童執芭蕉扇，搧火煉丹哩。

他見行者來時，即吩咐看丹的童兒：「各要仔細，偷丹的賊又來也。」行者作禮笑道：「老官兒，這等沒搭撒◆，防備我怎的？我如今不幹那樣事了。」

老君道：「你那猴子，五百年前大鬧天宮，把我靈丹偷吃無數，著小聖二郎捉拿上界，送在我丹爐煉了四十九日，炭也不知費了多少。你如今幸得脫身，皈依佛果，保唐僧往西天取經。前者在平頂山上降魔，弄刁難，不與我寶貝，今日又來做甚？」

行者道：「前日事，老孫更沒稽遲◆，將你那五件寶貝當時交還，你反疑

◆扭捜——擠。　**數黃道黑**——指信口隨意亂說。　**沒搭撒**——糊塗、不振作。這裡指沒正經。

心怪我？」

老君道：「你不走路，潛入吾宮怎的？」

行者道：「自別後，西過一方，名烏雞國。那國王被一妖精假裝道士，呼風喚雨，陰害了國王，那妖假變國王相貌，現坐金鑾殿上。是我師父夜坐寶林寺看經，那國王鬼魂參拜我師，敦請老孫與他降妖，辨明邪正。「正是老孫思無指實，與弟八戒夜入園中，打破花園，尋著埋藏之所，乃是一眼八角琉璃井內。撈上他的屍首，容顏不改。到寺中見了我師，他發慈悲，著老孫醫救，不許去赴陰司裡求索靈魂，只教在陽世間救治。我想著無處回生，特來參謁。萬望道祖垂憐，把九轉還魂丹借得一千丸兒，與我老孫，搭救他也。」

老君道：「這猴子胡說，甚麼一千丸二千丸，當飯吃哩？是哪裡土塊挼的，這等容易？咄！快去！沒有！」

行者笑道：「百十丸兒也罷。」老君道：「也沒有。」

行者道：「十來丸也罷。」

老君怒道：「這潑猴卻也纏帳◆，沒有，沒有！出去，出去！」

行者笑道：「真個沒有，我問別處去求罷。」

老君喝道：「去！去！去！」這大聖拽轉步，往前就走。

老君忽的尋思道：「這猴子憊懶哩，說去就去，只怕溜進來就偷。」即命仙童叫回來道：「你這猴子，手腳不穩，我把這還魂丹送你一丸罷。」

行者道：「老官兒，既然曉得老孫的手段，快把金丹拿出來，與我四六分分，還是你的造化哩；不然，就送你個皮笊籬，一撈個罄盡。」

那老祖取過葫蘆來，倒吊過底子，傾出一粒金丹，遞與行者道：「只有此了，拿去，拿去。送你這一粒，醫活那皇帝，只算你的功果罷。」

◆**稽遲**—耽誤、拖延。 **挼**—搓，用手團弄成球形。 **纏帳**—糾纏不清。

行者接了道：「且休忙，等我嘗嘗看，只怕是假的，莫被他哄了。」撲地往口裡一丟。慌得那老祖上前扯住，一把揪著頂瓜皮◆，揝著拳頭，罵道：「這潑猴若要嚥下去，就直打殺了。」

行者笑道：「嘴臉！小家子樣！哪個吃你的哩！能值幾個錢？虛多實少的。在這裡不是？」

原來那猴子頦下有嗉袋◆兒，他把那金丹噙在嗉袋裡，被老祖捻著道：「去罷！去罷！再休來此纏繞！」這大聖才謝了老祖，出離了兜率天宮。

你看他千條瑞靄離瑤闕，萬道祥雲降世塵。須臾間，下了南天門，回到東觀，早見那太陽星上。按雲頭，逕至寶林寺山門外，只聽得八戒還哭哩。忽近前叫聲：「師父。」

三藏喜道：「悟空來了，可有丹藥？」

行者道：「有。」八戒道：「怎麼得沒有？他偷也去偷人家些來。」

行者笑道：「兄弟，你過去罷，用不著你了。你揩揩眼淚，別處哭去。」

教沙和尚：「取些水來我用。」沙僧急忙往後面井上，有個方便吊桶，即將半鉢盂水遞與行者。行者接了水，口中吐出丹來，安在那皇帝唇裡。兩手扳開牙齒，用一口清水，把金丹沖灌下肚。有半個時辰，只聽他肚裡呼呼的亂響，只是身體不能轉移。

行者道：「師父，弄我金丹也不能救活，可是掯◆殺老孫麼？」三藏道：「豈有不活之理？似這般久死之屍，如何吞得水下？此乃金丹之仙力也。自金丹入腹，卻就腸鳴了，腸鳴乃血脈和動，但氣絕不能回伸。莫說人在井裡浸了三年，就是生鐵也上鏽了。只是元氣盡絕，得個人度他一口氣便好。」

那八戒上前就要度氣，三藏一把扯住道：「使不得，還教悟空來。」那師父甚有主張：原來豬八戒自幼兒傷生作孽吃人，是一口濁氣。惟行者從小修持，咬松嚼柏，吃桃果為生，是一口清氣。這大聖上前，把個雷

◆嗉袋——猴子、駱駝等動物長於頷下暫時存放食物，以備後來慢慢咀嚼的囊袋。

頂瓜皮——頭頂及其周圍的皮。　掯——刁難。掯音肯四聲。

公嘴，噙著那皇帝口唇，呼的一口氣吹入咽喉，度下重樓◈，轉明堂◈，逕至丹田◈，從湧泉◈倒返泥垣宮◈。呼的一聲響亮，那君王氣聚神歸，便翻身，掄拳曲足，叫了一聲：「師父！」雙膝跪在塵埃道：「記得昨夜鬼魂拜謁，怎知道今朝天曉返陽神。」三藏慌忙攙起道：「陛下，不干我事，你且謝我徒弟。」行者笑道：「師父說哪裡話，常言道：『家無二主。』你受他一拜兒不虧。」

三藏甚不過意，攙起那皇帝來，同入禪堂。又與八戒、行者、沙僧拜見了，方才按座。只見那本寺的僧人整頓了早齋，卻欲來奉獻，忽見那個水衣皇帝，個個驚張，人人疑說。

孫行者跳出來道：「那和尚不要這等驚疑。這本是烏雞國王，乃汝之真主也。三年前被怪害了性命，是老孫今夜救活。如今進他城去，要辨明邪正。若有了齋，擺將來，等我們吃了走路。」

眾僧即奉獻湯水，與他洗了面，換了衣服。把那皇帝赭黃袍脫了，本寺僧官將兩領布直裰與他穿了；解下藍田帶，將一條黃絲縧子與他繫了；褪下無憂履，與他一雙舊僧鞋撒了。卻才都吃了早齋，扣背馬匹。

行者問：「八戒，你行李有多重？」八戒道：「哥哥，這行李日逐挑著，倒也不知有多重。」行者道：「你把那一擔兒分為兩擔：將一擔兒你挑著，將一擔兒與這皇帝挑。我們趕早進城幹事。」八戒歡喜道：「造化！造化！當時馱他來，不知費了多少力；如今醫活了，原來是個替身。」那獃子就弄玄虛，將行李分開，就問寺中取條扁擔，輕些的自己挑了，重些的教那皇帝挑著。行者笑道：「陛下，著你那般打扮，挑著擔子，跟

◆**重樓**─道教稱氣管為「重樓」。 **明堂**─經穴，位於頭頂正中。 **湧泉**─位於兩腳足心的穴道。 **泥垣宮**─頭頂的前部。 **丹田**─人體臍下一寸半或三寸的地方。

我們走走，可虧你麼？」

那國王慌忙跪下道：「師父，你是我重生父母一般，莫說挑擔，情願執鞭墜鐙◆，服侍老爺，同行上西天去也。」

行者道：「不要你去西天，我內中有個緣故。你只挑得四十里進城，待捉了妖精，你還做你的皇帝，我們還取我們的經也。」

八戒聽言道：「這等說，他只挑四十里路，我老豬還是長工◆。」

行者道：「兄弟，不要胡說，趁早外邊引路。」

真個八戒領那皇帝前行，沙僧服侍師父上馬，行者隨後。只見那本寺五百僧人齊齊整整，吹打著細樂，都送出山門之外。

行者笑道：「和尚們不必遠送，但恐官家有人知覺，泄漏我的事機，反為不美。快回去！快回去！但把那皇帝的衣服冠帶，整頓乾淨，或是今晚明早，送進城來，我討些封贈賞賜謝你。」眾僧依命各回訖。

行者放開大步，趕上師父，一直前來。正是：

西方有訣好尋真，金木和同卻煉神。
丹母◆空懷懞懂夢，嬰兒長恨杌樗◆身。
必須井底求明主，還要天堂拜老君。
悟得色空還本性，誠為佛度有緣人。

師徒們在路上，那消半日，早望見城池相近。三藏道：「悟空，前面想是烏雞國了。」行者道：「正是，我們快趕進城幹事。」那師徒進得城來，只見街市上人物齊整，風光鬧熱。早又見鳳閣龍樓，十分壯麗。有詩為證。詩曰：

海外宮樓如上邦，人間歌舞若前唐。

◆**執鞭墜鐙**—鐙，掛在馬鞍兩旁供騎者踏腳的東西。執鞭墜鐙指手持馬鞭、放置馬鐙，表示追隨左右、任由差遣的意思。
長工—長期被傭僱的工人。 **丹母**—指煉丹的元母。
杌樗—杌，樹沒有枝。樗，臭椿樹。杌樗，比喻不成材料，沒出息。杌樗音務書。

花迎寶扇紅雲繞，日照鮮袍翠霧光。
孔雀屏開香靄出，珍珠簾捲彩旗張。
太平景象真堪賀，靜列多官沒奏章。

三藏下馬道：「徒弟啊，我們就此進朝倒換關文，省得又攏那個衙門費事。」行者道：「說得有理。我兄弟們都進去，人多才好說話。」

唐僧道：「都進去，莫要撒村◆，先行了君臣禮，然後再講。」

行者道：「行君臣禮，就要下拜哩。」

三藏道：「正是，要行五拜三叩頭的大禮。」

行者笑道：「師父不濟。若是對他行禮，誠為不智。你且讓我先走到裡邊，自有處置。等他若有言語，讓我對答。我若拜，你們也拜；我若蹲，你們也蹲。」

你看那惹禍的猴王，引至朝門，與閤門大使言道：「我等是東土大唐駕下差來，上西天拜佛求經者。今到此倒換關文，煩大人轉達，是謂不誤善果。」

那黃門官即入端門，跪下丹墀，啟奏道：「朝門外有五眾僧人，言是東土唐國欽差上西天拜佛求經，今至此倒換關文，不敢擅入，現在門外聽宣。」那魔王即令傳宣。

唐僧卻同入朝門裡面，那回生的國主隨行。正行，忍不住腮邊墮淚，心中暗道：「可憐！我的銅斗兒◆江山，鐵圍的社稷，誰知被他陰占◆了。」

行者道：「陛下切莫傷感，恐走漏消息。這棍子在我耳朵裡跳哩，如今決要見功，管取打殺妖魔，掃蕩邪物。這江山不久就還歸你也。」那君王不敢違言，只得扯衣揩淚，捨死相從，逕來到金鑾殿下。又見那兩班文武，四百朝官，一個個威嚴端肅，相貌軒昂。

◆撒村——說粗野難聽的話。 銅斗兒——比喻龐大牢固。 陰占——暗中占據。

這行者引唐僧站立在白玉階前，挺身不動。

那階下眾官無不悚懼道：「這和尚十分愚濁！怎麼見我王便不下拜，亦不開言呼祝？喏也不唱一個，好大膽無禮！」

說不了，只聽得那魔王開口問道：「那和尚是哪方來的？」

行者昂然答道：「我是南贍部洲東土大唐國奉欽差前往西域天竺國大雷音寺拜活佛求真經者。今到此方，不敢空度，特來倒換通關文牒。」

那魔王聞說，心中作怒道：「你東土便怎麼？我不在你朝進貢，不與你國相通，你怎麼見吾抗禮，不行參拜？」

行者笑道：「我東土古立天朝，久稱上國，汝等乃下土邊邦。自古道：『上邦皇帝，為父為君；下邦皇帝，為臣為子。』你倒未曾接我，且敢爭我不拜？」

那魔王大怒，教文武官：「拿下這野和尚去！」說聲叫「拿」，你看那多官一齊踴躍。

這行者喝了一聲，用手一指，教：「莫來！」那一指，就使個定身法，眾官俱莫能行動。真個是校尉階前如木偶，將軍殿上似泥人。

那魔王見他定住了文武多官，急縱身，跳下龍床，就要來拿。猴王暗喜道：「好，正合老孫之意。這一來，就是個生鐵鑄的頭，湯◆著棍子，也打個窟窿。」正動身，不期旁邊轉出一個救命星來。

你道是誰，原來是烏雞國王的太子，急上前扯住那魔王的朝服，跪在面前道：「父王息怒。」妖精問：「孩兒怎麼說？」

太子道：「啟父王得知：三年前聞得人說，有個東土唐朝駕下欽差聖僧往西天拜佛求經，不期今日才來到我邦。父王尊性威烈，若將這和尚拿去斬首，只恐大唐有日得此消息，必生嗔怒。你想那李世民自稱王位，一統江山，心尚未足，又過海征伐；若知我王害了他御弟聖僧，一定興兵發馬，來與我王爭敵。奈何兵少將微，那時悔之晚矣。父王依兒所奏，且把那四

◆昂然──高傲的樣子。　湯──作動詞使用。碰觸的意思。

個和尚，問他個來歷分明，先定他一段不參王駕，然後方可問罪。」

這一篇，原來是太子小心，恐怕來傷了唐僧，故意留住妖魔，更不知行者安排著要打。

那魔王果信其言，立在龍床前面，大喝一聲道：「那和尚是幾時離了東土？唐王因甚事著你求經？」

行者昂然而答道：「我師父乃唐王御弟，號曰三藏。因唐王駕下有一丞相，姓魏名徵，奉天條夢斬涇河老龍。大唐王夢遊陰司地府，復得回生之後，大開水陸道場，普度冤魂孽鬼。因我師父敷演經文，廣運慈悲，忽得南海觀世音菩薩指教來西。我師父大發弘願，情欣意美，報國盡忠，蒙唐王賜與文牒。

「那時正是大唐貞觀十三年九月望前三日，離了東土。前至兩界山，收了我做大徒弟，姓孫，名悟空行者；又到烏斯藏國界高家莊，收了二徒弟，姓豬，名悟能八戒；流沙河界，又收了三徒弟，姓沙，名悟淨和尚；

前日在敕建寶林寺，又新收個挑擔的行童道人。」

魔王聞說，又沒法搜檢那唐僧，弄巧語盤詰行者，怒目問道：「那和尚，你起初時，一個人離東土，又收了四眾，那三僧可讓，這一道難容。那行童斷然是拐來的。他叫做甚麼名字？有度牒是無度牒？拿他上來取供。」

諕得那皇帝戰戰兢兢道：「師父啊！我卻怎的供？」

孫行者捻他一把道：「你休怕，等我替你供。」

好大聖，趨步上前，對怪物厲聲高叫道：「陛下，這老道是一個瘖啞之人，卻又有些耳聾。只因他年幼間曾走過西天，認得道路。他的一節兒起落根本，我盡知之，望陛下寬恕，待我替他供罷。」

魔王道：「趁早實實的替他供來，免得取罪。」

行者道：「供罪行童年且邁，痴聾瘖啞家私壞。祖居原是此間人，五載之前遭破敗。天無雨，民乾壞，君王黎庶都齋戒。焚香沐浴告天公，萬里全無雲靉靆。百姓飢荒若倒懸◆，終南忽降全真怪。呼風喚雨顯神通，然後暗將他命害。推下花園天井中，陰侵龍位人難解。幸吾來，功果大，起死回生無罣礙。情願皈依作行童，與僧同去朝西界。假變君王是道人，道人轉是真王代。」

那魔王在金鑾殿上聞得這一篇言語，諕得他心頭撞小鹿，面上起紅雲。急抽身就要走路，奈何手內無一兵器。轉回頭，只見一個鎮殿將軍，腰挎一口寶刀，被行者使了定身法，如痴如啞，立在那裡。他近前，奪了這寶刀，就駕雲頭望空而去。

氣得沙和尚暴躁如雷，豬八戒高聲喊叫，埋怨行者是一個急猴子：「你就慢說些兒，卻不穩住他了？如今他駕雲逃走，卻往何處追尋？」

行者笑道：「兄弟們且莫亂嚷。我等叫那太子下來拜父，嬪后出來拜夫。」卻又念個咒語，解了定身法：「教那多官甦醒回來拜君，方知是真實皇帝。教訴前情，才見分曉，我再去尋他。」

好大聖，吩咐八戒、沙僧：「好生保護他君臣、父子、嬪后與我師父。」只聽說聲去，就不見形影。

他原來跳在九霄雲裡，睜眼四望，看那魔王哩。只見那畜果逃了性命，逕往東北上走哩。行者趕得將近，喝道：「那怪物，哪裡去？老孫來了也！」

那魔王急回頭，掣出寶刀，高叫道：「孫行者，你好懺懶。我來占別人的帝位，與你無干，你怎麼來抱不平，泄漏我的機密？」

行者呵呵笑道：「我把你這個大膽的潑怪！皇帝又許你做？你既知我是老孫，就該遠遁，怎麼還刁難我師父，要取甚麼供狀？適才那供狀是也不是？你不要走，是好漢吃我老孫這一棒！」

那魔側身躲過，掣寶刀劈面相還。他兩個搭上手，這一場好殺，真是：

猴王猛，魔王強，刀迎棒架敢相當。

◆倒懸—縛住人的雙足並將之倒掛，使臉部朝下。比喻處境極為艱苦。

一天雲霧迷三界，只為當朝立帝王。

他兩個戰經數合，那妖魔抵不住猴王，急回頭復從舊路跳入城裡，闖在白玉階前兩班文武叢中，搖身一變，即變得與唐三藏一般模樣，並攙手，立在階前。這大聖趕上，就欲舉棒來打。那怪道：「徒弟莫打，是我。」急掣棒要打那個唐僧，卻又道：「徒弟莫打，是我。」一樣兩個唐僧，實難辨認：「倘若一棒打殺妖怪變的唐僧，這個也成了功果；假若一棒打殺我的真實師父，卻怎麼好？」只得停手，叫八戒、沙僧問道：「果然哪一個是怪，哪一個是我的師父？你指與我，我好打他。」八戒道：「你在半空中相打相嚷，我瞥瞥眼就見兩個師父，也不知誰真誰假。」

行者聞言，捻訣念聲咒語，叫那護法諸天、六丁六甲、五方揭諦、四值功曹、一十八位護駕伽藍、當坊土地、本境山神道：「老孫至此降妖，妖魔變作我師父，氣體相同，實難辨認。汝等暗中知會者，請師父上殿，讓我擒魔。」

原來那妖怪善騰雲霧，聽得行者言語，急撒手跳上金鑾寶殿。這行者舉起棒望唐僧就打。可憐！若不是喚那幾位神來，這一下，就是二十個唐僧，也打為肉醬！

多虧眾神架住鐵棒道：「大聖，那怪會騰雲，先上殿去了。」行者趕上殿，他又跳將下來扯住唐僧，在人叢裡又混了一混，依然難認。

行者心中不快，又見那八戒在旁冷笑，行者大怒道：「你這夯貨怎的？如今有兩個師父，你有得叫，有得應，有得服侍哩，你這般歡喜得緊！」

八戒笑道：「哥啊，說我呆，你比我又呆哩。師父既不認得，何勞費力？你且忍些頭疼，叫我師父念念那話兒，我與沙僧各攙一個聽著。若不會念的，必是妖怪，有何難也？」

行者道：「兄弟，虧你也。正是，那話兒只有三人記得。原是我佛如來心苗◆上所發，傳與觀世音菩薩，菩薩又傳與我師父，便再沒人知道。也罷，師父，念念。」真個那唐僧就念起來。

那魔王怎麼知得，口裡胡哼亂哼。八戒道：「這哼的卻是妖怪了！」他放了手，舉鈀就築。那魔王縱身跳起，踏著雲頭便走。

好八戒，喝一聲，也駕雲頭趕上。慌得那沙和尚丟了唐僧，也掣出寶杖來打。唐僧才停了咒語。孫大聖忍著頭疼，搯著鐵棒，趕在空中。呀！這一場，三個狠和尚，圍住一個潑妖魔。那魔王被八戒、沙僧使釘鈀、寶杖左右攻住了。

行者笑道：「我要再去，當面打他，他卻有些怕我，只恐他又走了。等我老孫跳高些，與他個搗蒜◆打，結果了他罷。」

這大聖縱祥光，起在九霄，正欲下個切手◆，只見那東北上，一朵彩雲裡面，厲聲叫道：「孫悟空，且休下手！」行者回頭看處，原來是文殊菩薩。急收棒，上前施禮道：「菩薩，哪裡去？」

文殊道：「我來替你收這個妖怪的。」行者謝道：「累煩了。」

那菩薩袖中取出照妖鏡◈，照住了那怪的原身。行者才招呼八戒、沙僧齊來見了菩薩。卻將鏡子裡看處，那魔王生得好不兇惡：

眼似琉璃盞，頭若煉炒缸。渾身三伏靛，四爪九秋霜。搭拉◈兩個耳，一尾掃帚長。青毛生銳氣，紅眼放金光。匾牙排玉板，圓鬚挺硬槍。鏡裡觀真像，原是文殊一個獅猁◈王。

行者道：「菩薩，這是你坐下的一個青毛獅子，卻怎麼走將來成精，你就不收服他？」

◈**心苗**—心意。 **搗蒜**—像搗碎蒜頭的姿勢。 **切手**—絕招、毒手。

照妖鏡—映照以後即能使妖魔鬼怪顯現原形的鏡子。 **搭拉**—形容下垂的樣子。

獅猁—書中是文殊菩薩的坐騎青毛獅子。

菩薩道：「悟空，他不曾走，他是佛旨差來的。」

行者道：「這畜類成精，侵奪帝位，還奉佛旨差來。似老孫保唐僧受苦，就該領幾道敕書！」

菩薩道：「你不知道。當初這烏雞國王好善齋僧，佛差我來度他歸西，早證金身羅漢。因是不可原身相見，變做一種凡僧，問他化些齋供。被吾幾句言語相難，他不識我是個好人，把我一條繩捆了，送在那御水河中，浸了我三日三夜。多虧六甲金身救我歸西，奏與如來。如來將此怪令到此處推他下井，浸他三年，以報吾三日水災之恨。『一飲一啄，莫非前定。』今得汝等來此，成了功績。」

行者道：「你雖報了甚麼『一飲一啄』的私仇，但那怪物不知害了多少人也。」

菩薩道：「也不曾害人。自他到後，這三年間，風調雨順，國泰民安，何害人之有？」

行者道：「固然如此，但只三宮娘娘與他同眠同起，點汙◆了她的身體，壞了多少綱常倫理，還叫做不曾害人？」

菩薩道：「點汙她不得，他是個騸◆了的獅子。」

八戒聞言，走近前，就摸了一把。笑道：「這妖精真個是糟鼻子不吃酒——枉擔其名了。」

行者道：「既如此，收了去罷。若不是菩薩親來，決不饒他性命。」

那菩薩卻念個咒，喝道：「畜生，還不皈正，更待何時！」那魔王才現了原身。菩薩放蓮花罩定妖魔，坐在背上，踏祥光辭了行者。咦！逕轉五臺山上去，寶蓮座下聽談經。

畢竟不知那唐僧師徒怎的出城，且聽下回分解。

◆點汙—汙辱、玷汙。騸—閹割牲畜、動物。騸音善。

第四〇回

嬰兒戲化禪心亂
猿馬刀歸木母空

卻說那孫大聖兄弟三人按下雲頭，逕至朝內，只見那君臣儲后，幾班兒拜接謝恩。行者將菩薩降魔收怪的那一節，陳訴與他君臣聽了，一個個頂禮不盡。正都在賀喜之間，又聽得黃門官來奏：「主公，外面又有四個和尚來也。」

八戒慌了道：「哥哥，莫是妖精弄法，假捏文殊菩薩，哄了我等，卻又變做和尚，來與我們鬥智哩？」

行者道：「豈有此理？」即命宣進來看。

眾文武傳令，著他進來。行者看

時，原來是那寶林寺僧人，捧著那沖天冠、碧玉帶、赭黃袍、無憂履進得來也。

行者大喜道：「來得好！來得好！」且教道人過來，摘下包巾，戴上沖天冠；脫了布衣，穿上赭黃袍；解了絛子，繫上碧玉帶；褪了僧鞋，登上無憂履；教太子拿出白玉珪來，與他執在手裡，早請上殿稱孤。

正是自古道：「朝廷不可一日無君。」

那皇帝哪裡肯坐，哭啼啼，跪在階心道：「我已死三年，今蒙師父救我回生，怎麼又敢妄自稱尊；請那一位師父為君，我情願領妻子城外為民足矣。」那三藏哪裡肯受，一心只是要拜佛求經。

又請行者，行者笑道：「不瞞列位說，老孫若肯做皇帝，天下萬國九州皇帝都做遍了。只是我們做慣了和尚，是這般懶散。若做了皇帝，就要留頭長髮，黃昏不睡，五鼓不眠；聽有邊報◈，心神不安；見有災荒，憂愁無

◈**邊報**——稱舊時邊遠地區所上的緊急情報。

奈。我們怎麼弄得慣？你還做你的皇帝，我還做我的和尚，修功行去也。」

那國王苦讓不過，只得上了寶殿，南面稱孤，大赦天下，封贈了寶林寺僧人回去。卻才開東閣，筵宴唐僧。一壁廂傳旨宣召丹青，寫下唐師徒四位喜容◆，供養在金鑾殿上。

那師徒們安了邦國，不肯久停，欲辭王駕投西。那皇帝與三宮妃后、太子、諸臣，將鎮國的寶貝、金銀緞帛，獻與師父酬恩。那三藏分毫不受，只是倒換關文，催悟空等背馬早行。那國王甚不過意，擺整朝鑾駕請唐僧上坐，著兩班文武引導，他與三宮妃后並太子一家兒，捧轂推輪◆，送出城郭，卻才下龍輦，與眾相別。

國王道：「師父啊，到西天經回之日，是必還到寡人界內一顧。」

三藏道：「弟子領命。」那皇帝閣淚◆汪汪，遂與眾臣回去了。那唐僧一行四僧，上了羊腸大路，一心裡專拜靈山。正值秋盡冬初時節，但見：

霜凋紅葉林林瘦，雨熟黃粱處處盈。

日暖嶺梅開曉色，風搖山竹動寒聲。

師徒們離了烏雞國，夜住曉行，將半月有餘，忽又見一座高山，真個是摩天礙日。三藏馬上心驚，急兜韁忙呼行者。行者道：「師父有何吩咐？」三藏道：「你看前面又有大山峻嶺，須要仔細提防，恐一時又有邪物來侵我也。」行者笑道：「只管走路，莫再多心，老孫自有防護。」那長老只得寬懷，加鞭策馬，奔至山巖，果然也十分險峻。但見得：

高不高，頂上接青霄；深不深，澗中如地府。山前常見骨都都◈白雲，圪騰騰黑霧。紅梅翠竹，綠柏青松。山後有千萬丈挾魂靈臺，臺後有古古怪怪藏魔洞。

◈喜容—人生前所畫的肖像。　閣淚—含淚而不落下來。　骨都都—騰湧的樣子。
捧轂推輪—用手捧抬起車轂、推動車輪，使車行進。轂音股，車輪中心的圓木。

洞中有叮叮噹噹滴水泉，泉下有彎彎曲曲流水澗。
又見那跳天搠地獻果猿，丫丫叉叉帶角鹿，呢呢痴痴看人獐。
至晚巴山尋穴虎，待曉翻波出水龍。
登得洞門唿喇的響，驚得飛禽撲魯的起。
看那林中走獸鞠律律的行，見此一夥禽和獸，嚇得人心扢磴磴驚。
堂倒洞堂堂倒洞，洞當當倒洞當仙。
青石染成千塊玉，碧紗籠罩萬堆煙。

師徒們正當悚懼，又只見那山凹裡有一朵紅雲，直冒到九霄空內，結聚了一團火氣。行者大驚，走近前，把唐僧搊著腳，推下馬來，叫：「兄弟們，不要走了，妖怪來矣！」慌得個八戒急掣釘鈀，沙僧忙掄寶杖，把唐僧圍護在當中。

話分兩頭。卻說紅光裡，真是個妖精。他數年前聞得人講：東土唐僧往西天取經，乃是金蟬長老轉生，十世修行的好人，有人吃他一塊肉，延生長壽，與天地同休。他朝朝在山間等候，不期今日到了。他在那半空裡正然觀看，只見三個徒弟把唐僧圍護，各各準備。

這精靈誇讚不盡道：「好和尚！我才看著一個白面胖和尚騎了馬，真是那唐朝聖僧，卻怎麼被三個醜和尚護持住了！一個個伸拳斂袖，各執兵器，似乎要與人打的一般。噫！不知是哪個有眼力的，想應認得我了。似此模樣，莫想得那唐僧的肉吃。」

沉吟半晌，以心問心的自家商量道：「若要倚勢而擒，莫能得近；或者以善迷他，卻到得手。但哄得他心迷惑，待我在善內生機，斷然拿了。且下去戲他一戲。」

好妖怪，即散紅光，按雲頭落下。去那山坡裡，搖身一變，變做七歲頑

◆搊──攙扶。

童，赤條條的身上無衣，將麻繩捆了手足，高吊在那松樹梢頭，口口聲聲只叫：「救人，救人！」

卻說那孫大聖忽抬頭再看處，只見那紅雲散盡，火氣全無。便叫：「師父，請上馬走路。」唐僧道：「你說妖怪來了，怎麼又敢走路？」行者道：「我才然間見一朵紅雲從地而起，到空中結做一團火氣，斷然是妖精。這一會紅雲散了，想是個過路的妖精，不敢傷人。我們去耶！」八戒笑道：「師兄說話最巧，妖精又有個甚麼過路的？」行者道：「你哪裡知道。若是哪山哪洞的魔王設宴，邀請那諸山各洞之精赴會，卻就有東西南北四路的精靈都來赴會。故此他只有心赴會，無意傷人。此乃過路之妖精也。」

三藏聞言，也似信不信的，只得攀鞍在馬，順路奔山前進。正行時，只聽得叫聲：「救人！」

長老大驚道：「徒弟呀，這半山中，是哪裡甚麼人叫？」

行者上前道：「師父只管走路，莫纏甚麼人轎、騾轎、明轎、睡轎。這所在，就有轎，也沒個人抬你。」

唐僧道：「不是扛抬之轎，乃是叫喚之叫。」

行者笑道：「我曉得，莫管閒事，且走路。」

三藏依言，策馬又進。行不上一里之遙，又聽得叫聲：「救人！」

長老道：「徒弟，這個叫聲不是鬼魅妖邪。若是鬼魅妖邪，但有出聲，無有回聲。你聽他叫一聲，又叫一聲，想必是個有難之人。我們可去救他一救。」

行者道：「師父，今日且把這慈悲心略收起收起，待過了此山，再發慈悲罷。這去處凶多吉少。你知道那倚草附木之說，是物可以成精。諸般還可，只有一般蟒蛇，但修得年遠日深，成了精魅，善能知人小名兒。他若在草科裡，或山凹中，叫人一聲，人不答應還可；若答應一聲，他就把人元神綽去，當夜跟來，斷然傷人性命。且走，且走！古人云：『脫得去，謝神明。』切不可聽他。」長老只得依他，又加鞭催馬而去。

行者心中暗想：「這潑怪不知在哪裡，只管叫啊叫的。等我老孫送他一個『卯酉星法』，教他兩不見面。」

好大聖，叫沙和尚前來：「攏著馬，慢慢走著，讓老孫解解手。」你看他讓唐僧先行幾步，卻念個咒語，使個移山縮地之法，把金箍棒往後一指，他師徒過此峰頭，往前走了，卻把那怪物撇下。

他再拽開步，趕上唐僧，一路奔山。只見那三藏又聽得那山背後叫聲：「救人！」

長老道：「徒弟呀，那有難的人大沒緣法，不曾得遇著我們，我們走過他了。你聽他在山後叫哩。」

八戒道：「在便還在山前，只是如今風轉了也。」

行者道：「管他甚麼轉風不轉風，且走路。」因此，遂都無言語，恨不得一步踏過此山，不題話下。

卻說那妖精在山坡裡連叫了三四聲，更無人到。他心中思量道：「我等唐僧在此，望見他離不上三里，卻怎麼這半晌還不到？想是抄◈下路去了。」他抖一抖身軀，脫了繩索，又縱紅光，上空再看。

不覺孫大聖仰面回觀，識得是妖怪，又把唐僧撮著腳推下馬來道：「兄弟們，仔細！仔細！那妖精又來也！」慌得那八戒、沙僧各持鈀、棍，將唐僧又圍護在中間。

那精靈見了，在半空中稱羨不已道：「好和尚！我才見那白面和尚坐在馬上，卻怎麼又被他三人藏了？這一去見面方知。先把那有眼力的弄倒了，

◈卯酉星法——星法，即星相術。將年月日時和地域方位的人事活動與天上日月星辰和陰陽五行結合起來，以推算吉凶禍福的一種方術。此處的卯酉星法是嘲謔的說法，卯時日出，酉時日落，正好相反。所以孫悟空接著說「叫他兩不見面」。 抄——走近路。

方才捉得唐僧。不然啊，徒費心機難獲物，枉勞情興總成空。」

卻又按下雲頭，恰似前番變化，高吊在松樹梢頭等候。這番卻不上半里之地。

卻說那孫大聖抬頭再看，只見那紅雲又散，復請師父上馬前行。三藏道：「你說妖精又來，如何又請走路？」

行者道：「這還是個過路的妖精，不敢惹我們。」

長老又懷怒道：「這個潑猴，十分弄我。正當有妖魔處，卻說無事；似這般清平之所，卻又恐嚇我，不時的嚷道有甚麼妖精。虛多實少，不管輕重，將我撺著腳，捽下馬來，如今卻解說甚麼過路的妖精。假若跌傷了我，卻也過意不去，這等這等！……」

行者道：「師父莫怪，若是跌傷了你的手足，卻還好醫治；若是被妖精撈了去，卻何處跟尋？」三藏大怒，哏哏的，要念緊箍兒咒，卻是沙僧苦勸，只得上馬又行。

還未曾坐得穩，只聽又叫：「師父救人啊！」長老抬頭看時，原來是個小孩童，赤條條的吊在樹上。兜住轡，便罵行者道：「這潑猴多大憊懶，全無有一些兒善良之意，心心只是要撒潑行凶哩！我那般說叫喚的是個人聲，他就千言萬語只嚷是妖怪！你看那樹上吊的不是個人麼？」

大聖見師父怪下來了，卻又覿面看見模樣，一則做不得手腳，二來又怕念緊箍兒咒，低著頭，再也不敢回言，讓唐僧到了樹下。

那長老將鞭梢指著問道：「你是哪家孩兒？因有甚事，吊在此間？說與我，好救你。」噫！分明他是個精靈，變化得這等，那師父卻是個肉眼凡胎，不能相識。

那妖魔見他下問，越弄虛頭◈，眼中噙淚，叫道：「師父呀，山西去有一條枯松澗，澗那邊有一莊村，我是那裡人家。我祖公公姓紅，只因廣積金銀，家私巨萬，混名喚做紅百萬。年老歸世已久，家產遺與我父。近來人事奢侈，家私漸廢，改名喚做紅十萬。專一結交四路豪傑，將金銀借放，希圖利息。

「怎知那無籍之人，設騙了去啊，本利無歸。我父發了洪誓◆，分文不借。那借金銀人，身貧無計，結成凶黨，明火執仗◆，白日殺上我門，將我財帛盡情劫擄；把我父親殺了；見我母親有些顏色，拐將去做甚麼壓寨夫人。

「那時節，我母親捨不得我，把我抱在懷裡，哭哀哀，戰兢兢，跟隨賊寇。不期到此山中，又要殺我。多虧母親哀告，免教我刀下身亡，卻將繩子吊我在樹上，只教凍餓而死。那些賊將我母親不知掠◆往哪裡去了。

「我在此已吊三日三夜，更沒一個人來行走。不知哪世裡修積，今生得遇老師父。若肯捨大慈悲，救我一命回家，就典身賣命，也酬謝師恩。致使黃沙蓋面◆，更不敢忘也。」

三藏聞言，認了真實，就教八戒解放繩索，救他下來。那呆子也不識人，便要上前動手。

行者在旁，忍不住喝了一聲道：「那潑物！有認得你的在這裡哩！莫要只管架空◈搗鬼，說謊哄人！你既家私被劫，父被賊傷，母被人擄，救你去交與誰人？你將何物與我作謝？這謊脫節◈了耶！」

那怪聞言，心中害怕，就知大聖是個能人◈，暗將他放在心上。卻又戰戰兢兢，滴淚而言曰：「師父，雖然我父母空亡，家財盡絕，還有些田產未動，親戚皆存。」

行者道：「你有甚麼親戚？」

妖怪道：「我外公家在山南，姑娘住居嶺北，澗頭李四是我姨夫，林內紅三是我族伯，還有堂叔、堂兄都住在本莊左右。老師父若肯救我，到了

◈**弄虛頭**—搞花樣、耍手段。　**洪誓**—重誓。　**掠**—奪取、搶劫。
明火執仗—點著火把，拿著武器。原指公開搶劫。後比喻公開地、毫不隱藏地幹壞事。
架空—比喻憑空捏造，沒有事實根據。　**脫節**—事物前後不相銜接。　**能人**—具有才能的人。
黃沙蓋面—比喻死亡。

莊上，見了諸親，將老師父拯救之恩，一一對眾言說，典賣些田產，重重酬謝也。」

八戒聽說，扛住行者道：「哥哥，這等一個小孩子家，你只管盤詰他怎的？他說的是強盜，只打劫他些浮財，莫成連房屋田產也劫得去？若與他親戚們說了，我們縱有廣大食腸，也吃不了他十畝田價。救他下來罷。」呆子只是想著吃食，哪裡管甚麼好歹，使戒刀挑斷繩索，放下怪來。那怪對唐僧馬下淚汪汪，只情磕頭。

長老心慈，便叫：「孩兒，你上馬來，我帶你去。」

那怪道：「師父啊，我手腳都吊麻了，腰胯疼痛，一則是鄉下人家，不慣騎馬。」唐僧叫八戒馱著。

那妖怪抹了一眼道：「師父，我的皮膚都凍熟了，不敢要這位師父馱。他的嘴長耳大，腦後鬃硬，搠得我慌。」

唐僧道：「教沙和尚馱著。」

那怪也抹了一眼道：「師父，那些賊來打劫我家時，一個個都搽了花臉，帶假鬍子，拿刀弄杖的。我被他諕怕了，見這位晦氣臉的師父，一發沒了魂了，也不敢要他馱。」唐僧教孫行者馱著。

行者呵呵笑道：「我馱！我馱！」那怪物暗自歡喜，順順當當的要行者馱他。

行者把他扯在路旁邊，試了一試，只好有三斤十來兩重。

行者笑道：「你這個潑怪物，今日該死了，怎麼在老孫面前搗鬼？我認得你是個那話兒。」

妖怪道：「我是好人家兒女，不幸遭此大難，怎麼是個甚麼『那話兒』？」

行者道：「你既是好人家兒女，怎麼這等骨頭輕？」

妖怪道：「我骨格兒小。」行者道：「你今年幾歲了？」

◈扛—頂撞。 浮財—泛指金錢、糧食、衣物等動產。

那妖怪道：「我七歲了。」

行者笑道：「一歲長一斤，也該七斤，你怎麼不滿四斤重麼？」

那怪道：「我小時失乳。」

行者說：「也罷，我馱著你，若要尿尿把把，須和我說。」

三藏才與八戒、沙僧前走，行者背著孩兒隨後，一行逕投西去。有詩為證。詩曰：

道德高隆魔障高，禪機本靜靜生妖。
心君正直行中道，木母痴頑躧外趫。
意馬不言懷愛欲，黃婆無語自憂焦。
客邪得志空歡喜，畢竟還從正處消。

孫大聖馱著妖魔，心中埋怨唐僧不知艱苦：「行此險峻山場，空身也難走，卻教老孫馱人。這廝莫說他是妖怪，就是好人，他沒了父母，不知將他馱與何人，倒不如摜殺他罷。」那怪物卻早知覺了，便就使個神通，往四下裡吸了四口氣，吹在行者背上，便覺重有千斤。

行者笑道：「我兒啊，你弄重身法壓我老爺哩！」

那怪聞言，恐怕大聖傷他，卻就解屍，出了元神，跳將起去，佇立在九霄空裡。這行者背上越重了。猴王發怒，抓過他來，往那路旁邊賴石頭上滑辣的一摜，將屍骸摜得像個肉餅一般。還恐他又無禮，索性將四肢扯下，丟在路兩邊，俱粉碎了。

那物在空中明明看著，忍不住心頭火起道：「這猴和尚十分憊懶，就作我是個妖魔，要害你師父，卻還不曾見怎麼下手哩，你怎麼就把我這等傷損！早是我有算計，出神走了；不然，是無故傷生也。若不趁此時拿了唐僧，再讓一番，越教他停留長智◆。」好怪物，就在半空裡弄了一陣旋風，呼的一聲響亮，走石揚沙，誠然凶

◆把把——方言，指糞便。用手端著嬰兒讓他大小便的動作，也叫把把。 長智——學乖。

狠。好風：

淘淘怒捲水雲腥，黑氣騰騰閉日明。
嶺樹連根通拔盡，野梅帶幹悉皆平。
黃沙迷目人難走，怪石傷殘路怎平。
滾滾團團平地暗，遍山禽獸發哮聲。

刮得那三藏馬上難存，八戒不敢仰視，沙僧低頭掩面。孫大聖情知是怪物弄風，急縱步來趕時，那怪已騁風頭，將唐僧攝去了，無蹤無影，不知攝向何方，無處跟尋。一時間，風聲暫息，日色光明。

行者上前觀看，只見白龍馬戰兢兢發喊聲嘶，行李擔丟在路下，八戒伏於崖下呻吟，沙僧蹲在坡前叫喚。行者喊：「八戒！」

那呆子聽見是行者的聲音，卻抬頭看時，狂風已靜，爬起來，扯住行者道：「哥哥，好大風啊！」

沙僧卻也上前道：「哥哥，這是一陣旋風。」又問：「師父在哪裡？」

八戒道：「風來得緊，我們都藏頭遮眼，各自躲風，師父也伏在馬上的。」

行者道：「如今卻往哪裡去了？」

沙僧道：「是個燈草做的，想被一風捲去也。」

行者道：「兄弟們，我等自此就該散了。」

八戒道：「正是，趁早散了，各尋頭路，多少是好。那西天路無窮無盡，幾時能到得？」

沙僧聞言，打了一個失驚◈，渾身麻木道：「師兄，你都說的是哪裡話？我等因為前生有罪，感蒙觀世音菩薩勸化，與我們摩頂受戒，改換法名，皈依佛果，情願保護唐僧上西方拜佛求經，將功折罪。今日到此，一旦俱休，說出這等各尋頭路的話來，可不違了菩薩的善果，壞了自己的德行，惹人恥笑，說我們有始無終也？」

◈打失驚——吃驚，嚇一跳。

行者道：「兄弟，你說得也是，奈何師父不聽人說。我老孫火眼金睛，認得好歹。才然這風，是那樹上吊的孩兒弄的。我認得他是個妖精，你們不識，那師父也不識，認作是好人家兒女，教我馱著他走。是老孫算計要擺布他，他就弄個重身法壓我。是我將他摜得粉碎。他想是又使解屍之法，弄陣旋風，把我師父攝去也。因此上怪他每每不聽我說，故我意懶心灰，說各人散了。既是賢弟有此誠意，教老孫進退兩難。八戒，你端的要怎的處？」

八戒道：「我才自失口亂說了幾句，其實也不該散。哥哥，沒及奈何，還信沙弟之言，去尋那妖怪救師父去。」

行者卻回嗔作喜道：「兄弟們，還要來結同心，收拾了行李、馬匹，上山找尋怪物，搭救師父去。」

三個人附葛扳藤，尋坡轉澗，行經有五、七十里，卻也沒個音信。那山上飛禽走獸全無，老柏喬松常見。

孫大聖著實心焦，將身一縱，跳上那巔險峰頭，喝一聲叫：「變！」變做三頭六臂，似那大鬧天宮的本相。將金箍棒晃一晃，變做三根金箍棒，劈哩撲辣的，往東打一路，往西打一路，兩邊不住的亂打。八戒見了道：「沙和尚，不好了，師兄是尋不著師父，惱出氣心風來了。」

那行者打了一會，打出一夥窮神來，都披一片、掛一片，褌無襠、褲無口的跪在山前，叫：「大聖，山神、土地來見。」行者道：「怎麼就有許多山神、土地？」眾神叩頭道：「上告大聖。此山喚做六百里鑽頭號山。我等是十里一山神，十里一土地，共該三十名山神、三十名土地。昨日已此聞大聖來了，只因一時會不齊，故此接遲，致令大聖發怒，萬望恕罪。」

◆**火眼金睛**——指能識別妖魔鬼怪的眼睛。

行者道：「我且饒你罪名。我問你，這山上有多少妖精？」

眾神道：「爺爺呀！只有得一個妖精，把我們頭也摩光了，弄得我們少香沒紙，血食全無，一個個衣不充身，食不充口，還吃得有多少妖精哩。」

行者道：「這妖精在山前住，是山後住？」

眾神道：「他也不在山前山後。這山中有一條澗，叫做枯松澗。澗邊有一座洞，叫做火雲洞。那洞裡有一個魔王，神通廣大，常常的把我們山神、土地拿了去，燒火頂門，黑夜與他提鈴喝號，小妖兒又討甚麼常例錢。」

行者道：「汝等乃是陰鬼之仙，有何錢鈔？」

眾神道：「正是沒錢與他，只得捉幾個山獐、野鹿，早晚間打點群精；若是沒物相送，就要來拆廟宇，剝衣裳，攪得我等不得安生。萬望大聖與我等剿除此怪，拯救山上生靈。」

行者道：「你等既受他節制，常在他洞下，可知他是哪裡妖精，叫做甚麼名字？」

眾神道：「說起他來，或者大聖也知道。他是牛魔王的兒子，羅剎女養的。他曾在火焰山修行了三百年，煉成三昧真火，卻也神通廣大，牛魔王使他來鎮守號山。乳名叫做紅孩兒，號叫做聖嬰大王。」

行者聞言，滿心歡喜。喝退了土地、山神，卻現了本相，跳下峰頭，對八戒、沙僧道：「兄弟們放心，再不須思念，師父決不傷生，妖精與老孫有親。」

八戒笑道：「哥哥，莫要說謊。你在東勝神洲，他這裡是西牛賀洲，路程遙遠，隔著萬水千山，海洋也有兩道，怎的與你有親？」

行者道：「剛才這夥人都是本境土地、山神，我問他妖怪的原因，他道是牛魔王的兒子，羅剎女養的，名字喚做紅孩兒，號聖嬰大王。想我老孫五百年前大鬧天宮時，遍遊天下名山，尋訪大地豪傑，那牛魔王曾與老孫結七弟兄。一般五六個魔王，只有老孫生得小巧，故此把牛魔王稱為大哥。這妖精是牛魔王的兒子，我與他父親相識，若論將起來，還是他老叔哩，他怎敢害我師父？我們趁早去來。」

沙和尚笑道：「哥啊，常言道：『三年不上門，當親也不親』哩！你與他相別五六百年，又不曾往還杯酒，又沒有個節禮相邀，他哪裡與你認甚麼親耶？」

行者道：「你怎麼這等量人？常言道：『一葉浮萍歸大海，為人何處不相逢。』縱然他不認親，好道也不傷我師父。不望他相留酒席，必定也還我個囫圇唐僧。」

三兄弟各辦虔心，牽著白馬，馬上馱著行李，找大路一直前進。無分晝夜，行了百十里遠近，忽見一松林，林中有一條曲澗，澗下有碧澄澄的活水飛流，那澗梢頭有一座石板橋，通著那廂洞府。

行者道：「兄弟，你看那壁廂有石崖磷磷，想必是妖精住處了。我等從眾商議：哪個管看守行李、馬匹？哪個肯跟我過去降妖？」

八戒道：「哥哥，老豬沒甚坐性，我隨你去罷。」行者道：「好！好！」教：「沙僧將馬匹、行李俱潛在樹林深處，小心守護，待我兩個上門去尋師父耶。」那沙僧依命。八戒相隨，與行者各持兵器前來。正是：未煉嬰兒邪火勝，心猿木母共扶持。

畢竟不知這一去吉凶何如，且聽下回分解。

國家圖書館出版品預行編目(CIP)資料

西遊記/孫家琦編輯. 一 第一版.
一 新北市 : 人人, 2017.02
冊 ; 公分. 一(人人文庫)
ISBN 978-986-461-092-1(卷2:平裝)
ISBN 978-986-461-096-9(全套:平裝)
857.47 105025279

【人人文庫】

西遊記

卷2

第二一回至第四〇回

題字・篆刻/羅時僖
書系編輯/孫家琦
書籍裝幀/楊美智
發行人/周元白
出版者/人人出版股份有限公司
地址/23145新北市新店區寶橋路235巷6弄6號7樓
電話/(02)2918-3366(代表號)
傳真/(02)2914-0000
網址/www.jjp.com.tw
郵政劃撥帳號/16402311人人出版股份有限公司
製版印刷/長城製版印刷股份有限公司
電話/(02)2918-3366(代表號)
經銷商/聯合發行股份有限公司
電話/(02)2917-8022
第一版第一刷/2017年2月
定價/新台幣260元